D1444681

APOLOGIE DE SOCRATE

CRITON

PLATON

APOLOGIE DE SOCRATE
CRITON

Traductions inédites, introductions et notes
par
LUC BRISSON

Édition corrigée et augmentée
d'un supplément bibliographique (1997-2004)

GF Flammarion

3e édition corrigée, 2005.
© Flammarion, Paris, 1997.
ISBN : 2-08-070848-1

REMERCIEMENTS

Cette nouvelle traduction de l'Apologie et du Criton a été réalisée en parallèle avec celle de l'Euthyphron et du Lachès par Louis-André Dorion ; nous avons fait une lecture croisée de nos traductions et nous avons discuté de plusieurs points litigieux.

Je tiens à remercier Michel Christiansen avec lequel j'ai discuté pendant des années de l'Apologie, et qui a relu tout ce travail en me faisant d'importantes remarques.

Je veux exprimer ma gratitude à Richard Goulet qui a pu grâce au programme Lexis 2, qu'il a lui-même mis au point, me fournir un lexique grec complet du texte de l'Apologie et du Criton.

Catherine Joubaud a relu le dernier état de cette traduction, François Renaud a relevé les coquilles qui subsistaient dans la première édition, et Louis-André Dorion m'a fourni la liste des corrections à apporter à la troisième édition.

ABRÉVIATIONS

CAF : *Comicorum Atticorum Fragmenta*, éd. par Th. Kock, Leipzig, Teubner, 1880-1888.

CIA : *Corpus Inscriptionum Atticorum*, éd. W. Dittenberger et *alii*, Berlin, Reimer, 1873-1895.

DK : *Die Fragmente der Vorsokratiker*, éd. par H. Diels; 6ᵉ éd. par W. Kranz, Berlin, Weidmann, 1951-1952 = reprint de la 5ᵉ éd. [1934-1937] avec ces *Nachträge*.

DPhA : *Dictionnaire des Philosophes antiques*, publié sous la direction de Richard Goulet, Paris, éd. du CNRS I, 1989; II, 1994-.

FGrH : *Die Fragmente der Griechischen Historiker*, éd. par F. Jacoby, Berlin, Weidmann, puis, Leiden, Brill, 1923-1958.

IG : *Inscriptiones Graecae*, éd. minor, Berlin, de Gruyter, 1913-.

PCGr : *Poetae Comici Graeci*, Berlin de Gruyter, éd. R. Kassel et C. Austin, 1983-.

INTRODUCTION

Dans l'*Apologie*, Platon élève au rang de « mythe fondateur » de la philosophie un fait contingent et de peu d'importance au regard de l'histoire, la condamnation à mort en 399 à Athènes d'un individu au terme d'un procès public. Et cette transmutation de la contingence en exigence absolue conserve aujourd'hui encore tout son pouvoir de fascination. Alors que, dans les autres dialogues socratiques, il décrit un Socrate en pleine action, dans l'*Apologie* Platon fait, en définitive, apparaître un Socrate qui, par sa mort, témoigne de cette conviction : seule la pratique qui inspire son action, à savoir la « philosophie », fait que, pour un être humain, la vie vaut d'être vécue.

A. LE PROCÈS DE SOCRATE

Platon et Xénophon firent l'un et l'autre le récit du procès de Socrate[1]. Xénophon ne revint pas d'Asie Mineure avant 394, soit cinq ans après l'événement[2]

---

1. Sur les différences entre les deux versions, cf. Gregory Vlastos, *Socrate. Ironie et philosophie morale* [1991], trad. française par C. Dalimier, Paris, Aubier, 1994, p. 396-398.

2. Xénophon se trouvait alors en Perse et participait à l'expédition qu'il décrit dans l'*Anabase*. Voilà pourquoi dans son *Apologie de Socrate*, qui correspond au dernier chapitre du livre IV des *Mémorables*, Xénophon se dit informé par Hermogène, le demi-frère sans fortune du richissime Callias (cf. n. 51, p. 134-135).

qu'il faut situer en 399, vers le milieu du mois de mai[1]; alors que Platon fut présent au procès (*Apologie* 34a, cf. aussi 38b), même si, dans le *Phédon* (59b), on apprend qu'il n'assista pas à la mort de Socrate, parce qu'il était malade. Voilà pourquoi le témoignage de Platon me semble devoir être privilégié[2], bien qu'on puisse penser que Platon fait souvent dire à Socrate ce qu'il aurait dû dire plutôt que ce qu'il a dit. Il n'en reste pas moins que Platon devait respecter une certaine vraisemblance : en effet, le procès qu'il décrit s'était tenu devant plusieurs centaines de juges et d'auditeurs qui devaient, pour la plupart, être encore vivants entre 392 et 387, date à laquelle l'*Apologie* fut probablement écrite[3]; cette situation impose des contraintes bien plus fortes que s'il s'agissait d'une conversation privée entre quelques interlocuteurs morts lors de la rédaction du dialogue, comme c'est le cas pour le *Parménide* notamment[4].

Au début de l'*Apologie*[5], Socrate remarque que c'est la première fois qu'il comparaît devant un Tribunal alors qu'il est âgé de soixante-dix ans environ; cette remarque revêt une véritable pertinence, si l'on rappelle que, à Athènes, un procès ne constituait pas un

1. Sur l'établissement de cette date dramatique, cf. l'Introduction au *Criton*, n. 1, p. 175.
2. En dépit des réserves faites par Pierre Vidal-Naquet dans « Platon, l'histoire et les historiens », d'abord publié dans *Histoire et Structure, à la mémoire de Victor Goldschmidt*, éd. par Jacques Brunschwig, Claude Imbert et Alain Roger, Paris, Vrin, 1985, p. 147-160; puis repris dans *La Démocratie grecque vue d'ailleurs*, Paris, Flammarion, 1990, p. 121-137. Et Louis-André Dorion, dans « La subversion de l'*elenchos* juridique dans l'*Apologie de Socrate* », *Revue philosophique de Louvain* 88, 1990, p. 311-344. Ce n'est pas parce qu'il a du génie que Platon déforme systématiquement les faits qu'il évoque; tout fait doit être interprété, et rien n'interdit que l'interprétation de Platon soit la meilleure.
3. Voir n. 165, p 147.
4. Cf. l'Introduction de *Parménide*, Paris, GF-Flammarion, 1994. En outre, dans l'*Apologie*, Platon se met lui-même en scène.
5. Voir n. 12, p. 130. Platon qui fréquentait Socrate depuis 408 approchait de ses trente ans. Et Aristophane avait dans les soixante ans. L'*Assemblée des femmes* fut représentée en 392, à une époque où Platon écrivait ou projetait d'écrire l'*Apologie*.

événement exceptionnel : tout conflit d'intérêt, privé
ou public, pouvait, sur initiative privée ou publique, y
être porté non pas devant des professionnels, mais
devant un large public de juges; que Socrate soit cité à
comparaître au Tribunal pour la première fois à l'âge
de soixante-dix ans signifie qu'il s'est peu mêlé des
affaires publiques. Il reste que, pour comprendre
l'*Apologie*, dont le vocabulaire et la structure
dépendent de son contexte juridique, il faut replacer
l'œuvre dans son cadre : celui d'un procès[1].

1. *La procédure*

Un jour de 399, Mélétos se rendit au Portique royal
pour y intenter une action (*graphḗ*) contre Socrate
auprès de l'archonte-roi. À Athènes, le terme géné-
rique pour une affaire juridique était *dikē*, que cette
affaire fût privée (*dikē idia*) ou publique (*dikē dēmó-
sia*). Une affaire publique portait sur toute faute, tout
conflit, qui intéressait l'ensemble de la communauté.
Le type le plus ordinaire d'« action publique » était la
graphḗ[2], dont l'origine étymologique indique que, au
point de départ, ce fut le seul type d'affaire où la
plainte devait être rédigée par écrit, afin d'être publiée
sur une tablette exposée dans l'agora, près des statues
des héros éponymes des dix tribus[3] (carte II).

L'archonte-roi qui avait reçu la plainte devait
mener une enquête préliminaire, une instruction (*anákrisis*) pour décider si l'affaire justifiait un procès.
Dans l'affirmative, l'archonte-roi faisait, à une date
qu'il avait fixée, lire la plainte devant les deux parties
qui venaient lui expliquer l'affaire : l'accusé devait
alors reconnaître les faits ou faire une déclaration
solennelle là contre. Et la séance se terminait par un
serment mutuel[4], par lequel les deux parties juraient

---

1. La description qui suit s'inspire de Douglas M. MacDowell,
The Law in classical Athens, London, Thames & Hudson, 1978.
2. *Apologie* 19b, 26b, 26e, 27a, 27e, 28a, 31d.
3. Aristophane, *Nuées*, v. 770, *Guêpes*, v. 349; Isocrate, *Sur
l'échange* [XV], 237; Démosthène, *Contre Midias* [XXI], 103.
4. Le terme grec est *antōmosia* (*Apologie* 19b, 24b).

que leurs déclarations étaient vraies[1], ce qui fut le cas pour Socrate et pour Mélétos. Après avoir mis en place cette procédure, l'archonte-roi transmit l'affaire auprès de l'Héliée, ou plutôt l'Éliée (*Ēliaía*)[2], la cour qui était habilitée à examiner les accusations d'impiété. Désormais Socrate, contre qui Mélétos avait porté plainte[3], faisait l'objet d'une poursuite[4].

Le jour du procès[5], les parties se rendaient à la cour, où les attendait le magistrat qui devait traiter l'affaire, avec leurs témoins et leurs « supporteurs »; le public se massait tout autour de l'enceinte qui matérialisait la cour[6]. Les uns et les autres pouvaient, au cours du procès, manifester bruyamment leurs sentiments[7]. Les juges ne devaient pas prêter serment, puisqu'ils l'avaient déjà fait, lorsqu'ils avaient été choisis au début de l'année; mais le magistrat qui présidait la cour tirait au sort parmi eux un individu qui surveillait

1. Isocrate, *Sur l'attelage* [XVI], 2; Isée, *Pour Euxénippe* [III], 6-7, *Contre Démosthène* [V], 1-2, et [IX], 1; Démosthène, *Contre Macartanos* [XLIII], 3.

2. Sur la nature et la composition de cette cour, cf. Douglas M. MacDowell, *The Law in classical Athens, op. cit.*, p. 35 : « This was the court for many important types of case, some of which required particularly large juries (1 000 or more) and it must have had a larger building than the other courts [...]. That may be why this court took over the title "Elaia", which in earlier times had meant the full Athenian assembly. » Pour une description archéologique, cf. *The Athenian Agora. Results of excavations conducted by the American School of classical Studies at Athens*, vol. XIV : *The Agora of Athens. The history, shape and uses of an ancient city center*, ed. by Homer A. Thompson and R.E. Wycherley, The American School of classical Studies at Athens, Princeton, 1972, p. 62-65.

3. Le verbe est *egkaléō* (*Apologie* 26c, 27e) et le substantif correspondant *égklēma* (24c).

4. Le verbe est *eiságō* (*Apologie* 24d, 25c, 25d, 26a, 29a, 29c, 35b)

5. Le terme *agṓn* (*Apologie* 24c, 34c, 37, cf. *agōnizesthai*, 34c) désigne le procès.

6. Le terme *dikastḗrion* désigne tout naturellement le tribunal (*Apologie* 17c, 29a, 40b), l'enceinte où sont assis les juges. Démosthène, *Contre Nééra* [XI], 5, 27, 80, 91, 161, et *Contre Conon* [LIV], 41.

7. Cf. les occurrences de *thorubeîn* (*Apologie* 17c, 20e, 21a, 27b, 30c).

l'horloge à eau, quatre qui supervisaient le vote et
quatre qui s'occupaient du paiement des juges à la fin
du procès.

L'affaire était alors instruite. Devant les juges et le
public, un greffier lisait l'acte d'accusation et la loi à
laquelle l'accusé était censé avoir contrevenu[1]. Si les
deux parties étaient présentes[2], le procès commençait
immédiatement avec le discours de l'accusateur et
celui de l'accusé[3], qui prenaient l'un et l'autre la
parole. Un seul discours de chaque côté était admis,
dont la longueur était limitée. Pour mesurer le temps
écoulé, on se servait d'une horloge à eau, un grand
vase dont le fond était percé d'un trou qu'on pouvait
obturer avec un bouchon; le vase était rempli d'eau[4],
et on enlevait le bouchon lorsqu'un discours commençait. Une affaire publique retenait la cour pendant une
journée entière[5] dont l'ensemble était divisé (*diametrē-
ménē*) en trois parties, d'égale longueur : un tiers pour
le discours de l'accusateur, un tiers pour celui de

---

1. Suivant la procédure dite de la *graphḕ paranómōn*. Cf. *Apologie*
24b-c, et peut-être 33d. Pour des parallèles juridiques : Eschine,
Contre Ctésiphon [III], 200; Démosthène, *Contre Théocrinès*
[XVIII], 111. Pour des exemples de cette lecture : Aristophane,
Guêpes, v. 894; Eschine, *Contre Timarque* [I], 2.

2. La possibilité d'un procès *in absentia* (*erḗmēn katēgoreîn*) est
évoquée dans l'*Apologie* (18c) par Socrate, lorsqu'il se réfère aux
calomnies anciennes qui avaient été lancées par Aristophane.

3. Pour l'accusateur, le champ sémantique est *katḗgoros* (*Apologie* 17a, 18b, 18c, 19b, 24b, 35d, 39b, 41d), *katēgoría* (19a), *kathē-
goreîn* (*passim*); pour l'accusé, *apología* (24b, 28b) et *apologeîsthai*
(*passim*).

4. Pour chaque discours, on accordait 44 *khoḗ*, unité de capacité
athénienne. Les archéologues, qui ont retrouvé des clepsydres sur
l'agora, ont pu mesurer une durée de 3 minutes par conge (*khoḗ*).
Par suite, les discours de l'accusateur et de l'accusé pouvaient durer
chacun un peu plus de deux heures (44 x 3 = 132 minutes =
2 heures et 12 minutes). Il va sans dire que cette durée n'est
qu'approximative, trop de variables intervenant dans le débit de
l'eau : viscosité du liquide, porosité du récipient, température
ambiante, etc. Sur le sujet, cf. Douglas M. MacDowell, *The Law in
classical Athens, op. cit.*, p. 248-250.

5. Toute la procédure devait se dérouler en un seul jour (*Apologie* 37a-b).

l'accusé et un tiers pour l'établissement de la peine, au cas où l'accusé était reconnu coupable[1]. Plusieurs types de procès étaient possibles.

Mais, dans le cas de Socrate, on retint ce type de procès appelé *agòn timétós*[2], qui ne comprenait pas de peine établie par la loi. Dans un procès de ce type, la peine proposée par l'accusateur était indiquée à la fin de l'acte d'accusation[3]. Si le jury reconnaissait que l'accusé était coupable, une nouvelle étape du procès commençait. L'accusation pouvait après le verdict présenter une argumentation en faveur de la peine indiquée à la fin de l'acte d'accusation, et on accordait à celui qui venait d'être déclaré coupable un temps de parole égal pour proposer une peine alternative[4]. Les juges votaient une seconde fois pour choisir entre les deux propositions, mais l'accusé ne pouvait présenter une troisième proposition, ce qui constitue un point décisif dans le cas de Socrate. Le procès que Platon prétend rapporter dans l'*Apologie* a bien cette structure. Dans un premier discours (*Apologie* 17a-35d), Socrate présente sa défense face à l'accusation portée contre lui. Et dans un second discours (*Ibid.* 36e-38b), Socrate propose une peine de substitution.

Chaque partie devait parler pour elle-même, après être montée à la tribune[5]. Elle ne pouvait être défendue par un avocat, auprès duquel elle serait restée

---

1. Aristote, *Athenaion Politeia* 67; Démosthène, *Contre Macartanos* [XLIII], 8, et *Contre Nicostratos* [LIII], 17; Eschine, *Sur l'ambassade infidèle* [II], 126, et *Contre Ctésiphon* [III], 197.

2. À proprement parler, un procès (*agón*), où l'on fixe la peine (*timétós*).

3. C'est bien le cas pour Socrate, si on en croit Diogène Laërce qui prétend citer Favorinus : « Voici la plainte que rédigea et que confirma par serment contradictoire Mélétos, fils de Mélétos, du dème de Pitthos, contre Socrate, fils de Sophroniskos, du dème d'Alopékè : Socrate est coupable de ne pas reconnaître les dieux reconnus par la cité et d'introduire de nouvelles puissances démoniques ; il est en outre coupable de corrompre les jeunes gens. Peine : la mort. » (II, 40). Texte analysé, p. 37-42.

4. C'est-à-dire *antitímēsis*, cf. *Apologie* 36b.

5. Le terme qui désigne cette action est *anabainein* (*Apologie* 17c, 31c, 33d, 36a, 40b) et *anabibázein* (18c, 34c, 34d)

silencieuse, comme c'est le cas de nos jours. Si elle doutait de ses capacités oratoires, chaque partie pouvait cependant se faire assister soit par un « logographe », un « avocat de papier », qui écrivait le discours que prononçait la partie en question[1], soit par un parent ou par un ami qui l'accompagnait et dont l'aide ne devait pas être rémunérée sous peine de poursuite. On pouvait aussi citer à comparaître un témoin. Outre ces personnes qui lui apportaient leur aide, une partie pouvait s'entourer de « supporteurs »[2], notamment sa famille et surtout ses enfants, qui ne prenaient pas la parole, mais dont la présence était susceptible de toucher les juges[3].

Dans l'*Apologie*, l'accusateur cherche à montrer[4] la culpabilité de l'accusé qui, lui, doit établir son innocence; ils doivent se réfuter l'un l'autre[5]. L'opposition est donc insurmontable, et le conflit ne peut se résoudre qu'à l'avantage de l'un des deux orateurs qui doit réussir à produire des preuves[6] accablantes pour ses adversaires. Or, ces preuves ont pour sources principales les vraisemblances et les témoins. Socrate joue sur les vraisemblances, mais il n'appelle jamais de témoins à la rescousse[7]; il se borne à désigner ceux

1. Sur l'existence des logographes et sur leur importance, cf. M. Lavency, *Aspect de la logographie judiciaire attique*, Louvain, Presses de l'université de Louvain, 1964. Ainsi que mes remarques dans l'Introduction que j'ai donnée à ma traduction du *Phèdre*.

2. Cf. la liste de noms citée en *Apologie* 33e-34a.

3. Aristophane, *Guêpes*, 568-574; Platon, *Apologie* 34c; Lysias, *Pour Polystratos* [XX], 34; Démosthène, *Contre Midias* [XXI], 99, 186-188.

4. Cf. les verbes *apodeiknúnai* (*Apologie* 20d) et *epideiknúnai* (22a, 24c, 125c, 40a). On trouve aussi le substantif *tekmḗrion* (32a, 24a, 24d, 40c).

5. Le verbe qui désigne cette action est *elégkhein* (*Apologie* 18d, 21c, 29e, 39c) et le substantif *élegkhos* (39d).

6. En grec ancien, *tekmḗrion* (*Apologie* 24a, 24d, 32a, 40c).

7. Socrate fait parfois allusion à des témoins (*mártures*, 19d, 20e, 31c, 32e, 34a) qui pourraient porter témoignage (*martureîn*, 21a) en sa faveur, mais jamais il ne fait formellement appel à eux personnellement. La seule exception, il faut le remarquer, est non pas un homme, mais un dieu, Apollon, qui présente cette qualité qu'on attend d'un témoin : il est digne de foi, c'est-à-dire *axiókhreōn* (20e).

qui sont venus pour lui apporter leur soutien[1]. De
façon très générale, on peut dire que, à Athènes, dans
un procès, deux personnes qui ne représentent
qu'elles-mêmes s'affrontent en leur nom propre. Elles
cherchent non pas à se convaincre mutuellement ou à
convaincre le magistrat qui préside la cour, mais à
convaincre les juges, qui, en dernière instance, tran-
cheront et décideront par leur vote de façon irréver-
sible; en effet, il n'y avait pas de cour d'appel à
Athènes pour ce genre d'affaires; comme le Tribunal
était populaire, seul le peuple réuni à l'Assemblée
pouvait revenir sur ses décisions[2]. La preuve est donc
antérieure et extérieure au procès lui-même.

Cependant, celui qui avait la parole pouvait poser
des questions à son adversaire[3]. Ce dernier était
obligé de répondre, ce que rappelle Socrate au cours
de l'interrogatoire (*erōtēsis*) auquel il soumet Mélétos[4].
On n'a aucune raison de penser que l'eau de la clepsydre s'arrêtait de couler durant un contre-interrogatoire. Dans un procès ordinaire, le contre-interrogatoire ne jouait qu'un rôle secondaire, en faisant
ressortir des failles dans le discours de l'adversaire[5].
En outre, on peut penser qu'il était relativement peu
utilisé, notamment dans les procès où les parties
lisaient un texte, car il signait l'irruption de l'imprévu
dans le cours d'un processus structuré d'avance.

Au cours d'un procès, la réfutation (l'*elenchos*) ne
s'obtient donc pas dans le cadre d'un interrogatoire
(*erōtēsis*). Dans un passage important du *Gorgias*,

1. Le terme qui désigne l'action d'« apporter son soutien » est
parékhesthai (31c, 34a).
2. Par exemple, la loi d'amnistie qui, en 403, déclarait invalides
les verdicts prononcés sous les Trente.
3. Lysias, *Contre Ératosthène* [XII], 25, et *Contre Agoras* [XIII],
30-32; Isée, *La Succession d'Hagnias* [XI], 5; Démosthène, *Contre
Stéphanos* [XLVI], 70.
4. *Apologie* 25c-d.
5. « At best, the interrogation was a rhetorical device to embar-
rass one's opponent rather that a mean of securing information. »
selon R.J. Bonner & G. Smith, *The Administration of Justice from
Homer to Aristotle* II, Chicago, Chicago University Press, 1931,
p. 122.

Socrate explique bien à Polos en quoi consiste cet
elenchos juridique et comment il se distingue de celui
que Socrate, lui, pratique : « En fait, très cher ami, tu
te mets à me réfuter comme les orateurs au tribunal,
quand ils veulent réfuter la partie adverse (*rhētorikôs
gár me epikhereireîs elégkhein, hôsper hoi en toîs dikastē-
riois hēgoúmenoi elégkhein*). Au Tribunal, en effet, on
estime qu'on réfute son adversaire (*ekeî hoi héteroi toùs
hetérous dokoûsin elégkhein*) si on présente, en faveur
de la cause qu'on défend, un bon nombre de témoins
très bien vus de tout le monde, tandis que la cause
adverse, elle, n'a qu'un seul témoin, sinon aucun.
Mais ce genre de réfutation (*hoûtos dè ho élegkhos*) n'a
aucune valeur pour la recherche de la vérité. On sait
bien qu'il arrive parfois qu'un homme soit mis en
cause par de faux témoignages abondants et qui
semblent dignes de foi. Surtout en ce moment,
presque tout le monde, Athéniens et étrangers, sera
d'accord pour défendre ta cause, si tu veux que tous
témoignent contre moi et affirment que je ne dis pas la
vérité. Tu auras, si tu veux, le témoignage de Nicias,
fils de Nicératos, et celui de ses frères en même temps,
eux qui ont fait poser dans le sanctuaire de Dionysos
une rangée de trépieds, symbole de leur importance.
Tu aurais aussi, si tu veux, le témoignage d'Aristocrate, fils de Skellios, qui a fait installer lui aussi dans
le temple de la Pythie un superbe monument. Tu
auras enfin, si tu veux, les témoignages de tout
l'entourage de Périclès et ceux de toute autre famille
d'Athènes que tu voudras choisir. » (*Gorgias*
471e-472b). La même conception juridique de l'*elenchos* se retrouve dans l'*Hippias majeur* (388a). Or, sur
plusieurs points essentiels l'*elenchos* juridique diffère
de l'*elenchos* dialectique propre à Socrate. Le premier
a d'autant plus de force persuasive qu'il se fonde sur
un plus grand nombre de témoins. Or, le seul témoin
qui intéresse Socrate, c'est son interlocuteur. De plus,
alors que l'*elenchos* dialectique établit sa preuve par le
biais d'une *erôtēsis* au cours de laquelle l'adversaire
donne lui-même son accord, l'*elenchos* juridique fonde

sa preuve sur le nombre et la renommée des témoins rassemblés en faveur d'une thèse, sans forcément procéder à un interrogatoire de l'adversaire[1]. En faisant du contre-interrogatoire auquel il soumet Mélétos un instrument essentiel de la preuve, Socrate « subvertit » donc l'*elenchos* juridique en se comportant comme s'il s'agissait de l'*elenchos* auquel il ne cesse de soumettre ses concitoyens dans les rues et sur l'agora[2].

Lorsque l'accusateur et l'accusé avaient fini de prononcer leur discours, les juges[3] votaient immédiatement; ni le magistrat qui présidait ni quiconque d'autre ne faisait de commentaire ou ne donnait son avis sur ce qui venait d'être dit. Chaque juge n'avait qu'un seul bulletin de vote. C'était un caillou[4] ou une coquille qu'il amenait avec lui à la cour. Il y avait deux urnes, l'une pour la condamnation et l'autre pour l'acquittement. Les juges qui faisaient la queue passaient d'abord devant l'urne pour la condamnation[5] puis devant l'urne pour l'acquittement[6]. Chaque urne était pourvue d'un entonnoir en osier, qui permettait au juge, qui y enfonçait la main, de préserver le secret de son vote[7].

Si l'accusé était reconnu non coupable, le procès s'arrêtait là; dans une affaire publique, si l'accusateur obtenait moins que le cinquième des votes, il devait payer une amende de 1 000 drachmes, et il perdait le

---

1. Sur tout cela, cf. L.-A. Dorion, *Les* Réfutations sophistiques *d'Aristote : introduction, traduction et commentaire*, vol. I, thèse présentée en 1990, Paris-I.

2. Tout ce qui vient d'être dit sur la preuve s'inspire de l'article de L.-A. Dorion, « La subversion de l'*elenchos* juridique dans l'*Apologie de Socrate* », *Revue philosophique de Louvain* 88, 1990, p. 311-344. J'y reviendrai plus loin, p. 65-74.

3. En grec, le juge est désigné par le terme *dikastès* (*Apologie* 24e, 26d, 34c, 40a, 40b, 40e, 41b, 41c). Les juges étaient assis, comme l'indique le verbe *káthēstai* (*Apologie* 35c).

4. En grec, *psêphos* (*Apologie* 34d, 36a, 36b).

5. Le verbe grec indiquant la condamnation est *katapsēphisasthai* (30e, 38c, 39c, 39d, 41d).

6. Les verbes grecs qui indiquent l'acquittement sont *apopsēphisasthai* (*Apologie* 34d, 39e) et *apopheúgein* (38c).

7. Aristophane, *Guêpes*, v. 94-99, v. 349, v. 987-992.

droit d'instruire le même genre d'affaire[1]. Si, en
revanche, l'accusé était condamné, il devait être soumis à une peine[2]; alors s'ouvrait, dans le cas d'un *agốn
timētós,* une autre phase, au cours de laquelle l'accusé
devait proposer une peine de substitution[3] moins
lourde que celle qui figurait à la fin de l'acte d'accusation. L'accusateur et l'accusé prenaient chacun la
parole, pendant le dernier tiers de la journée; une
seule proposition pouvait être faite par l'une et l'autre
partie. Un nouveau vote avait lieu; c'est probablement
l'invraisemblance des deux premières propositions
faites par Socrate qui explique que le nombre des
juges qui lui étaient hostiles ait augmenté considérablement lors de ce second vote.

Après l'annonce du résultat du vote, le procès prenait officiellement fin, et les juges recevaient sur-
le-champ leur rémunération[4]. Voilà pourquoi on s'est
interrogé sur l'historicité du discours de Socrate sur
lequel se termine l'*Apologie* (38c-39d)[5]. La question
est de savoir si ce troisième discours doit être considéré comme partie intégrante du procès ou comme un
commentaire réservé par Socrate à ses amis et supporteurs.

2. Les juges

En fonction de l'importance de l'affaire, le nombre
des juges pouvait varier entre quelques centaines et
quelques milliers. Tout ce que nous apprend Platon
dans l'*Apologie,* c'est que Socrate s'adresse à un
nombre non négligeable de juges (*Apologie* 24e)[6].

1. Sauf s'il s'agissait d'une *eisangelia,* cf. n. 2, p. 45.
2. Les termes *timế* (*Apologie* 29e, 35b) et *timēma* (39b)
désignent la peine et le verbe correspondant est *timâsthai* (*passim*).
3. Cf. le verbe *antitimēsomai* (*Apologie* 36b).
4. Aristophane, *Guêpes,* v. 106-108, v. 167; Aristote, *Athenaion
Politeia* 69.
5. Sur l'authenticité et la nature de ce dernier discours, cf.
n. 286, p. 157.
6. Douglas M. MacDowell, *The Law in classical Athens, op. cit.,*
p. 36. Un nombre avoisinant les cinq cents est généralement retenu
pour le procès de Socrate. Le nombre cinq cent un qui revient si
souvent dans les commentaires reste hypothétique.

Les juges étaient des volontaires; pour être juge, il fallait être âgé de trente ans ou plus et être en possession de ses droits civiques. Parmi ces volontaires, six mille étaient choisis au hasard pour l'année[1]; probablement six cents pour chacune des dix tribus[2]. Chaque juge, au début de l'année, prêtait un serment qui, en gros, devait correspondre à celui qu'évoque Démosthène dans son *Contre Timocrate*[3]. De ce nombre, des groupes différents étaient encore une fois au hasard assignés aux différentes cours que comprenait le système judiciaire athénien[4]. Celles-ci ne se réunissaient pas tous les jours, et en tout cas pas les jours de fêtes et les jours où se tenait l'Assemblée; les juges ne touchaient une rémunération que lorsqu'ils

1. L'Athènes de la fin du ve siècle comptait entre vingt et trente mille citoyens (cf. Michel Austin et Pierre Vidal-Naquet, *Économies et sociétés en Grèce ancienne*, 1972, p. 117). Si cette évaluation est exacte, six mille citoyens constituaient un échantillon relativement représentatif.

2 Aristophane, *Guêpes*, 662; Aristote, *Athenaion Politeia* 24, 3, 27, 4, 63, 3. Mais la chose n'est pas certaine.

3. « "Je voterai conformément aux lois et aux décrets du peuple athénien et du conseil des Cinq-Cents. Je ne voterai pas l'établissement d'une tyrannie ni d'une oligarchie, et si quelqu'un veut renverser le gouvernement populaire d'Athènes, ou fait une proposition hostile à ce gouvernement, ou la met aux voix, je ne le suivrai pas. Je ne voterai ni l'abolition des dettes privées ni le partage des terres et des maisons des citoyens athéniens. Je ne rappellerai ni les exilés ni les condamnés à mort; je n'expulserai du pays aucun citoyen y résidant, contrairement aux lois existantes et aux décrets du peuple athénien et du conseil; je ne le ferai pas moi-même et j'en empêcherai autrui [...]. Je ne recevrai point de présent en qualité d'héliaste, ni personnellement ni par l'intermédiaire d'une autre personne, homme ou femme, de ma connaissance, et cela par aucun biais ou moyen. J'ai atteint l'âge de trente ans. J'écouterai avec une égale attention les deux parties, accusateur et accusé; et je ferai porter mon vote uniquement sur l'objet de la poursuite". L'héliaste jure ensuite par Zeus, par Poséidon, par Déméter, appelant sur soi-même et sur sa maison l'extermination, au cas où il violerait ces engagements, et au contraire toutes les prospérités, s'il tient son serment. » (Démosthène, *Contre Timocrate* [XXIV], 149-151.) Socrate fait allusion à ce serment (*Apologie* 35c).

4. Douglas M. MacDowell, *The Law in classical Athens, op. cit.*, p. 35-40.

siégeaient[1]. Ils recevaient 3 oboles par jour[2]. Comme le salaire quotidien moyen d'un ouvrier qualifié était d'une drachme, cette rémunération (3 oboles = 1/2 drachme) était relativement faible et ne pouvait être appréciée que par des hommes âgés, pour qui ce salaire équivalait à une pension de retraite, ou par des citoyens que leur état physique ou leur manque d'habileté rendaient inaptes au travail; bref, les Athéniens âgés et peu fortunés devaient y être largement représentés, comme le fait remarquer sur un ton à la fois comique et pathétique le chœur dans les *Guêpes* (v. 291-311); mais, il convient sur ce point de rester modéré sur les conclusions[3], même si la composition et la nature du jury qui condamna Socrate furent déterminantes.

3. *Les accusateurs*

Au cours du procès qu'est censée rapporter l'*Apologie*, Socrate cite à deux occasions les noms de ses accusateurs : Mélétos, Anytos et Lycon (*Apologie* 23e, 36a). Une meilleure connaissance de leur personnalité, de leur rôle politique et de leurs mobiles, permettrait de définir plus précisément les accusations portées contre Socrate.

Le moins connu des trois accusateurs est Lycon; toute identification reste douteuse[4].

1. Aristophane, *Guêpes*, v. 662; Aristote, *Athenaion Politeia* 24, 3, 27, 4, 64, 3.
2. Cette somme aurait été votée par l'Assemblée probablement sur une proposition de Cléon en 425. Aristophane, *Cavaliers*, v. 51, v. 800; scholie sur les *Guêpes*, v. 88, v. 300.
3. Douglas M. MacDowell, *The Law in classical Athens, op. cit.*, p. 34-35. Il faut pourtant atténuer cette affirmation, car en évoquant les accusations lancées contre lui par Aristophane dans les *Nuées*, vingt-quatre ans plus tôt, Socrate déclare : « [...] ils [les accusateurs anciens, dont Aristophane] s'adressaient à vous, quand certains d'entre vous étiez des enfants ou des adolescents [...] » (*Apologie* 18c). On peut penser que les tribunaux jouaient un rôle si important dans le jeu politique dont l'Assemblée du peuple était le centre, que certains tentaient toujours d'infiltrer des partisans parmi les juges de toutes les cours; ce qui aurait ainsi limité la représentation de certaines catégories sociales.
4. Peut-on identifier ce Lycon à celui dont Aristophane calom-

C'est Mélétos qui, officiellement, déposa la plainte contre Socrate[1], même si Anytos et Lycon l'appuyaient, ce qui signifie, entre autres choses, qu'ils étaient solidaires des conséquences de l'acte posé; par exemple, si moins du cinquième des membres du jury déclaraient Socrate coupable, ils devaient avec Mélétos payer une amende (*Apologie* 36a-b) de 1 000 drachmes[2] pour harcèlement[3]. Mais les mobiles des trois accusateurs semblent bien avoir été différents (*Ibid.* 23e-24a).

Voici par ailleurs ce que Socrate dit de Mélétos à Euthyphron : «Je ne le connais pas très bien moi-même, Euthyphron, car j'ai l'impression qu'il est plutôt jeune et inconnu. En tout cas, on l'appelle Mélétos, à ce que je crois. Il est du dème de Pitthée, si jamais tu as à l'esprit un certain Mélétos de Pitthée, un homme à la longue chevelure, à la barbe clairsemée et au nez légèrement crochu.» (*Euthyphron* 2b). Toute identification avec le poète (inférence à partir de l'*Apologie* 23e) dont se moque Aristophane dans les *Grenouilles* (v. 1302), pièce représentée pour la première fois en 405, ou avec celui qui poursuivit Andocide pour impiété et qui fut l'un des hommes envoyés par les Trente pour arrêter Léon (cf. Andocide, *Sur les Mystères* [I] 94), action injuste à laquelle refusa de s'associer Socrate (*Apologie* 32d), reste plus que douteuse[4].

La plupart des commentateurs font d'Anytos[5] l'ins-

---

nie l'épouse dans les *Guêpes* (v. 1301) ou à celui qui est le père d'Autolycos dans le *Banquet* de Xénophon? Il est impossible de le dire.

1. *Apologie* 19b, 24c, 26b, 26d, 26e, 27a, 27e, 28a, 31d, 35d, 36a-b, 37b, et *Euthyphron* 2b, 12e; Xénophon, *Mémorables* IV, 4, 4, IV, 8, 4

2. Pour une évaluation de toutes les sommes d'argent, cf. n. 2, p 43.

3. Sur le sujet, cf. Douglas M. MacDowell, *op. cit.*, p. 64.

4. Cf. les arguments de J. Burnet, dans une note à son édition de l'*Euthyphron* (2b).

5. Sur cet Anytos, cf. J.K. Davies, *Athenian propertied Families*, Oxford, Clarendon Press, 1971, n° 1324, p. 40-41. Et plus généralement, cf. s.v. Anytos, *DPhA* I, 1989, p. 261-261 [Luc Brisson]

tigateur de la plainte portée contre Socrate[1]. Selon
une scholie à l'*Apologie* (18b), Anytos, fils d'Anthé-
mion, s'était enrichi grâce au tannage des peaux. Dès
la fin de la guerre du Péloponnèse, c'était un homme
politique important et controversé. En 409, il fut
chargé d'organiser une expédition militaire à Pylos,
qui tourna au désastre. Traduit en justice, il aurait
corrompu le jury pour échapper à une lourde
condamnation[2]. Démocrate notoire, Anytos fut exilé
en 404 dès que les Trente prirent le pouvoir. Il joua
un rôle important aux côtés de Théramène. Et il aida
Thrasybule à reprendre le pouvoir et à rétablir la
démocratie en 403. À la fin du *Ménon* (89e-95a), il est
décrit comme un opposant fanatique à tout individu
considéré à Athènes comme un sophiste, « qu'il soit
étranger ou citoyen ». Aux yeux d'Anytos, les valeurs
sur lesquelles une société est fondée ne doivent être ni
critiquées ni même étudiées, mais seulement repro-
duites[3]. Avec ce personnage, l'accusation portée
contre Socrate prend toutes ses dimensions, sociales
et politiques.

4. *Les chefs d'accusation*

Au début de l'*Apologie*, Socrate déclare : « Cela
étant, j'ai le droit, Athéniens, de me défendre :
d'abord, contre les premières accusations mensongères qui ont été portées contre moi et contre mes
premiers accusateurs, et, ensuite, contre les accusations qui ont été récemment portées contre moi et
contre mes accusateurs récents. » (*Apologie* 18a-b).
Socrate rapporte donc les accusations auxquelles il

1. Cette façon de voir, qui est déjà celle de Diogène Laërce (II,
38), se trouve corroborée par le fait que Socrate désigne ainsi ses
accusateurs au début de l'*Apologie* : « Anytos et ses comparses »
(*Apologie* 18b, cf. aussi 29c, 30b, 31a).
2. Plutarque, *Vie de Coriolan*, 14 ; Diodore de Sicile, *Bibliothèque
historique* XIII, 64, 8 ; Aristote, *Constitution d'Athènes* 27, 4-6.
3. Sur la place et le rôle d'Anytos dans le *Ménon*, cf. Monique
Canto, Introduction au *Ménon*, traduction inédite, introduction et
notes, Paris, GF-Flammarion, 1991, p. 26-34.

doit désormais faire face à des accusations plus anciennes. Ces premières accusations qu'il qualifie de « calomnies »[1], furent celles portées contre lui par Aristophane dans les *Nuées*, les plus récentes ayant été portées par Mélétos, Anytos et Lycon, au début de 399.

Les calomnies anciennes

Les *Nuées*[2], comédie composée par Aristophane, furent représentées pour la première fois en 423 : Socrate était alors âgé de quarante-cinq ans environ. L'argument de la pièce est le suivant.

Un paysan, Strepsiade, qui menait autrefois une vie simple et heureuse, a épousé une femme de la ville, qui lui a donné un fils, Phidippide, lequel, comme sa mère, recherche luxe et grandeur. Pour payer ses dettes et satisfaire la passion de son fils pour les chevaux, Strepsiade a dû contracter de nombreux emprunts, dont il n'arrive même plus à rembourser les intérêts. Il croit avoir trouvé la solution qui lui évitera la ruine. Près de chez lui habite Socrate qui, dans son « pensoir », enseigne l'art de faire triompher la faible cause contre la forte ; s'il arrivait à acquérir cet art, Strepsiade pourrait ne point payer ses dettes. Le vieil homme va donc trouver Socrate. Mais, ne parvenant pas à assimiler l'enseignement dispensé, il décide son fils à prendre sa place. Phidippide fait des progrès si rapides que bientôt il est passé maître dans l'art d'avoir toujours raison. Strepsiade l'apprend à ses dépens. À la suite d'une discussion, Phidippide bat son père et lui prouve péremptoirement non seulement qu'il a eu raison de frapper son père, mais aussi qu'il aurait même le droit de maltraiter sa mère.

---

1. En grec, on trouve le substantif *diabolè* (*Apologie* 19a, 19b, 20c, 20d, 20e, 21b, 23a, 24a, 38c, 37b) et le verbe *diabállein* (19b, 23e, 33a).
2. J'utilise essentiellement : Aristophanes, *Clouds*, ed. with introduction and commentary by K.J. Dover, Oxford, Clarendon Press, 1968

Désespéré et furieux, Strepsiade tire vengeance de Socrate en démolissant et en incendiant le « pensoir ».

Dans sa comédie, Aristophane présente Socrate avant tout comme un technicien du discours ; c'est sur cette idée force que repose l'économie de toute la pièce. Cela dit, Socrate n'est pas seulement un professeur de rhétorique, de métrique, de rythmique (v. 638 sq.) et de grammaire (v. 658 sq.). Il s'occupe aussi d'astronomie et de météorologie (v. 195 sq., v. 270 sq., v. 193 sq., v. 200, v. 227 sq., v. 376 sq., v. 395 sq., v. 489 sq.), de géologie (v. 186 sq., v. 192), de géographie (v. 206 sq.), de géométrie (v. 145 sq., v. 202), de problèmes de physique (v. 145 sq.). Conséquence naturelle chez un homme adonné à de telles études, Socrate professe l'incrédulité la plus complète à l'égard des dieux de la religion grecque (v. 246 sq., v. 365 sq., v. 825 sq.). Les divinités qu'il adore sont le Tourbillon, le Vide, les Nuées, la Langue (v. 253, v. 365, v. 423, v. 827). Et, en véritable « sophiste » qu'il est, il reçoit de l'argent pour prix de ses leçons (v. 99, v. 245, v. 1146 sq.).

Dans les *Nuées*, Aristophane veut caricaturer le type « intellectuel » [1] en général, et plus précisément tel qu'il s'était imposé à Athènes sous Périclès [2]. Il s'agit là d'un type hybride faisant la synthèse entre deux catégories d'individus : les « penseurs » [3] qui s'intéressaient

1. À l'instar de K.J. Dover, j'utilise le terme forcément anachronique d'« intellectuel » parce qu'il recouvre les catégories de « penseur » et de « sophiste », qui ne sont pas distingués chez Aristophane. Ce terme général désigne un individu qui consacre le plus clair de son activité non à l'action, c'est-à-dire la politique, les choses militaires ou les affaires d'argent, mais à la parole, c'est-à-dire l'étude et l'enseignement.
2. Périclès joua un rôle important dans les affaires d'Athènes surtout entre 463, année où il fit mettre Cimon en accusation, et 429, date de sa mort au cours de la peste.
3. J'utilise le terme de « penseur » et non celui de « philosophe », car c'est Platon qui, pour la première fois employa le terme de « philosophe » dans le sens que nous lui donnons maintenant. Sur cette question, cf. Luc Brisson, « Mythe, écriture, philosophie », *La Naissance de la raison en Grèce. Actes du congrès de Nice* [mai 1987], sous la direction de Jean-François Mattéi, Paris, PUF, 1990, p 49-58

à la nature et les sophistes qui enseignaient moyennant rétribution l'art de persuader. Voilà pourquoi dans les *Nuées*, l'intellectuel est caractérisé par ces trois traits. C'est un homme qui s'intéresse « aux choses qui se trouvent en l'air »[1], c'est-à-dire aux phénomènes célestes dans leur ensemble, c'est un homme qui prétend enseigner un art (*tékhnē*)[2] permettant de persuader et il fait payer cet enseignement.

Quelques commentaires sur chacun de ces trois points. 1. Thalès fut, suivant la tradition, le premier penseur grec à s'intéresser aux phénomènes célestes. Une anecdote plaisante courait sur son compte : tellement absorbé par sa contemplation du ciel, il ne vit pas un puits dans lequel il tomba[3]. Furent ensuite associés à ce type de recherche qui, dans la Grèce du ve et ive siècle, caractérisait la démarche proprement philosophique, Anaxagore[4], Hippon[5], Diogène d'Apollonie[6] et même Hippias qui enseignait aussi la rhétorique[7]. 2. Alors que, auparavant, ceux qui prétendaient posséder un savoir se bornaient à exposer des doctrines abstraites sur la nature notamment dans une poésie didactique, au cours de la seconde moitié du ve siècle ceux qui revendiquaient la possession du

1. Je traduis ainsi *tà metéōra*. Sur le sujet on lira l'article de Claude Gaudin, « Remarques sur la "météorologie" de Platon », *Revue des Études anciennes* 72, 1970, p. 332-343.

2. Le terme *tékhnē* (art) désigne une pratique qui se distingue de celle du non-spécialiste par une stabilité qui dépend de la codification de ses règles établies au terme d'un raisonnement causal, et dont la production peut faire l'objet d'une évaluation rationnelle.

3. Anecdote racontée par Platon (*Théétète* 174a). On trouve des allusions à Thalès dans les *Nuées* (v. 180), dans les *Oiseaux* (v. 1009). Hérodote (I, 24) rapporte que Thalès avait prédit l'éclipse du soleil qui se produisit en 585 av. J.-C.

4. Évoqué par Platon (*Phédon* 97b, *Apologie* 26d), Xénophon (*Mémorables* IV, 7, 6), Isocrate (*Sur l'échange* [XV], 235).

5. Ridiculisé par Cratinos (*PCGr*, frag. 167 Kassel-Austin = *CAF*, frag. 155 Kock) pour ses théories cosmologiques; cf. Aristophane, *Nuées*, v. 95 sq.

6. Diogène d'Apollonie; plusieurs des doctrines attribuées à Socrate par Aristophane dans les *Nuées* (v. 227 sq.) peuvent aussi l'être à ce penseur, suivant les commentateurs.

7. Platon, *Hippias majeur* 285b; *Protagoras* 315c

savoir intervinrent plus ou moins directement dans la société en enseignant la rhétorique, en l'occurrence un ensemble de règles permettant de persuader, c'est-à-dire d'arracher des décisions, à l'Assemblée du peuple et au Tribunal, les deux lieux du pouvoir dans une démocratie directe comme celle d'Athènes. À l'Assemblée de même qu'au Tribunal, les décisions étaient prises directement et s'appliquaient immédiatement. Celui qui, par l'efficacité de son discours, pouvait arracher la décision qu'il désirait avait donc le pouvoir, tout le pouvoir. Par suite, certains de ceux qui enseignaient l'art de persuader s'intéressèrent aussi à des disciplines apparentées : Prodicos et Protagoras s'intéressaient à la sémantique (Platon, *Cratyle* 384b, 391c, *Euthydème* 277e; Aristote, *Réfutations sophistiques* 14, 173b17-22). Hippias enseignait la phonétique, la métrique et la musique (*Hippias majeur* 285d). 3. Enfin, comme la persuasion permettait d'obtenir pouvoir et richesses, il était en quelque sorte normal que ceux qui enseignaient les techniques facilitant sa mise en œuvre se fissent payer[1].

Les critiques contre ce type d'intellectuels en découlent naturellement. a. En plus de ne susciter que des bavardages creux, l'intérêt porté aux « choses qui se trouvent en l'air » induit à personnifier des phénomènes naturels ou à fabriquer des abstractions, ce qui mène au rejet des dieux traditionnels et à l'introduction de nouvelles divinités. Bref, aussi bien les sophistes que les « penseurs » qui s'intéressaient à la nature mettaient en péril la tradition sur laquelle était fondée jusque-là Athènes. b. Le fait de se concentrer sur la persuasion déplaça le point d'équilibre du discours : il ne s'agissait plus de dire ce qui était vrai, mais de faire apparaître ce qui était le plus probable. La recherche de la vérité cédait la place à celle du vraisemblable (*Phèdre* 272d-e). Par suite, les distinc-

---

1. Prodicos (*Cratyle* 384d, *Apologie* 19e; *Hippias majeur* 282e); Événos de Paros (*Apologie* 20b); Gorgias (*Apologie* 20b, *Hippias majeur* 282d); Protagoras (*Cratyle*, 391b; *Hippias majeur* 282d).

tions entre le bien et le mal, le juste et l'injuste, se brouillaient. Protagoras enseignait à louer et à blâmer les mêmes choses (Aristote, *Rhétorique* 24, 1402a25); les tétralogies attribuées à Antiphon[1] constituaient un exercice typique de cette pratique. Dans le dialogue qui porte son nom, Euthydème est représenté comme quelqu'un qui est capable de réfuter tout argument, qu'il soit vrai ou faux (*Euthydème* 272a). c. Alors que l'éducation traditionnelle était destinée à reproduire les schèmes culturels et à transmettre un certain nombre de techniques qui changeaient peu, les sophistes enseignaient des méthodes qui pouvaient être utilisées dans des contextes divers, ce qui favorisait le développement d'une véritable indépendance de pensée à l'égard des schèmes traditionnels dispensés par la cité et transmis dans le cadre de la famille au sens large; par suite, on était amené à demander des comptes à ceux qui avaient donné aux hommes politiques les instruments qui leur avaient permis de mener telle ou telle action délictueuse[2].

La plupart des traits qui, dans les *Nuées*, se rapportent à l'aspect physique, au comportement et au genre de vie de Socrate, correspondent à ce qu'on trouve chez Platon et chez Xénophon. Le Socrate d'Aristophane va pieds nus (v. 364, cf. v. 103), il ne se coupe pas les cheveux, ne se baigne pas (v. 835). Il est pauvre (v. 102). Il recherche les discussions (v. 359). Il apprend à ses disciples à se connaître eux-mêmes (v. 842). Il comprend les dispositions de ses élèves (v. 476 sq.), et leur recommande l'endurance vis-à-vis de la fatigue et du froid et l'abstinence des plaisirs des sens (v. 422 sq.). Il leur demande de méditer et s'abîme parfois lui-même dans ses réflexions (v. 695 sq.).

---

1. Sur les problèmes posés par l'identification de ce personnage, cf. Antiphon d'Athènes, *DPhA* I, 1989, p. 225-244 [Narcy].
2. Thèse défendue par E.A. Havelock, « Why was Socrates tried? », *Studies in honour of Gilbert Norwood*, ed. by M.E. White, *Phoenix* supp. vol. I, Toronto, Toronto University Press, 1952, p. 95-109.

En revanche, le témoignage d'Aristophane se trouve contredit par ceux de Platon et de Xénophon sur un certain nombre de points essentiels : centres d'intérêt, religion et enseignement. Socrate refuse d'être considéré comme un expert en ce qui concerne les recherches sur la nature[1]. Socrate est un homme pieux qui participe aux cultes civiques et qui croit en l'existence des dieux et en la Providence[2]. Chez Platon et chez Xénophon, Socrate n'a pas recours à la rhétorique telle qu'elle est pratiquée au Tribunal, que Socrate n'a jamais fréquenté auparavant[3] et à l'Assemblée, où il ne se rend pas ou très peu puisqu'il ne fait pas de politique[4]. Et surtout Socrate ne réclame jamais d'argent pour son enseignement[5]; cela dit, on peut se demander pourquoi le Socrate des *Nuées* qui fait payer son enseignement reste si pauvre.

On peut expliquer ces désaccords de trois façons. Ou bien Aristophane, qui caricature un personnage réel devant un vaste public qui le connaît bien, a raison contre Platon et Xénophon qui donnent de leur maître une image idéalisée et partisane, destinée à promouvoir leurs propres conceptions. Ou bien Platon et Xénophon disent la vérité, alors qu'Aristophane se borne à coller sur l'individu Socrate l'étiquette d'« intellectuel », personnage hybride qui tient à la fois du sophiste et du « penseur » qui s'intéresse aux phénomènes célestes. Ou bien on adopte une position intermédiaire en estimant qu'Aristophane d'une part, Platon et Xénophon de l'autre décrivent un Socrate qui a beaucoup changé entre 424 et 399.

Soutenir que Platon et Xénophon sont à l'origine d'une conspiration pour cacher la vérité sur Socrate semble une position intenable, et cela pour plusieurs raisons. La tradition favorable à Socrate se fonde sur

---

1. Platon, *Apologie* 18b sq., Xénophon, *Mémorables* I, 1, 11 sq., IV, 7, 6.
2. Xénophon, *Mémorables* I, 1, 2 sq., I, 1, 19, et *Apologie*, 24.
3. Platon, *Apologie* 17d.
4. Platon, *Apologie*, 32a-b, et *Gorgias* 473e.
5. Platon, *Apologie* 19d sq.; Xénophon, *Mémorables* I, 2, 60.

trop de témoignages sérieux pour pouvoir être réduite
au silence ; or cette tradition, représentée par Aristote
et par un certain nombre de socratiques, va dans le
sens de Platon et de Xénophon. La tradition hostile
représentée par Aristoxène[1] et Idoménée[2] n'est pas
vraiment crédible en raison de ses outrances et de ses
contradictions ; de plus, elle s'accorde sur certains
points avec le témoignage de Platon. Même Aristippe[3], qui ne cesse de s'opposer à Platon, admet que
Socrate ne demandait pas d'argent pour son enseignement[4]. Par ailleurs, dans un discours écrit à l'intention
d'un client qui poursuivait Eschine de Sphettos[5] pour
une affaire d'argent, Lysias[6] s'étonne de la mauvaise
conduite d'un homme qui a pourtant reçu l'enseignement de Socrate. Enfin, l'insuccès relatif des *Nuées*,
qui, lors de sa première représentation dans le cadre
des Dionysies[7] de 423, fut classée dernière, derrière
une comédie de Cratinos et une autre d'Ameipsias[8] et

1. Disciple d'Aristote, antiplatonicien farouche. Cf. *DPhA* I,
1989, p. 590-593 [Bruno Centrone].
2. Idoménée, biographe et homme politique de Lampsaque, un
ami d'Épicure et un antiplatonicien farouche qui aurait écrit un
ouvrage *Sur les socratiques*. Les fragments qui subsistent de son
œuvre ont été réunis dans *FGrH*, p. 368 [Jacoby].
3. Aristippe de Cyrène est un disciple de Socrate qui aurait été
hostile à Platon. Cf. *DPhA* I, 1989, p. 370-375 [Caujolle-Zaslawski].
4. Frag. 27 Mannebach = *SSR* IV A 3 Giannantoni = D.L. II,
60, 74.
5. Sur cet Eschine, disciple de Socrate, cf. *DPhA* I, 1989,
p. 89-94 [Marie-Odile Goulet-Cazé].
6. Fragment du *Contre Eschine le socratique* 1-2. Ce fragment est
conservé notamment par Athénée (*Deipnosophistes* XIII,
611e-612f) ; pour d'autres témoignages, cf. *SSR* VI, A 16 Giannantoni. Ce plaidoyer a dû être écrit avant 356.
7. Véritable fête nationale à Athènes, au cours de laquelle étaient
organisées, de façon officielle et dans un cadre où la religion jouait un
rôle non négligeable, des compétitions de tragédies et de comédies.
8. Suivant l'argument II, une note introductive qui donne un
résumé de l'action et des informations diverses sur une comédie
(dans le cas présent sur les *Nuées*) ; d'époque byzantine, cette note
pourrait cependant remonter à l'édition faite par les soins d'Aristophane de Byzance au début du IIe siècle av. J.-C. Dover ne croit pas
qu'une seconde version des *Nuées* fut représentée. (*Clouds*, Introduction, p. LXXX-LXXXI).

qui n'aurait pas eu beaucoup plus de succès,
lorsqu'elle fut présentée de nouveau, semble indiquer
soit que le décalage était considérable entre l'image
qu'Aristophane donnait de Socrate et celle que s'en
faisait le public, soit que ce public ne connaissait pas
assez bien Socrate à l'époque, ce qui est possible.

Par ailleurs, prétendre que Socrate a évolué au
cours des ans[1], cela peut se concevoir pour ce qui est
de l'intérêt porté aux phénomènes célestes et plus
généralement aux phénomènes naturels, mais cela
devient beaucoup plus délicat, lorsqu'il s'agit de rapport à la rhétorique et de rétribution notamment.

Reste donc la dernière hypothèse suivant laquelle
Platon et Xénophon disent la vérité, alors qu'Aristophane reste jusqu'à un certain point prisonnier des
lois du genre comique. Une comédie se fonde sur un
portrait brossé à grands traits dans le contexte d'une
caricature, qui privilégie un certain nombre de détails
aux dépens de nombreux autres et qui les accentue;
ce large public[2], il faut absolument le garder sur les
gradins, le faire rire *hic et nunc*, le faire applaudir pour
gagner le concours de comédies. Comme nous ne
savons pas ce qui pouvait faire rire un Grec du ve
siècle et comme nous n'avons pratiquement aucune
autre information que celle d'Aristophane sur le
Socrate de cette époque, on ne peut aller plus loin.

Aussi faut-il, en restant vigilant, s'en remettre au
témoignage de Platon et de Xénophon. Reprenons un
à un les points de divergences entre le témoignage
d'Aristophane et ceux de Platon et de Xénophon.
1. Dans l'*Apologie* on lit : « Dans la comédie d'Aristophane, vous avez vu de vos yeux vu la scène suivante :
un Socrate qui se balançait, en prétendant qu'il se
déplaçait dans les airs, et en débitant plein d'autres

---

1. A.E. Taylor, *Varia Socratica*, First Series, St-Andrews University Publications IX, Oxford, James Parker, 1911, p. 1-39.
2. Platon parle de trente mille spectateurs dans le *Banquet*.
Même si on doit faire la part de l'exagération, les découvertes
archéologiques laissent penser à un nombre considérable, dix-sept
mille par exemple.

bêtises concernant des sujets sur lesquels je ne suis un expert ni peu ni prou. En disant cela, je n'ai pas l'intention de dénigrer ce genre de savoir, à supposer que l'on trouve quelqu'un de savant en de telles matières ; puissé-je n'avoir pas à me disculper en plus de plaintes en ce sens déposées par Mélétos ! Mais, en vérité, Athéniens, ce sont là des sujets dont je n'ai rien à faire, et c'est au témoignage personnel de la plupart d'entre vous que j'en appelle. Oui, je vous demande de tirer entre vous cette affaire au clair, vous tous qui une fois ou l'autre m'avez entendu discourir ; et parmi vous ils sont nombreux ceux-là. Demandez-vous les uns aux autres si jamais peu ou prou l'un d'entre vous m'a entendu discourir sur de tels sujets ; cela vous permettra de vous rendre compte que tout ce que peuvent raconter la plupart des gens sur moi est du même acabit. » (*Apologie* 19c-d). Dans cette déclaration, Socrate refuse d'être considéré comme un expert dans le domaine des phénomènes naturels et met les juges au défi de dire qu'on l'a entendu tenir en public des discussions sur le sujet ; il ne nie pas s'être intéressé à de tels sujets, comme le laissent entendre nombre de témoignages. À commencer par l'autobiographie que Socrate donne de lui-même dans le *Phédon* (97b-100c), un dialogue qui se termine sur un mythe, raconté par un Socrate (*Phédon* 107d-114c) qui fait montre de connaissances larges et approfondies concernant la géographie, la météorologie et même l'astronomie ; le fait qu'il donne pour cadre aux pérégrinations de l'âme le monde souterrain et les régions célestes proches de la terre, et non les astres, donne à ce mythe un caractère particulier qu'on pourrait considérer comme typiquement socratique. On trouve, par ailleurs, dans le *Théétète* (145d) un passage où Socrate admet qu'il s'intéresse à la géométrie, à l'harmonie et à l'astronomie. Enfin, dans le *Phèdre* (269e-270a), évoquant les exemples de Périclès et d'Anaxagore, Socrate recommande à celui qui veut pratiquer la rhétorique véritable de s'intéresser aux recherches sur la nature[1]. 2. Suivant un certain nombre de témoignages de Platon, Socrate est souvent tenu par ses adversaires pour un sophiste, un expert dans le domaine de la polémique et donc de la rhétorique éristique[2]. Ce n'est qu'en insistant sur sa volonté de dire la vérité et de se référer à la justice en toute occasion que Platon arrive à dissocier l'image de Socrate de celle d'un sophiste, de celle d'un rhéteur : « Ces gens-là n'ont donc, je le répète, rien dit de vrai ou presque, tandis que de ma bouche c'est la vérité, toute la vérité, que vous entendrez sortir. Non bien sûr, Athéniens, ce n'est pas, par Zeus, des discours élégamment tournés, comme les leurs, ni même des discours qu'embellissent des expressions et des termes choisis que vous allez entendre, mais des choses dites à l'improviste dans les termes qui me viendront à l'esprit. En effet, tout ce que j'ai à dire est conforme à la justice, j'en suis sûr. Que nul d'entre vous ne s'attende à ce que je parle autrement. Il serait par trop malséant, Athéniens, qu'un homme de mon âge vînt devant vous modeler ses propos comme le ferait un jeune homme. » (*Apologie* 17b-c). 3. De plus, même si l'on admet comme vrai que Socrate ne se faisait pas payer, on doit supposer qu'il fréquentait des gens riches et célèbres : Callias[3], Céphale[4], Charmide[5],

1. Cf. Luc Brisson, « L'unité du *Phèdre* de Platon. Rhétorique et philosophie dans le *Phèdre* », *Understanding the* Phaedrus. *Proceedings of the II Symposium Platonicum*, ed. by Livio Rossetti, Sankt Augustin, Academia Verlag, 1992, p. 61-76.

2. On en voudra pour preuves, entre autres, la déclaration d'Anytos à la fin du *Ménon* et la fameuse définition du sophiste dans le *Sophiste* (226a-231c) qui s'approche si près de la pratique socratique.

3. L'homme le plus riche d'Athènes, qui possédait des mines d'or, des banques, des domaines immenses et plusieurs demeures. C'est dans l'une de ces demeures qu'est située la conversation rapportée dans le *Protagoras*. Cf. DPhA II, 1994, p. 163-167 [Luc Brisson].

4. Le père de l'orateur Lysias. Très riche métèque, originaire de Syracuse, il possédait une fabrique d'armes ; c'est dans sa maison au Pirée que Platon situe la conversation rapportée dans la *République*. Cf DPhA II, 1994, p 263-266 [Richard Goulet].

5 Cf DPhA II, 1994, p. 299-302 [Luc Brisson].

Critias[1] et Alcibiade[2]. Tout porte à croire qu'il n'en profitait pas, puisque tous les témoins, y compris Aristophane, s'accordent sur la frugalité de son mode de vie[3]. Pourtant, aux yeux du grand nombre, cette proximité avec les hommes les plus riches et les plus influents d'Athènes ne pouvait manquer d'être interprétée comme une façon de profiter de la richesse et du pouvoir, ce qui ne valait guère mieux que de réclamer un salaire comme les sophistes, quoi qu'en dise Socrate qui, dans l'*Apologie* (20a-c), évoque le cas de Callias, qui aurait offert 5 mines à Événos de Paros pour l'éducation de ses deux fils. 4. Enfin, comme on le verra, Platon et Xénophon présentent Socrate comme un homme pieux, mais cette piété semble avoir été très différente de celle qui avait cours à Athènes à l'époque.

Quoi qu'il en soit, deux questions subsistent. Pourquoi Aristophane avait-il choisi en 423 Socrate comme le prototype de l'intellectuel ? Et quel genre d'influence Aristophane était-il susceptible d'avoir sur son public ? Tout le problème est de savoir si, en 423, le public des *Nuées* pouvait considérer Socrate comme le prototype de l'intellectuel. Dans les *Nuées*, qui furent représentées pour la première fois en 423, Aristophane s'attaquait aux intellectuels que promouvait Périclès alors qu'il était au sommet de sa gloire. Et l'auteur comique dut choisir Socrate pour illustrer les travers ridicules de l'activité intellectuelle, parce que Socrate était un excentrique qui poussait à bout les exigences d'un mode de vie différent de celui de la plupart des gens : Socrate se désintéressait de sa fortune et de la politique, il était pauvre, et son aspect physique devait surprendre. Par sa caricature, Aristophane cherchait à exercer une certaine influence sur l'opinion publique. Certes, la comédie était une arme

---

1. Cf. *DPhA* II, 1994, p. 512-520 [Luc Brisson]. Il faut rester prudent en ce qui concerne la personnalité de cet Athénien ; les opinions ont beaucoup changé ces dernières années.
2 Cf *DPhA* I, 1989, p. 100-101 [Luc Brisson].
3 Dans l'*Apologie* (23c, 31c), Socrate évoque sa pauvreté.

redoutable, dans la mesure où elle s'adressait à un large public, mais l'efficacité de cette arme n'était pas assurée. Par exemple, les spectateurs qui avaient acclamé les *Cavaliers*, comédie qui obtint le premier prix aux Lénéennes de 424, n'en élurent pas moins stratège, l'année suivante, un Cléon qu'Aristophane ne ménageait pourtant pas dans cette comédie.

Platon considérait que les accusations formelles portées contre Socrate en 399 constituaient l'aboutissement d'un long processus de diffamation auquel avait largement contribué Aristophane (*Apologie* 18b sq., 19c, 26b sq.) Il avait probablement raison, mais jusqu'à un certain point seulement, car, en 399, la situation à Athènes n'avait plus rien à voir avec celle qui prévalait en 424.

Les accusations du moment

Trois versions de l'acte d'accusation nous sont parvenues[1]. Dans l'*Apologie* de Platon, Socrate formule en ces termes l'accusation de Mélétos : « Socrate est coupable au regard de la loi de corrompre les jeunes gens et de reconnaître non pas les dieux que reconnaît la cité, mais, au lieu de ceux-là, des divinités nouvelles[2]. »(*Apologie* 24b-c). Cette formulation corres-

---

1. L'analyse la plus fine a été réalisée par Thomas C. Brickhouse and Nicholas D. Smith, *Socrates on Trial*, Oxford, Clarendon Press, 1989.
2. La traduction de ce passage est particulièrement difficile en raison de la polysémie et de la connotation des termes employés. Le verbe *adikeîn* a été traduit par « est coupable au regard de la loi », car il faut entendre par *dikē* la « manière de se comporter », la « norme » que fixe la loi dans le cadre de la cité, explicitement évoquée par le terme *pólis*. Par ailleurs, le verbe *nomízein* dérive de *nómos* qui désigne en Grèce ancienne l'« attribution » d'honneurs ou de richesses fixée par la loi dans un groupe donné. Le pluriel neutre du terme *daimónion*, abstrait collectif, originairement un adjectif formé à partir du substantif masculin ou féminin *daímōn*, est particulièrement difficile à traduire en raison même de l'imprécision qui en caractérise l'usage, imprécision volontaire qui vient se greffer sur la polysémie du terme dont il dérive. En effet, le terme *daímōn* désigne au sens strict une classe d'entités polymorphes que seul caractérise leur statut d'intermédiaires entre l'humain et le divin ; au sens large, il peut même désigner un dieu. Pour sa part, l'adjectif

pond en gros au texte du décret que Diogène Laërce
prétend citer (II, 40) d'après Favorinus et à ce qu'on
trouve chez Xénophon (*Mémorables* I, 1, 1).

Dans tous les cas, trois accusations sont portées
contre Socrate, qui, même si elles sont différentes,
constituent un tout indissociable. Voici comment on
pourrait comprendre et commenter les trois parties du
décret cité par Xénophon et par Diogène Laërce, et
dont la traduction même reste problématique; voilà
pourquoi elles sont citées en translittération.

a. Première accusation : *hoùs mèn hē pólis nomízei theoùs ou nomízōn*

Cette phrase pose de redoutables problèmes de traduction en raison de l'extrême difficulté que l'on
éprouve à rendre en français le verbe *nomízō*[1]. Mais
que signifie dans la pratique la formule *theoùs nomízein*[2] « ne pas reconnaître les dieux »? Ne pas
reconnaître l'existence des dieux? Ou ne pas
reconnaître les dieux que reconnaît la cité? Socrate
évoque les deux interprétations : « En ce cas, Mélétos,
au nom de ces dieux mêmes dont il est question,
exprime-toi avec plus de clarté encore pour nous
éclairer moi et les gens qui sont ici. Pour ma part, en
effet, je ne puis débrouiller ceci. Que prétends-tu?
Que j'enseigne à ne pas reconnaître que certains dieux
existent? Dans ce cas, je reconnais qu'il y a des dieux,
je ne suis en aucune façon un athée et je ne suis pas
non plus coupable à cet égard. Ou seulement que je

---

substantivé *daimónion* peut désigner soit un phénomène provoqué
par quelque *daimōn*, le signe dont fait grand cas Socrate par
exemple, soit un être qui ressortit d'une façon ou d'une autre à la
classe des *daímones*. Par ailleurs, l'adjectif *kainós*, qu'on traduit
généralement par « récent, nouveau », présente plusieurs autres sens
apparentés : « étrange, extraordinaire ».

1. Cf. *Apologie* 18c, 23d, 24c, 26b, 26c, 26d, 26e, 27a, 27b, 27c,
29a, 35d, 40a.

2. Wilhelm Fahr, *Theoùs nomizein. Zum Problem der Anfänge des
Atheismus bei den Griechen*, Spoudasmata 26, Hildesheim/New
York, Olms, 1969, p. 131-157.

reconnais l'existence de dieux qui sont non pas ceux que reconnaît la cité, mais d'autres ? Et, dans ce cas, c'est cela que tu me reproches, que ce ne sont pas les mêmes dieux ? Ou bien est-ce que tu soutiens que personnellement je ne reconnais absolument aucun dieu et que j'enseigne aux autres à prendre le même parti ? » (*Apologie* 26b-c). Mélétos accuse Socrate de ne pas reconnaître l'existence des dieux, ce qui donne à ce dernier l'occasion de montrer que son accusateur se contredit : Socrate répond en effet que la croyance en l'existence de « démons » implique logiquement la croyance en l'existence de dieux (*Ibid.* 26b-28a). Cet argument et le fait que Socrate fait souvent référence soit à des divinités du panthéon ou à des phénomènes d'ordre religieux (divination, songes, voix, etc.) semblent bien indiquer qu'on accusait Socrate de transformer l'image des dieux et non de nier leur existence. D'ailleurs, l'allusion à la cité (*pólis*) et la référence au *nómos*[1] met en évidence le fait qu'un devoir civique est en jeu.

b. Deuxième accusation : hétera dè kainà daimónia eisphérōn

Dans l'*Euthyphron*, Socrate met en rapport cette deuxième accusation avec la précédente. Socrate ne reconnaîtrait pas les dieux de la cité, parce qu'il les remplace par de nouvelles divinités : « Il [= Mélétos] affirme en effet que je suis un créateur de dieux. Et c'est pour ces raisons, que je crée de nouveaux dieux et ne crois pas aux anciens, qu'il m'a intenté un procès, à ce qu'il dit. » (*Euthyphron* 3b). La formulation de cette accusation est particulièrement intéressante. En premier lieu, on remarque l'usage du terme *daimónion*, un terme récent et relativement technique qui présente par ailleurs la particularité d'être au neutre, le neutre pluriel permettant d'atteindre à l'imprécision et à la généralité la plus grande concernant l'identité des

---

1. Cf. *Apologie* 19a, 24d, 24e, 25d, 26a, 32b, 32c, 35c, 37a.

êtres incriminés. Cela dit, l'adjectif *kainá* ne peut faire
référence à l'introduction de nouveaux dieux dans
l'Athènes du vᵉ siècle[1]; la démarche que l'on reproche
à Socrate est individuelle et non politique.

Pour essayer de comprendre le sens de *tà daimónia*,
il faut évoquer deux éléments : la voix démonique qui
se manifeste à Socrate et son intérêt pour les choses
naturelles. Dans l'*Apologie*, Socrate évoque ce « je ne
sais quoi de divin et de démonique », dont justement
Mélétos a fait état dans sa plainte. « Les débuts en
remontent à mon enfance (*ek paidós*) : c'est une voix
(*phōnḗ*) qui se fait entendre de moi, et qui, chaque fois
que cela arrive, me détourne de ce qu'éventuellement
je suis sur le point de faire, mais qui jamais ne me
pousse à l'action. Voilà ce qui s'oppose à ce que je
fasse de la politique. » (*Apologie* 31c-d). Cette voix
démonique, il faut la mettre en rapport avec la
croyance en l'existence d'un démon qui s'occupe de
chaque individu. Platon et Xénophon rattachent ce
second chef d'accusation au signe démonique qui se
manifeste à Socrate et qu'ils évoquent souvent l'un et
l'autre, mais de façon différente; car le signe démonique qui n'a qu'une action dissuasive chez Platon a
aussi une action incitatrice chez Xénophon[2]. Par ailleurs, l'accusation d'introduire de nouveaux dieux, de
nouveaux êtres démoniques, s'accorde avec l'image
d'un Socrate s'intéressant aux questions portant sur la
nature, celle qu'Aristophane en donne dans les *Nuées*,
et celle que Socrate évoque lui-même dans l'*Apologie*
(18a-c, 19a-c, 23d-e) en reliant cette image à celle
d'Anaxagore[3] et de ses sectateurs, lesquels remplacent

---

1. Sur le sujet, cf. Robert Parker, *Athenian Religion : a History*,
Oxford, Clarendon Press, 1996, chap. ix qui renvoie à R. Garland,
Introducing new Gods; *the Politics of Athenian Religion*, London,
Garland, 1992.
2. Xénophon, *Mémorables* I, 1, 2-5; IV, 3, 12; IV, 8, 1; *Apologie*,
12.
3. Sur le sujet, cf. D. Babut, « Anaxagore jugé par Socrate et
Platon », *Revue des Études grecques* 91, 1978, p. 44-76. Ce long
article réunit et analyse l'ensemble des témoignages sur Anaxagore
dans le corpus platonicien. Cela dit, la thèse suivant laquelle le *Phé-*

les anciennes divinités par de nouvelles puissances inférieures aux dieux, mais qui s'y apparentent d'une façon ou d'une autre. D'autres témoignages, on l'a vu, viennent corroborer cette interprétation.

Comment expliquer cette contradiction apparente? Le fait que Socrate ne se considérait pas comme un expert dans les questions naturelles ne signifie pas qu'il ne s'y intéressait pas du tout; de toute façon, la politique et l'éthique impliquent une certaine idée de l'univers, comme on peut le constater en relisant le mythe qui se trouve à la fin du *Phédon*. Et cela, même si, comme je vais tenter de le montrer, la stratégie de Platon dans l'*Apologie* visait à effacer les traces des influences qui auraient pu s'exercer sur Socrate.

c. *Troisième accusation : adikeî[1] dè kai toùs néous diaphtheírōn*

Les jeunes gens peuvent être corrompus de bien des manières. Or, dans l'*Apologie*, on trouve cette clarification qui relie l'accusation de corruption de la jeunesse aux deux précédentes[2]. À la question de Socrate : « Mais, quoi qu'il en soit, explique-nous, Mélétos : comment, prétends-tu que je m'y prends pour corrompre les jeunes gens? D'après le texte de l'accusation, c'est clair : "en leur enseignant à reconnaître non pas les dieux que la cité reconnaît, mais, à leur place, des divinités nouvelles". C'est bien en enseignant cela que, prétends-tu, je les corromps, n'est-ce pas? », Mélétos répond : « Oui absolument, voilà bien ce que je prétends. » (*Apologie* 26b). Était-ce là une habile stratégie que de restreindre la portée de cette accusation pour la relier aux accusations précédentes? Donner une réponse positive à cette ques-

---

don (96a-99d) révélerait une divergence entre Socrate et Platon sur la nature et le rôle d'Anaxagore me paraît fragile.

1. Le verbe *adikeîn* apparaît souvent dans l'*Apologie* (19b, 24b, 26c, 28a, 28d, 29b, 32b, 37b, 41b); on y trouve aussi *adikía* (39b), *adíkēma* (27e), *ádikos* (32d, 41b) et *adíkōs* (30d).

2. Dans l'*Euthyphron* (3a-b) aussi, l'accusation de corruption de la jeunesse est subordonnée à l'accusation d'impiété.

tion implique que l'on accepte les deux axiomes suivants : l'éducation est la reproduction des valeurs traditionnelles et ces valeurs sont garanties par les dieux. Par suite, remettre en cause les dieux, c'était s'attaquer aux valeurs traditionnelles. Par ce biais, l'accusation prend une teinte nettement politique, surtout lorsque l'on évoque les exemples de Critias et d'Alcibiade.

5. *La condamnation et l'exécution*

Si l'on en croit le *Criton* (45e-46a), Socrate aurait pu quitter Athènes après que l'accusation lui eut été signifiée, et surtout il aurait pu remettre l'affaire entre les mains d'un « logographe », c'est-à-dire d'un « avocat de papier » (cf. *Phèdre* 257c). Mais il tint à se présenter à son procès, au cours duquel il provoqua ses juges, plus qu'il ne les convainquit de son innocence.

Conformément aux procédures, le type de procès retenu comprenait deux votes : l'un portant sur la culpabilité du prévenu, et l'autre sur la peine à appliquer. Au terme du premier vote, Socrate ne fut condamné que par soixante voix; si trente juges eussent été d'un avis différent, il aurait été acquitté. Mais ce fut surtout lors du deuxième vote, qui devait décider de la peine à appliquer à l'accusé reconnu coupable, que les juges montrèrent à quel point ils étaient défavorablement influencés par l'attitude provocatrice de Socrate qui, semble-t-il, déjoua une fois de plus les calculs d'Anytos[1]. Contrairement à toute

---

1. En demandant la mort, Anytos devait s'attendre à ce que Socrate quittât le territoire d'Athènes avant son procès ou que, au cours de son procès, il sollicitât, s'il était condamné, l'exil comme peine de substitution. Socrate, qui vient d'être condamné, ne déclare-t-il pas : « Mais peut-être y aura-t-il quelqu'un pour dire : "Tu ne pourrais donc pas, Socrate, une fois que tu nous auras débarrassés de ta présence, vivre en te tenant tranquille, sans discourir ?" » (*Apologie* 38a). Il avait auparavant ainsi interpellé ses juges : « Sera-ce donc l'exil que je devrais plutôt m'assigner comme peine ? Peut-être est-ce en effet celle que vous fixeriez pour moi ? » (*Apologie* 37c). Le terme qui désigne l'exil est *phugē* (21a, 37c). Le verbe *exiénai* (37d, 37e) peut aussi être pris en ce sens

attente, le condamné provoqua littéralement les juges en déclarant que, bien loin d'entraîner un châtiment, sa conduite lui avait mérité d'être installé au prytanée, édifice public où était entretenu le foyer sacré et où étaient nourris aux frais de la cité les hôtes et les pensionnaires, pour le reste de leurs jours, honneur accordé aux plus grands bienfaiteurs de la cité. Et quand ensuite il proposa l'amende[1] dérisoire d'une mine[2], les juges eurent l'impression que l'accusé pratiquait l'ironie et continuait à se moquer d'eux. L'amende de 30 mines à laquelle il finit par consentir sous la garantie de ses amis[3] était plus en rapport avec la gravité du délit qu'on lui reprochait. Il était trop tard et les juges, excédés par son attitude insolente, sanctionnèrent une telle conduite. Aussi, lorsque le moment d'aller voter fut venu, quatre-vingts des juges qui auparavant l'avaient acquitté réclamèrent contre lui la peine de mort; Socrate fut donc condamné à boire la ciguë par une imposante majorité.

Comparé à d'autres supplices, être précipité du haut d'une falaise[4] ou mourir par exposition accroché sur une planche dressée[5], boire la ciguë était consi-

1 En grec le verbe *ophliskánein* (36a, 39b) signifie « être condamné à une amende ».

2. Cette somme n'aurait même pas suffi à payer le salaire des juges pour la journée (500 x 1/2 = 250 drachmes). En outre, les accusateurs auraient dû payer une amende de 1 000 drachmes si moins du cinquième des juges avaient condamné Socrate. Il faut comparer cette somme à celle que consent finalement à proposer Socrate sous la pression de ses amis. Cela dit, il reste vraisemblable que c'était là la modeste somme dont Socrate disposait vraiment à l'époque. Pour avoir une idée de ce que, à l'époque, représentaient ces sommes d'argent, il faut dire que 1 drachme représentait le salaire moyen quotidien d'un ouvrier qualifié. Par ailleurs, il fallait 100 drachmes pour faire 1 mine, et 60 mines pour faire 1 talent. Sur tout cela, cf. M. Austin et P. Vidal-Naquet, *Économies et sociétés en Grèce ancienne, op. cit.*

3. C'était en effet une somme considérable : 30 x 100 = 3 000 drachmes.

4. Hérodote, VII, 133,1; Xénophon, *Helléniques*, I, 7, 20; Platon, *Gorgias* 526d.

5. Lysias, *Contre Agoras* [XIII], 56, 67-68; Démosthène, *Sur les affaires de Chersonnèse* [VII], 61, *Sur les forfaitures de l'Ambassade* [XIX], 137

déré à Athènes comme le plus noble des supplices, celui que l'on réservait aux citoyens, car il s'apparentait à une mort volontaire, à un suicide.

B. LES PROCÈS AYANT TRAIT À LA RELIGION AVANT CELUI DE SOCRATE

Tout le problème est de savoir si la condamnation de Socrate s'inscrivait dans un climat d'intolérance à Athènes en matière religieuse. Dans l'Antiquité, on citait les noms de personnages célèbres du Vᵉ siècle qui auraient été impliqués dans des procès d'impiété, qu'on les accusât d'avoir porté atteinte au culte ou d'avoir mis en doute l'existence ou la représentation des dieux[1]. Parmi tous les noms qu'évoque Eudore Derenne : Anaxagore, Diogène d'Apollonie, Protagoras, Diagoras, seuls deux sont retenus par Kenneth J. Dover, celui d'Anaxagore (sous réserve!) et celui de Diagoras, deux noms explicitement reliés à celui de Socrate, comme l'est aussi le nom d'Alcibiade impliqué, lui, dans une affaire de sacrilège[2].

1. Anaxagore

Né à Clazomènes en Ionie vers 500, Anaxagore vint à Athènes vers 462, probablement appelé par Périclès qui, semble-t-il, voulait faire d'Athènes, qui en était

---

1. Le livre ancien de Eudore Derenne, *Les Procès d'impiété intentés aux philosophes à Athènes au Vᵉ et au IVᵉ siècle av. J.-C.*, Bibliothèque de la Faculté de philosophie et de lettres de l'université de Liège, fasc. XLV, Liège/Paris, Champion, 1930, est soumis à une critique intense par K.J. Dover, dans « The freedom of the intellectual in greek society », *Talanta* 7, 1976, repris dans *The Greeks and their Legacy*, Oxford, Blackwell, 1988, p. 135-158. On lira aussi David Cohen, *Law, Sexuality and Society. The Enforcement of Morals in Classical Athens*, Cambridge University Press, 1991, p. 203-217, et maintenant Robert Parker, *Athenian Religion : a History*, Oxford, Clarendon Press, 1996, chap. X.

2. Pour une bibliographie sur l'athéisme dans l'Antiquité, sous toutes ses formes, cf. Marek Winiarczyk, « Bibliographie zum antiken Atheismus », *Elenchos* 10, 1989, p. 102-192.

déjà le centre politique, la capitale intellectuelle de la Grèce. Platon dans le *Phèdre* (269e-270a) et Plutarque dans son *Périclès* (4) insistent sur les rapports étroits qui unissaient l'homme d'État à ce penseur qui poursuivait des recherches sur l'univers.

Suivant Plutarque (50-120 apr. J.-C.), comme ses ennemis politiques n'arrivaient pas à frapper Périclès lui-même, ils s'en prirent en l'espace de quelques années, au début de la guerre du Péloponnèse, à des gens de son entourage : Aspasie, Phidias et Anaxagore furent accusés d'impiété, probablement en vertu d'un décret proposé vers 433-432 par un certain Diopeithès[1], devin et chresmologue, qui était aussi orateur politique. Ce décret instituait des poursuites contre ceux qui ne croyaient pas aux dieux reconnus par la cité. Plutarque nous a transmis, sinon le texte authentique, du moins l'esprit du décret : « Diopeithès rédigea un décret qui prescrivait de poursuivre par voie d'*eisangelia*[2] ceux qui ne reconnaissent (*nomizontas*) pas les êtres divins ou qui enseignent des théories au sujet des choses du ciel (*metarsion*). » (*Périclès*, 32). Que dire de ce témoignage ?

Dover met en doute l'authenticité du décret, en se fondant notamment sur l'usage du terme *metársios*. Ce terme est un mot ionien et poétique qui est assez commun dans la prose hellénistique mais non dans la prose attique avant Théophraste. Comment dès lors expliquer son usage dans un texte de loi athénien ? Il se pourrait que le décret ait été mentionné par un Diopeithès fulminant dans une comédie d'Aristophane ou d'un autre auteur comique, et que, à un

1. Sur ce personnage, cf. Aristophane, *Cavaliers*, v. 1085 et scholie ; *Guêpes*, v 380 et scholie ; *Oiseaux*, v. 988 et scholies. C'est un ami de Nicias, le général très conservateur sur le plan religieux qui connaîtra une fin tragique en Sicile.

2. Le terme *eisaggelía* désigne plusieurs types d'affaires. Le seul trait distinctif de l'*eisaggelía* semble avoir été le suivant : l'accusateur n'était soumis à aucune peine, même s'il abandonnait les poursuites avant le procès et quel que soit le nombre de voix obtenu en faveur de l'accusation au cours du procès. Cf. D.M. MacDowell, *op. cit.*, 1978, p 183-186.

moment, on ait confondu comédie et réalité. Les simi-
litudes entre l'accusation d'impiété portée contre
Anaxagore et celle portée contre Socrate ont amené
ceux qui croient à l'authenticité du document à faire
l'hypothèse que le décret de Diopeithès aurait pu être
celui en vertu duquel Socrate aurait été accusé, puis
condamné. Mais deux objections peuvent être avancées contre la réalité historique de ce décret. 1. La
forme de l'accusation n'est pas la même. Dans le cas
de l'*eisangelia*, la dénonciation ne se faisait pas devant
l'archonte-roi, comme dans le cas de la *graphè*, procédure utilisée dans le cas de Socrate, mais devant le
Conseil ou devant l'Assemblée du peuple, comme ce
fut aussi le cas pour Alcibiade[1]. 2. Par ailleurs, en
403-402, sous l'archontat d'Euclide, les Athéniens
opérèrent une réorganisation législative et judiciaire
complète. Aucune loi votée avant 403-402 (Andocide,
Sur les mystères [I], 85-87) n'était valide à moins
qu'elle n'ait été réinscrite entre 410 et 403. Aucun
décret ne pouvait annuler une loi. Et on ne pouvait
poursuivre personne pour un crime commis avant
403-402. Par ailleurs, Hypéride qui cite les cas
d'*eisangelia* (*Pour Euxénippe*, 7, l. 19 sq.) n'y inclut pas
le délit d'impiété qui, précise-t-il par ailleurs, donne
lieu à une *graphè pròs tòn basiléa* (*Pour Euxénippe*, 5, l.
15 sq.).

Ces considérations ont amené Dover à faire cette
hypothèse radicale : comme aucun auteur ancien
n'avait d'idée ni sur les raisons qui avaient forcé
Anaxagore à quitter Athènes ni sur le moment de ce
départ, on s'inspira, pour trouver une explication, des
accusations portées contre Socrate. J'aurais tendance
à être de cet avis.

1. Cf. D.M. MacDowell, *op. cit.*, 1978, p. 58, p. 197-202 pour
les procès d'impiété.

2. Diagoras

Originaire de Mêlos, Diagoras[1], fils de Téléclytos ou de Télécleides, aurait composé des poèmes lyriques et des dithyrambes; il serait l'auteur d'un éloge (*egkômion*) de Mantinée, et, dans ses poèmes, il aurait chanté des citoyens d'Argos et de Mantinée. Il aurait notamment dédié une ode à Nicodore qu'il avait aidé vers 425 à donner une nouvelle législation à Mantinée. D'autres sources associent Diagoras à nombre de philosophes présocratiques, dont Démocrite, et une anecdote en fait même le disciple et l'esclave de ce dernier. Vers 415, Athènes aurait mis à prix pour impiété la tête de Diagoras, qui aurait dû s'enfuir à Pellène en Achaïe, une cité particulièrement hostile à Athènes. Il serait mort à Corinthe, à moins qu'il n'ait été confondu avec Diagoras d'Érétrie. Bref, Diagoras serait un poète mineur, dont la biographie reste incertaine, et qui se serait fait dans l'Antiquité une réputation comme figure emblématique de l'impie (*asebés*), de l'athée (*átheos*). Que penser de tout cela?

Dans les *Oiseaux* (v. 1071-1073), comédie qui fut représentée en 414, Aristophane écrit : « En ce jour plus que jamais on proclame : "Celui de vous qui tuera Diagoras de Mêlos recevra un talent [...]". » Un scholiaste apporte ces précisions sur l'événement auquel il est ici fait allusion : « Après la prise de Mêlos, Diagoras, qui habitait à Athènes, aurait déprécié les mystères d'Éleusis au point de détourner beaucoup de

1. *Diagoras Melius, Theodorus Cyrenaeus*, edidit Marcus Winiarczyk, SGR, Leipzig, Teubner, 1981. Dans cet ouvrage (pour un complément, cf. Marek Winiarczyk, « Ergänzungen zu Diagoras und Theodoros », *Philologus* 133, 1989, p. 151-152), on trouve une édition des témoignages concernant Diagoras de Mêlos et des quelques fragments qui subsistent de son œuvre et une bibliographie complète sur les travaux d'interprétation. Cela dit, l'article qui m'a été le plus utile est celui de Leonard Woodbury, « The date and atheism of Diagoras of Melos », *Phoenix* 19, 1965, 178-211. Pour une présentation générale du personnage en français, cf. *DPhA* II, 1994, p. 750-757 [Maroun Aouad & Luc Brisson].

gens de l'initiation. Aussi les Athéniens firent-ils pro-
clamer ceci par le héraut et graver le décret sur une
stèle de bronze, comme le dit Mélanthios dans son
livre *Sur les Mystères*. » (*Scholie aux* Oiseaux *d'Aristophane*, v. 1073). Évoquant une autre source, le scholiaste prétend que le décret fut recopié par Cratéros
dans son recueil de décrets[1]. Cette scholie, qui a par
ailleurs le mérite de citer ses sources, est intéressante à
un double titre : elle nous révèle les motifs de l'accusation portée contre Diagoras et elle apporte des précisions chronologiques sur l'affaire. Il n'en reste pas
moins qu'elle demande à être interprétée avec beaucoup de prudence.

L'allusion à la prise de Mêlos par les Athéniens en
415 reste très vague. Rappelons les faits. Seule île de
la mer Égée à être restée à l'écart de l'influence athénienne, Mêlos fut contrainte en 426 de payer un tribut
à Athènes. Mais la paix de Nicias rendit les Méliens à
leur neutralité. Pour une raison obscure, les Athéniens
envoyèrent en 416 une expédition pour exiger la soumission de l'île. Thucydide prit prétexte d'une discussion entre les adversaires pour composer un discours fameux (V, 84-145) qui demeure le plus cruel
réquisitoire contre l'impérialisme athénien. Les
Méliens se rendirent au début de 415 : les hommes
furent tués, les femmes et les enfants asservis et l'île
colonisée. Rien n'indique que Diagoras se soit réfugié
à Athènes par suite de ce désastre, et rien n'autorise à
établir un rapport entre l'impiété de Diagoras et la
prise de cette cité par les Athéniens ; il n'en demeure
pas moins qu'à partir de 416 la situation d'un Mélien
à Athènes ne devait pas être facile. Abstraction faite

---

1. On attribue un recueil de décrets accompagnés de commentaires érudits à un certain Cratéros (*FGrH*, p. 342 [Jacoby]) souvent
cité par Plutarque et qu'on identifie au Cratéros, fils de Cratéros,
un officier macédonien d'Alexandre et l'époux de Phila, la fille
d'Antipater, un autre officier macédonien d'Alexandre qui joua un
rôle important en Grèce. Gouverneur de Corinthe et du Péloponnèse vers 280, il devint par la suite vice-roi de l'Attique et de
l'Eubée.

des sentiments qu'il pouvait susciter, cet événement historique doit être considéré exclusivement comme un point de repère chronologique aisé, mais approximatif; le décret fut promulgué avant 414, en 415 ou un peu avant.

Bref, Diagoras aurait pu être victime de deux événements. L'un politique, l'attaque d'Athènes contre Mêlos (416-415); et l'autre religieux et judiciaire, l'affaire de la profanation des mystères d'Éleusis et la mutilation des Hermès (avant juin 415). On aurait allégué quelques vers moqueurs à l'endroit de rites pratiqués au cours des mystères pour se débarrasser de lui. On notera que, en 405, Aristophane (*Grenouilles*, v. 320) qualifie Socrate de Mélien, assimilant par là son athéisme à celui de Diagoras.

3. *Alcibiade*

On ne peut comprendre le procès de Socrate sans évoquer le cas d'Alcibiade, personnage qui, comme Anaxagore, vécut dans l'entourage de Périclès avant de se rapprocher de Socrate.

Né vers 451-450, fils de Clinias, général et homme politique athénien qui tomba à Coronée en 445, Alcibiade, qui était du dème de Scambonidès, fut élevé dans l'entourage de Périclès, son tuteur. Tout porte à croire en effet qu'à la tutelle de Périclès, qui se termina en 434-433, succéda immédiatement l'influence de Socrate. C'est avant l'expédition de Potidée en 431 (cf. *Banquet* 219e) qu'Alcibiade entra en contact avec Socrate. Cette date se voit d'ailleurs confirmée par le fait que, dans le *Protagoras* (309a), dont l'action devrait se situer quelques mois avant le début de la guerre du Péloponnèse (431), Alcibiade est le gibier dont Socrate se veut le chasseur obstiné. Par ailleurs, dans le *Banquet*, dont l'occasion est la victoire du poète Agathon, en février 416, Alcibiade avoue qu'il ne rencontre plus Socrate que rarement; il l'évite, parce qu'il rougit d'être devenu l'homme qu'il est (*Banquet* 216b). C'est donc entre ces deux dates (431-416) que s'exerça l'influence de Socrate sur Alcibiade.

C'est un jeune homme très brillant qui, dès 420, devient le leader des démocrates radicaux qui poussent Athènes à s'allier avec Argos et avec d'autres ennemis de Sparte. La victoire de Sparte à Mantinée en 418 jette le discrédit sur cette politique d'inspiration impérialiste. Même si Alcibiade fait temporairement alliance avec Nicias (417-416) pour éviter l'ostracisme, les deux hommes étaient des rivaux et des adversaires, puisque Nicias s'était notamment opposé à l'expédition de Sicile, dont l'idée avait été lancée et vigoureusement défendue par Alcibiade. Conjointement avec Lamachos, Nicias et Alcibiade furent désignés par l'Assemblée du peuple en 415 pour commander cette expédition.

Les préparatifs allaient bon train, quand un double scandale éclata : en une même nuit furent mutilés au visage la plupart des « Hermès », ces piliers quadrangulaires en pierre, ornés d'un *phallos* et surmontés d'une tête barbue, que la piété populaire dressait devant les sanctuaires et devant certaines maisons. Superstitieuse, l'opinion vit dans ce sacrilège un mauvais présage pour l'expédition, d'autant plus qu'Hermès était le dieu des voyageurs ; c'était probablement ce que voulaient ses auteurs, vraisemblablement adversaires d'Alcibiade. L'enquête révéla de surcroît que des parodies des mystères d'Éleusis s'étaient déroulées dans certaines maisons. Les deux sacrilèges étaient sans doute sans rapport, mais l'opinion en fit un amalgame : on tenait là les indices d'un complot contre la démocratie. Qui donc, sinon des oligarques, pouvaient se livrer à de tels défis contre les objets les plus sacrés de la piété populaire ? Et qui donc, sinon Alcibiade, dont le non-conformisme peu démocratique manifestait l'aspiration à la tyrannie, pouvait être à l'origine de ces crimes ? Alcibiade se défendit : qu'on le jugeât sur-le-champ et, s'il était condamné, qu'on le mît à mort ; il ne partirait que lavé de toute accusation. Sage proposition, à laquelle s'opposèrent ses ennemis ; que la flotte partît, on le jugerait à son retour. En réalité, il s'agissait d'accumuler en son absence des accusations calomnieuses, puis de le rappeler pour le juger hors de la présence d'une armée qu'on pensait lui être favorable (Thucydide, VI, 27-29 ; Plutarque, *Alcibiade*, 18, 4-19).

Accusé de complicité dans la mutilation des Hermès et dans d'autres profanations religieuses, Alcibiade fut rappelé à Athènes pour être jugé. Il réussit à s'enfuir et se réfugia à Sparte, où il complota activement contre sa cité d'origine. Le désastre que connurent les Athéniens et leurs alliés en Sicile fut gigantesque : plus de deux cents trières perdues, douze mille citoyens tués ou morts dans des conditions atroces, et leurs deux commandants, Nicias et Démosthène, exécutés. En 412, Alcibiade suscita la révolte dans plusieurs cités alliées d'Athènes. Mais, ayant perdu la confiance des Spartiates, il chercha refuge auprès de Tissapherne. Il travailla alors à la conclusion d'une alliance entre les Perses et Athènes, et finalement la flotte athénienne à Samos l'élut stratège. Il commanda plusieurs opérations en Ionie et dans l'Hellespont, remportant notamment une brillante victoire à Cyzique en 410. De retour à Athènes en 407, on lui vota les pleins pouvoirs. Mais, après la défaite de Notion en 406, ses ennemis le forcèrent à se retirer et, en 404, il fut assassiné, en Phrygie sur ordre de Pharnabaze, auprès duquel il avait cherché protection, mais sur lequel les Trente et Lysandre avaient fait pression.

Alcibiade était le symbole de l'échec de la démarche d'un Socrate, qui avait cherché à réformer la cité en formant de nouveaux dirigeants. Et le fait qu'il avait été accusé de sacrilège permettait d'associer facilement, contre Socrate, les accusations d'impiété et de corruption de la jeunesse.

Pourtant, en 400-399, les passions semblaient être retombées. Prenons le cas d'Andocide. Cet aristocrate qui faisait partie d'un groupe oligarchique avait, pour s'assurer l'impunité et sauver son père (prétendait-il), reconnu avoir participé à la mutilation des Hermès et à la profanation des mystères d'Éleusis en dénonçant

plusieurs autres personnes. Il fut relâché. Mais, après
le décret d'Isotimidès qui interdisait à ceux reconnus
coupables d'impiété de pénétrer dans un temple ou
sur l'agora, il s'exila. Il chercha à revenir à Athènes en
410, où il plaida sa cause dans le *Sur le retour*. Finalement, il revint après l'amnistie de 403 et, en 400-399,
il se défendit victorieusement dans le *De mysteriis*
contre une tentative pour le soumettre au décret
d'Isotimidès.

Cela dit, si l'on ne tient pas compte du procès
d'Alcibiade, car il s'agit d'un procès pour sacrilège,
seuls deux procès auraient été intentés pour impiété
dans l'Athènes du ve siècle, celui d'Anaxagore et celui
de Diagoras. Mais on peut se poser des questions sur
l'historicité du procès d'Anaxagore. Et, même si l'on
admet son historicité, force est de constater que, tout
comme celui de Diagoras, ce procès aurait eu avant
tout des causes politiques, la religion servant de prétexte. Par suite, il semble impossible de penser que
Socrate fut victime d'une intolérance caractérisée en
matière de religion.

C. LE PROCÈS QU'ATHÈNES S'INTENTE À ELLE-MÊME

Pour essayer de comprendre quelque chose au procès de Socrate, il faut donc tenter de définir quelles
conceptions Socrate se faisait de la piété et de l'éducation et de déterminer comment ces conceptions pouvaient remettre en cause celles de la majorité des
Athéniens.

1. *La piété suivant Socrate*

Comme la plupart de ses contemporains, Socrate,
né dans une cité où la religion jouait un rôle important, semble avoir été un homme profondément religieux, qui était persuadé que, parallèlement au monde
naturel, perçu par les sens, il existait un autre monde
peuplé par des êtres mystérieux, qui étaient des individus comme les êtres humains, mais dont les pouvoirs

étaient infiniment supérieurs à ceux des humains et qui, surtout, intervenaient, à leur gré, dans le déroulement causal des événements pour aider et récompenser, pour détruire et punir.

Socrate reconnaît l'existence de dieux, de démons et de héros qui sont des demi-dieux (*Apologie* 26a-27e). Dans la seule *Apologie*, il évoque plusieurs noms : Achille (28c), Ajax (41b), Apollon (jamais nommé, mais souvent évoqué), Éaque (41a), Hadès (29b, 41a), Héra (24e), Musée (41a), Orphée (41a), Palamède (41b), Patrocle (28c), Thétis (28c), Triptolème (41a), Ulysse (41c), Zeus (17a, 25c, 26e, 35d, 39c). Il admet aussi que les dieux sont des êtres supranaturels et qu'ils envoient des signes aux hommes par des moyens extranaturels : oracles[1], songes[2], voix intérieure[3]. Même les mystères sont évoqués à la fin du *Criton*. Il faudrait être particulièrement pervers pour tant parler de religion, sans y croire d'une façon ou d'une autre.

Mais, selon Socrate, on ne peut interpréter correctement ces phénomènes religieux que par l'intermédiaire de la raison. Là se situe le point de rupture entre la conception de la piété qui est celle de Socrate et la tradition exprimée en ces termes par Euthyphron : « [...] si quelqu'un sait dire et faire ce qui est agréable aux dieux, à l'occasion des prières et des sacrifices, c'est cela qui est pieux [...]. » (*Euthyphron* 14b). Pour Socrate, être pieux c'est s'acquitter, au nom du dieu et pour lui être utile, de la tâche que le dieu désire voir accomplie et qu'il accomplirait s'il le pouvait. Mais en quoi cette tâche est-elle perçue comme une menace pour la tradition ?

Comme un petit nombre de ses contemporains, Socrate considérait que la raison constituait la faculté

---

1. Sur la réponse de l'oracle de Delphes à la question posée par Chéréphon, cf. *Apologie* 20c-21a.
2. Entre autres, celui qu'il raconte au début du *Criton* (44a-b) et dans le *Phédon* (60d-e).
3. Allusions multiples à son *daimónion*, cf. la note 301, p. 158, pour un inventaire.

la plus haute de l'être humain. Or, la raison peut difficilement admettre que la causalité naturelle soit remise en cause et que le système de valeurs puisse être violé. Comment dès lors concilier ces deux exigences ? Ceux qui s'interrogèrent à partir du vi[e] siècle sur la nature résolurent le problème en intégrant le supranaturel dans le naturel. La puissance, unique ou multiple, qui assurait l'ordre dans l'univers, que cette puissance ait été appelée « raison » comme chez Anaxagore ou d'un autre nom, reçut chez eux le nom de « dieu ».

Socrate allait faire subir aux dieux sur le plan de la morale une transformation similaire à celle que leur avaient fait subir d'autres « penseurs » sur le plan de la nature, en insistant sur les points suivants : 1. La divinité doit être bonne : « C'est donc, repris-je, que la divinité, puisqu'elle est bonne, ne doit pas être responsable de tout, ainsi qu'on le prétend généralement, mais d'une faible part des choses humaines, innocente au contraire d'un grand nombre, car pour nous les biens sont de beaucoup surpassés par les maux, et les biens, à nul autre qu'à elle il n'en faut faire remonter la cause ; tandis que, pour les maux, je ne sais quelles autres causes il en faut chercher, mais ce n'est point la divinité ! » (*République* II 379c). 2. Les dieux peuvent rester des êtres supranaturels à condition que leur conduite soit conforme à la morale rationnelle. Si l'on estime qu'il ne peut y avoir deux poids et deux mesures en morale, comment en effet ne pas être outré par la conduite de Zeus, dont les amants et les amantes sont innombrables ? Comment ne pas être révolté par la conduite de son épouse Héra, qui s'acharne sur Héraclès, dès ses premiers jours, par jalousie parce qu'il est le fils qu'Alcmène avait conçu de Zeus, et qui déclenche la guerre de Troie par dépit de ne pas avoir été choisie par Pâris comme la plus belle ? Comment ne pas être choqué par l'acharnement de Poséidon contre Ulysse ? Par ailleurs, la divinité ne peut être soumise à aucune influence, comme c'était le cas dans le cadre de la piété traditionnelle qui comptait sur les prières et sur les sacrifices pour modifier le cours des événements, obtenir des faveurs pour soi et pour ses amis et attirer des malheurs sur ses ennemis[1].

Les penseurs de la nature avaient rationalisé les dieux en les rendant naturels; Socrate fait de même en les rendant moraux. Or, il semble qu'entre ces deux engagements, raison et religion, Socrate essayait d'établir des rapports hiérarchiques, la raison prenant toujours le premier rang. Socrate se coupait donc radicalement des croyances de ses ancêtres en attribuant l'autorité suprême à la raison, y compris en matière religieuse. Et c'est probablement ce que lui reprochaient ses contemporains. Pour la majorité des Athéniens, en effet, une telle transformation de l'image des dieux équivalait à leur destruction pure et simple et, donc, à leur remplacement par de nouveaux dieux : procès d'intention qui correspond exactement aux deux premiers chefs d'accusation portés contre Socrate.

En défendant cette idée d'une divinité bonne et inflexible, Socrate se considère, en revanche, comme celui qui défend le mieux l'existence des dieux et leur image : « Oui, Athéniens, je reconnais les dieux plus fermement qu'aucun de mes accusateurs, et je m'en remets à vous et au dieu du soin de porter un jugement sur ce qui vaudra mieux pour moi comme pour vous. » (*Apologie* 35d). D'où l'ambiguïté fondamentale du procès qui lui est intenté; Platon le sait bien qui fait se terminer l'*Apologie* sur cette interrogation de Socrate : « Mais voici déjà l'heure de partir, moi pour mourir et vous pour vivre. De mon sort ou du vôtre lequel est le meilleur ? La réponse reste incertaine pour tout le monde, sauf pour la divinité (*tôi theôi*). » (*Ibid.* 42a). C'est la divinité qui *a* et qui *est* le dernier mot dans l'*Apologie*.

C'est dans l'*Apologie* que Socrate semble répondre à

---

1. Cf. G. Vlastos, *Socrate. Ironie et philosophie morale* [1991], Paris, Aubier, 1994, chap. vi sur la piété de Socrate.

la question posée dans l'*Euthyphron* : « Quelle est cette œuvre magnifique (*págkalon érgon*) que les dieux accomplissent en ayant recours à nous comme serviteurs (*hupērétais*) ? » (13e). Socrate se considère en effet comme le serviteur de la divinité : « Or, en allant de-ci de-là, je poursuis ma recherche et, pour comprendre ce qu'a voulu dire le dieu, je cherche à découvrir si, parmi les gens d'Athènes et parmi les étrangers, il ne s'en trouve pas un qui soit savant. Et, chaque fois qu'il me paraît que ce n'est pas le cas, je prête main forte au dieu (*tôi theôi boēthôn*) en montrant que cet homme n'est pas savant. Et l'absence de loisir qui en résulte explique qu'il ne me reste pas de temps pour m'occuper sérieusement des affaires de la cité et des miennes ; aussi est-ce dans une extrême pauvreté que je vis, parce que je suis au service du dieu (*dià tēn toû theoû latreian*). » (*Apologie* 23b). Tout comme *boētheia* et *latreia*, le terme *hupēresia* suggère l'idée d'un service qu'un subordonné accomplit pour le compte d'un supérieur. Or, on retrouve le terme *hupēresia* dans cette autre déclaration de Socrate : « C'est cela, sachez-le bien, que m'ordonne de faire le dieu, et, de mon côté, je pense que jamais dans cette cité vous n'avez connu rien de plus avantageux que ma soumission au service du dieu (*tēn emēn tôi theôi hupēresian*). » (*Ibid.* 30a). Socrate prétend donc être au service de la divinité, et surtout il ajoute que ce service a contribué à produire le plus grand bien qui soit jamais échu à Athènes, et qui doit être le résultat de cette œuvre magnifique (*págkalon érgon*) évoqué dans l'*Euthyphron*. Mais quel est ce bien ? C'est celui qui découle du fait que les hommes ont été convaincus, à la suite de l'enquête menée par Socrate, de se préoccuper davantage de leur âme [1] que de leur corps et des biens matériels qui s'y rattachent.

---

1. Il est très difficile de se faire, en lisant l'*Apologie* et le *Criton*, une idée précise de ce que Socrate entendait par âme.

2. L'éducation suivant Socrate

Mais le fait qu'il adhère à ces conceptions peu orthodoxes de la divinité n'aurait pu à lui seul faire condamner Socrate à mort. C'est aussi et surtout le fait qu'il entend modifier le comportement de ses concitoyens; voilà, d'ailleurs, ce que vise l'accusation de corruption de la jeunesse[1]. Socrate explique en effet à Euthyphron : « Mon cher Euthyphron, le fait d'être tourné en ridicule n'est sans doute pas bien grave. Car les Athéniens, à mon avis, ne se préoccupent pas outre mesure d'un homme qu'ils croient habile, pourvu qu'il n'enseigne pas son savoir, mais, s'ils le soupçonnent de rendre aussi les autres pareils à lui-même, ils se mettent en colère, soit par jalousie, comme tu dis, soit pour une autre raison. » (*Euthyphron* 3c-d). On se moque d'Euthyphron qui est avare de ses conseils, alors qu'on cite Socrate à comparaître : « Dans ton cas, on peut en effet croire que tu te fais rare et que tu ne tiens pas à enseigner le savoir qui est le tien. Mais en ce qui me concerne, je crains que mon amour des hommes ne me fasse passer, aux yeux des Athéniens, pour quelqu'un qui parle sans retenue à tout homme, non seulement sans toucher de salaire, mais en en déboursant un avec joie si quelqu'un daigne m'écouter. » (*Ibid.* 3d). En d'autres termes, Socrate ne devient dangereux, aux yeux des Athéniens, que lorsqu'il veut étendre son influence à l'ensemble de la cité[2]. Et comme il fait spontanément des émules chez des jeunes gens qui, par les interrogatoires auxquels ils soumettent leurs aînés, agressent ceux qui prétendent à une certaine réputation (*Apologie* 23c-d), il aggrave son cas.

Quand Socrate prétend qu'il ne transmet aucun

---

1. Cf. G. Vlastos, *Socrate. Ironie et philosophie morale, op. cit.*, note complémentaire 6.6.
2. Quelqu'un comme Aristodème (*Mémorables* I, 4, 2, cf. aussi le début du *Banquet*) qui se moquait de ceux qui offraient des sacrifices ou qui faisaient appel à la divination, parce qu'il croyait la divinité au-dessus de ces contingences, ne fut jamais inquiété.

savoir positif, il déplace un problème réel dont devaient être plus ou moins conscients, dans leur majorité, les Athéniens. L'éducation traditionnelle en Grèce transmettait un système de valeurs et de savoir-faire qui s'appliquait à des domaines déterminés : guerre, équitation, navigation, artisanat, etc. Or, les nouveaux intellectuels prétendaient enseigner des techniques qui pouvaient s'appliquer à tous les domaines où la parole jouait un rôle; ils encourageaient donc la curiosité intellectuelle et l'indépendance de la pensée. Socrate pousse ce mouvement à ses ultimes conséquences, en pratiquant une méthode qui ne présente qu'une face critique. Parce qu'il engageait vivement à la critique généralisée des valeurs héritées, Socrate apparaissait donc comme un démolisseur, tout le problème étant de savoir s'il avait des solutions positives à proposer. Platon enseigne que oui; Xénophon, lui, reste beaucoup plus réservé en la matière. On comprend que des juges auraient été déconcertés à moins. Mais alors, comment les conceptions que Socrate se faisait de la piété et de l'éducation pouvaient-elles entrer en conflit avec celles d'Athènes ?

3. *Le véritable conflit avec la cité*

La religion grecque n'était pas une religion révélée due à un réformateur ou à un prophète. Elle émanait d'un groupe humain et s'était développée avec ce groupe qui, à travers elle, se donnait une représentation symbolique de ce qu'il devait être, par l'intermédiaire des poètes, au premier rang desquels se trouvent Homère et Hésiode. Les poètes n'étaient que les agents de transmission de ces récits sur les dieux, les démons, les habitants de l'Hadès et les héros, que Platon appellera des mythes, récits qui ne cessent de se transformer au cours des âges en fonction de l'évolution de la société. Une double absence découle de cet état de choses. Absence, en premier lieu, d'un corps de doctrines distinct d'un système de valeurs sociales et politiques. En Grèce ancienne, il n'y a pas, avant le Socrate de Platon, de rétribution individuelle systématique. L'âme connaît une survie crépusculaire et limitée, et la récompense ou la punition restent une affaire sociale ou limitée à la mémoire du groupe. Absence, en second lieu, d'un corps sacerdotal soumis à une hiérarchie organisée transmettant le dogme et le défendant. Les prêtres, simples citoyens qui tenaient généralement leurs charges de l'élection ou même du tirage au sort, n'étaient que des fonctionnaires publics chargés d'accomplir les cérémonies et les sacrifices selon les rites prescrits.

Si le poète transmet ces récits sur les dieux, les démons, les habitants de l'Hadès et les héros, si au Ve siècle on représente au théâtre ces mythes transformés en fonction des idéaux de la cité, c'est parce que la cité veut se donner en représentation à elle-même pour affirmer le système de valeurs auquel doit se conformer par imitation (ou par répulsion) le comportement de chaque citoyen. Former un citoyen, l'éduquer, c'est donc, dans cette perspective, modeler son caractère en fonction de ce que racontent les poètes. Voilà pourquoi Platon exagère à peine lorsque, dans la *République*, il considère Homère comme l'instituteur de la Grèce. S'attaquer à la représentation des dieux, c'est donc remettre en cause le système de valeurs de toute la cité, qui, de ce fait, se trouve menacée dans son essence même; parallèlement, prétendre enseigner l'*aretê* (la vertu) comme les sophistes ou s'interroger sur la transmission de l'*aretê* comme Socrate, c'est s'attaquer à la religion. En sanctionnant l'impiété, la cité affronte en définitive un problème qu'elle ressent comme un problème véritablement politique.

Dans ce contexte, il devient impossible de distinguer entre religion et politique. Toucher à la religion, c'est menacer les fondements mêmes de la cité; voilà pourquoi l'impiété militante peut, comme le vol, le meurtre ou la trahison, donner lieu à un procès. La volonté de Socrate de soumettre ses concitoyens à un examen constant touchant à la fois à l'individu et à la cité devint progressivement insupportable. Donner la priorité au spirituel sur le matériel, à l'âme sur le corps, cela revenait en définitive à refuser toute forme de compétition pour l'individu dans la cité et pour Athènes dans le monde grec. Cela menait à une démobilisation funeste des efforts pour la reconstruction d'une cité ruinée, comme l'était Athènes en 399 après sa défaite de 404 et la féroce guerre civile qui s'en était suivie. De plus, des personnages comme Alcibiade, Critias et Charmide, qui avaient joué un rôle particulièrement négatif lors de ces événements malheureux, étaient des jeunes hommes de l'entourage de Socrate.

Dans l'*Apologie*, on l'a vu, Platon évoque deux vagues d'accusations : les accusations anciennes, correspondant à celles qu'évoque Aristophane dans les *Nuées*, et les accusations actuelles, celles que portent Anytos, Lycon et Mélétos. Dans les *Mémorables* (I, 2, 12-47), Xénophon consacre trente-cinq paragraphes à disculper Socrate de l'accusation lancée par Polycrate[1] d'avoir été le mauvais génie de Critias et d'Alcibiade. Cette accusation posthume, à laquelle Platon fait peut-être allusion dans le *Gorgias*[2], semble très

---

1. En 385, soit quatorze ans après le procès de Socrate, Polycrate, un rhéteur aurait écrit une *Accusation de Socrate* (Isocrate, *Busiris* [XI], 4) dans laquelle il justifiait la condamnation de Socrate par le fait que ce dernier avait eu une influence néfaste sur Critias et sur Alcibiade. Pour le texte, cf. L. Radermacher, *Artium Scriptores*, 1951, p. 128 sq.; pour un commentaire, cf. J. Humbert, *Polycratès*, Paris, Klincksieck, 1930. Xénophon réplique longuement à ce pamphlet dans les *Mémorables*. Cf. aussi Eschine dans *Contre Timarque* [I], 273 : « Ainsi Athéniens vous avez mis à mort Socrate le sophiste, parce qu'il était établi que c'est lui qui avait instruit Critias, l'un des trente tyrans qui ont renversé la démocratie. » Il faut dire que le *Contre Timarque* fut écrit fin 346, début 345, c'est-à-dire plus de cinquante ans après le procès de Socrate. Le décalage est important, mais il fait prendre conscience du fait que cette opinion avait encore cours à cette époque, indépendamment de toutes circonstances particulières.

2. Socrate réplique à Calliclès : « Et si quelqu'un déclare que je déforme les plus jeunes parmi eux, que je les réduis à une situation d'impuissance, et que j'accuse les plus vieux [..]. » (*Gorgias* 521b). Ce reproche s'apparente aussi à celui qu'Anytos adresse à Socrate dans le *Ménon* (94e). Cf. le commentaire de E.R. Dodds, dans

vraisemblable, car il paraît à peine croyable que la
condamnation de Socrate n'ait pas déclenché une
polémique entre ses supporteurs et ses détracteurs.
Cette polémique a probablement duré plusieurs
années. Même si elle se situe exclusivement au niveau
de l'interprétation, l'accusation posthume a le mérite
d'être claire : à tort ou à raison, Socrate a été perçu
comme le maître à penser d'hommes politiques dont
l'action avait sapé non seulement le pouvoir de la
démocratie, mais aussi et surtout les fondements de la
cité.

Si Socrate s'était contenté d'exprimer son avis de
manière confidentielle, cela eût été sans conséquences. C'est sa volonté de modifier le comportement de ses concitoyens en fonction des exigences de
la raison qui rendit son action intolérable aux yeux de
certains. Son excentricité fit le reste.

D. QUESTIONS

Si tel est bien le cas, la question doit être retournée.
Il ne s'agit plus de savoir si Socrate devait être
condamné, mais pourquoi il ne l'a pas été plus tôt.

1. Pourquoi Socrate n'a-t-il pas été cité plus tôt en justice ?

On peut proposer deux réponses qui tiennent aux
deux parties dans cette affaire.

Les Grecs en général et les Athéniens en particulier
étaient habitués depuis le VIᵉ siècle à entendre critiquer
les dieux évoqués par Homère et Hésiode. Xénophane
semble avoir été le plus virulent. Mais on peut aussi
citer d'autres noms : ceux de Parménide, d'Empédocle, d'Héraclite, etc. Même Aristophane n'hésite
pas à ridiculiser des figures divines [1]. Un Athénien du

Plato, *Gorgias* [1959], text, introduction and commentaries,
Oxford, Clarendon Press, 1966.
1. Dans les *Nuées*, Strepsiade explique la pluie d'une façon particulièrement bouffonne : c'est Zeus qui pisse à travers un tamis.

IVᵉ siècle, qui vivait dans une cité où aucune autorité religieuse n'imposait des dogmes, où l'autorité politique était précaire, avait toutes les raisons de croire que tout ce qu'on lui avait raconté sur le monde supranaturel n'était pas faux ; mais il ne pouvait s'empêcher de penser que rien ne l'obligeait à donner son assentiment à tout cela. Ce qui ne le retenait pas de se moquer, individuellement ou par l'intermédiaire des poètes comiques, du comportement de ces « penseurs » qui avaient du mal à s'adapter au réel et qui perdaient leur temps en bavardages oiseux. Voilà pourquoi, en dehors du cas de Diagoras et de celui d'Anaxagore peut-être, deux cas où le contexte politique joue par ailleurs un rôle fondamental, aucune mesure ne semble avoir été prise en matière religieuse.

Par ailleurs, Socrate était un citoyen athénien exerçant la *parrēsía* (liberté de parole) dans une cité habituée à entendre exprimer des positions non orthodoxes ; le fait qu'il accorde la prééminence à la raison n'en faisait pas un mauvais citoyen *de facto*. Il admettait toutes les manifestations du supranaturel, il respectait les cultes. Il semble avoir été considéré comme un homme d'une haute moralité. Et, politiquement, on ne pouvait lui reprocher que son peu d'intérêt pour les affaires courantes de la cité (*Apologie* 31c). D'où cette autre question.

2. *Pourquoi Socrate a-t-il été cité en justice en 399 ?*

La réponse nous échappera toujours, car elle dépend de l'air du temps.

Lorsque les *Nuées* furent représentées en 424, Athènes se trouvait au sommet de sa puissance et de sa gloire. Un excentrique comme Socrate pouvait faire rire un large public qui ne se sentait pas menacé par son comportement. En 399, la situation avait radicalement changé ; les Athéniens, qui avaient été humiliés et qui avaient beaucoup souffert dans leurs biens et dans leur chair, étaient disposés à trouver dangereux ce qu'auparavant ils considéraient comme ridicule. Après avoir connu en Sicile un désastre sans précédent, dont Alcibiade avait été tenu pour largement responsable, Athènes, soumise à un sévère blocus, fut définitivement vaincue par Sparte en 404. La paix fut votée et les Longs-Murs furent détruits. Seules douze trières furent laissées à Athènes. Théramène voulut reprendre son plan d'une Constitution modérée. Mais il fut dépassé par un groupe d'extrémistes, dont faisait partie Charmide[1] ou l'oncle maternel de Platon, qui entrèrent à Athènes avec les Spartiates. Leur chef de file, Critias[2], un parent de Platon, qui comme Charmide était de l'entourage de Socrate, fit appel à Lysandre, le général qui avait battu les Athéniens. En présence de ce dernier, Critias fit voter par l'Assemblée la désignation d'une commission constituante de trente membres. Ayant installé une garnison de sept cents Spartiates sur l'Acropole, les gens de Critias déchaînèrent leurs proscriptions. Après n'avoir frappé que des sycophantes ou des démagogues dont le sort intéressait peu l'opinion, ces proscriptions se généralisèrent : on élimina d'éventuels opposants politiques, on régla de vieux comptes, et, comme l'argent manquait, on s'attaqua à de riches métèques pour confisquer leur fortune.

Beaucoup de citoyens s'enfuirent, dont Léon[3]. La rupture intervint entre Théramène et Critias, qui obtint la condamnation à mort de son rival qui dut boire la ciguë. Mais l'influence de Lysandre déclinait, et les exilés dont le nombre augmentait s'organisaient. L'un d'eux, Thrasybule, vint avec soixante-dix hommes s'emparer de Phylé, sur les contreforts méridionaux du Parnès. Ils ne purent être délogés, et leurs effectifs s'accrurent. Lorsqu'ils furent un millier, ils marchèrent sur le Pirée. Le combat s'engagea dans le haut de Mounychie. Thrasybule gagna cette bataille de rues où périrent Critias et Charmide. Une guérilla s'installa entre le Pirée et Athènes. Les oligarques ne

---

1. Sur Charmide, cf. *DPhA* II, 1994, p. 299-302 [Luc Brisson].
2. Sur Critias, cf. *DPhA* II, 1994, p. 512-520 [Luc Brisson].
3. Cf. *Apologie*, n. 210, p. 151.

virent plus de salut qu'en Sparte qui, pour de multiples raisons, fut amenée à négocier avec les démocrates. À la fin de 403, une amnistie fut proclamée,
dont n'étaient exclus que les survivants des Trente.
Après un sacrifice solennel sur l'Acropole, Thrasybule
exhorta la cité à la concorde, et les institutions démocratiques furent remises en place. Mais Athènes était
exsangue : aux innombrables morts des dernières
campagnes, qui avaient été les plus meurtrières de
toute la guerre, et aux victimes de la famine pendant
le blocus, il fallait ajouter les victimes des Trente,
entre mille cinq cents et deux mille cinq cents selon
des sources divergentes.

Dans ce contexte, un juge qui n'interprétait pas le
comportement de Socrate, comme le faisait Platon,
pouvait donc plus ou moins consciemment exprimer à
l'égard de Socrate un rejet radical, un ressentiment
profond et une culpabilité diffuse. Un rejet radical de
tout le passé, devant un homme qui continuait imperturbablement ses attaques contre les valeurs d'une cité
qui avait tant souffert. Un ressentiment, qui aurait pu
être particulièrement fort chez un homme comme
Anytos, à l'égard de quelqu'un qu'il considérait
comme l'inspirateur de l'action d'individus aussi discutables qu'Alcibiade et aussi dangereux que Charmide et Critias, responsables des malheurs et de la
mort de plusieurs démocrates. Ce ressentiment aurait
pu être augmenté par l'irritation causée par le ridicule
dans lequel seraient tombés des hommes politiques en
vue soumis aux « réfutations » de Socrate et de ses
jeunes émules et, même, dans le cas d'Anytos, par des
allusions directes ou indirectes à la conduite déplorable de son fils qui devint un ivrogne, comme le laisse
entendre Xénophon à la fin de l'*Apologie*. À tout cela,
il faudrait ajouter une culpabilité diffuse à l'égard des
divinités qui étaient garantes des valeurs qui avaient
fait d'Athènes une grande cité. Mais ni l'existence ni
la puissance de ce sentiment superstitieux ne peut être
évaluée.

Plus généralement, le procès de Socrate en 399

apparaît dans ce contexte comme un véritable règle-
ment de comptes d'Athènes avec elle-même : jusqu'à
quel point était-il possible d'aller dans la critique par
la raison des valeurs héritées et de ceux qui étaient les
garants de ces valeurs ?

E. La mort de Socrate, geste fondateur de la philosophie

À la suite de cette longue enquête sur le procès de
Socrate, s'impose une constatation. Ce procès reste
irréductiblement un événement contingent, dont Platon tira une signification qui résonne encore pour
nous. Il nous faut donc reconnaître cette contingence,
qui empêche de tirer des conclusions définitives sur
l'affaire, et définir l'interprétation de Platon.

1. La contingence

Les historiens de la philosophie, tout comme la plupart des historiens d'ailleurs, doivent admettre qu'un
très grand nombre d'éléments contingents resteront
pour toujours opaques à l'analyse de cette affaire.
Socrate est reconnu coupable au terme d'un procès
public, et non en conclusion d'une démonstration
menée dans le cadre d'un traité de géométrie ou de
philosophie.

Au cours d'un procès, il faut appliquer un certain
nombre de règles pour parvenir au résultat escompté.
La procédure impose donc un cadre rigide au message qu'on veut transmettre et qui peut présenter un
certain décalage par rapport au discours ordinaire.
Par suite, l'accusation elle-même peut être sujette à de
fortes distorsions, car elle doit être mise en rapport
avec une loi écrite, qui, dans le cas présent, n'est pas
connue. Dans un système judiciaire, les précédents
jouent un rôle considérable, même si l'on ne peut véritablement parler de jurisprudence à propos du système judiciaire athénien. Voilà pourquoi le procès de
Socrate ne peut être dissocié de celui de Diagoras et
même de celui d'Anaxagore si on le croit réel.

Enfin, un procès est un événement qui se déroule au cours d'une seule journée devant un nombre important d'individus échappant à toute analyse, même s'ils présentent un certain nombre de caractéristiques biologiques, sociales, économiques et politiques. Les quelque cinq cents juges qui décident du sort de Socrate sont plutôt vieux, en mauvais état physique, pauvres et d'obédience démocratique. Or, seule une faible majorité estime que Socrate est coupable. Et tout compte fait, Socrate est lui aussi un individu ; il reste pour nous une énigme, puisque l'idée que nous pouvons nous en faire, étant donné qu'il n'a rien écrit, repose sur quelques témoignages d'Aristophane, de Platon, de Xénophon et de certains socratiques, témoignages qui sont loin d'être concordants. Or, ces témoignages quelquefois discordants font apparaître l'image d'un personnage d'exception « inclassable ».

De plus, les accusations portées contre Alcibiade, associées à la défaite encore récente et à la guerre civile qui s'ensuivit, devaient hanter la mémoire des juges, tourmentés peut-être aussi par une crainte superstitieuse. En d'autres termes, Socrate n'est pas un professeur que des autorités jugeraient, mais un citoyen qui ne peut s'empêcher d'avoir un rôle dans une cité qui avait connu une guerre de près de trente ans, qui se solda par une défaite sanglante et humiliante et qui se termina par une guerre civile atroce. Dans ce procès, il faut faire une place au « bruit et à la fureur ».

Face à la contingence qui entoure l'événement que cherche à décrire Platon, l'interprète doit avouer son incapacité à présenter autre chose que des hypothèses, qui soient les mieux fondées, et rappeler que, en dernier ressort, seul le sens que Platon accorde à cet événement explique qu'il a été retenu comme « mémorable ».

2. Le sens qu'accorde Platon à la mort de Socrate

Devant tant d'incertitude, une chose pourtant reste certaine. Platon fait remonter à un oracle rendu par Apollon les calomnies et les accusations portées contre Socrate : « Vous connaissiez sûrement Chéréphon, je suppose. Ce fut pour moi un ami d'enfance et pour vous un ami du peuple ; aussi dut-il, il n'y a pas si longtemps, partir en exil et en revint-il avec vous. Vous savez bien aussi quelle sorte d'individu était Chéréphon, quelle impétuosité il mettait dans tout ce qu'il entreprenait. En particulier, un jour qu'il s'était rendu à Delphes, il osa consulter l'oracle pour lui demander — et, n'allez pas, je le répète, m'interrompre par vos cris, citoyens — si en fait il pouvait exister quelqu'un de plus savant que moi. Or la Pythie répondit qu'il n'y avait personne de plus savant. » (*Apologie* 20e-21a). Aucune date ne peut être assignée à cet événement auquel il n'est fait allusion dans aucun autre dialogue de Platon. Mais l'enquête sur le sens de cette réponse suscite à l'égard de Socrate, qui la mène en utilisant l'*elenchos* — méthode réfutative qui lui propre —, l'agressivité des hommes politiques (21b-e), des poètes (21e-22c) et des « gens de métier » (22c-e) qui éprouvent de la honte lorsque, en public, ils apparaissent dépourvus du savoir auquel ils prétendent. L'apparition d'imitateurs accroît encore l'agressivité contre Socrate (23c-e) qui comprend qu'Apollon lui a confié une tâche (23a-c). Et ce sont les calomnies suscitées par cette agressivité qui mènent à la plainte déposée par Mélétos (23e-24b).

En évoquant la réponse de l'oracle, Platon poursuit deux objectifs : il efface les liens de filiation entre la pratique que revendique Socrate et des pratiques antérieures, et, surtout, il veut justifier cette pratique aux yeux des Athéniens tout en donnant un supplément de légitimité à ceux qui s'y livrent[1].

La réponse de l'oracle comme origine absolue

L'image d'un Socrate sur lequel ne se serait exercée aucune influence de la part de ses prédécesseurs aussi bien sur le plan du contenu que sur celui de la méthode paraît tout simplement impensable.

---

1. Tout ce paragraphe s'inspire de l'article de L.-A. Dorion, « La subversion de l'*elenchos* dans l'*Apologie de Socrate* », *Revue philosophique de Louvain* 88, 1990, p. 334-335.

Au début de l'*Apologie* (19c-d), Socrate prétend n'être pas un expert dans les domaines évoqués par Aristophane dans les *Nuées*. Et pourtant, comment Chéréphon aurait-il pu être amené à poser sa question à l'oracle de Delphes, si Socrate n'avait pas eu alors une intense activité d'ordre intellectuel ? En outre, dans le passage du *Phédon* (96a-99d) où il parle de lui, Socrate nous brosse en quelque sorte son autobiographie intellectuelle. Il en ressort que Socrate a toujours eu une curiosité intellectuelle insatiable et qu'il n'a pas hésité pour la satisfaire, en ce qui concerne les choses de la nature notamment, à s'informer sur les doctrines en vogue, en particulier celles d'Anaxagore ; d'ailleurs, à leur façon, les *Nuées* d'Aristophane (évoquées en *Apologie* 19c-d) témoignent que c'était bien le cas en 424. Que Socrate ait dépensé beaucoup d'énergie dans ce genre d'étude, qu'il l'ait abandonné après les déceptions qu'il évoque, c'est une autre affaire. L'essentiel se situe dans la démarche, et cette démarche est celle d'un individu qui s'inscrit dans le courant intellectuel de son époque.

Sur le plan de la méthode, il en va de même. E. de Strycker et T.G. West [1] ont observé que la réponse de l'oracle était présentée comme le point de départ de l'activité réfutative (l'*elenchos*) de Socrate dans l'*Apologie* (21b-c). Mais ni l'un ni l'autre ne se demandent comment la pratique réfutative de Socrate est venue au jour spontanément, sans s'inspirer d'aucune pratique antérieure. On ne peut manquer de s'interroger sur ce fait troublant. Et, pour ce faire, il convient de définir d'abord le sens du terme *élegkhos*.

Dans son *Dictionnaire étymologique de la langue grecque* [2], P. Chantraine note l'évolution du sens

---

1. E. de Strycker, « The Oracle given to Chaerephon about Socrates (Plato, *Apology* 20e-21a) », in *Kephalaion. Studies in Greek Philosophy and its Continuation offered to Professor C.J. De Vogel*, ed. by J. Mansfeld and L.M. de Rijk, Assen, Van Gorcum, 1975, p. 39-49 ; T.G. West, *Plato's* Apology of Socrates, Ithaca [NY], Cornell University Press, 1979, p. 107.

2. Pierre Chantraine, *Dictionnaire étymologique de la langue grecque*, 2 tomes, Paris, Klincksieck, 1968-1980.

d'*élegkhos* qui, dans le vocabulaire homérique, signifie
« honte » et, dans le grec ionien-attique, « réfutation ».
Dans un article très bien documenté, J.H. Lesher[1] a
décrit comment la signification d'*élegkhos* a pu passer
de la honte à la réfutation. Enfin, L.A. Dorion[2] a
élargi le cadre de cet article en étendant la recherche à
tout le secteur juridique et en appliquant les résultats
auxquels il était parvenu à l'*Apologie* de Platon.

Les premières occurrences d'*élegkhos* se rencontrent
chez Homère. Le contexte général où apparaissent ce
terme et ceux qui lui sont associés est celui d'un
combat militaire[3] ou celui d'une compétition spor-
tive[4], où l'individu qui subit l'échec encourt inévi-
tablement la honte. Le conflit joue donc le rôle de
« révélateur » de la valeur d'un homme. Chez Pindare,
s'amorce la mutation qui affecte le sens du terme et de
ceux de sa famille ; mais dans le seul passage où l'on
trouve le substantif *élegkhos*, Pindare conserve le sens
homérique de « honte » et d'« opprobre ». De même,
chez les grands auteurs tragiques du ve siècle, Eschyle,
Sophocle et Euripide, l'*élegkhos* teste, éprouve et,

---

1. J.H. Lesher, « Parmenides' critique of thinking. The *poluderis
elenchos* of fragment 7 », *Oxford Studies in Ancient Philosophy*, 1984,
p. 1-30.
2. L.-A Dorion, dans l'Introduction encore inédite de sa thèse
dont la partie centrale vient d'être publiée sous le titre : *Les* Réfutations sophistiques *d'Aristote* : Introduction, traduction et commentaire, Paris, Vrin, 1995.
3. C'est en ces termes, par exemple, qu'Ulysse confie à Dio-
mède sa crainte d'encourir la honte si jamais lui et les siens étaient
vaincus par Hector : « Fils de Tydée, que nous arrive-t-il, que nous
oubliions notre valeur ardente ? Allons ! doux ami, viens ici, mets-toi
près de moi. Cruelle honte (*élegkhos*), si nos nefs allaient devenir la
proie d'Hector au casque étincelant. » (*Iliade* XI, v. 313-315, trad.
Mazon).
4. Peu avant la course de chars qui a lieu dans le cadre des jeux
funéraires organisés pour Patrocle, Nestor prodigue à son fils Anti-
loque les conseils suivants : « Que le cheval de gauche, lui, frôle la
borne de façon que le moyeu de la roue façonnée semble en effleu-
rer la surface. Mais évite bien de toucher la pierre, si tu ne veux et
blesser tes chevaux et fracasser ton char, ce qui serait toute joie
pour les autres, tout opprobre (*elegkheiē*) pour toi. » (*Iliade* XXIII,
v. 341-343, trad. Mazon).

par le fait même, révèle la véritable nature d'un homme.

Étant donné la nature même d'un procès, on ne doit pas être étonné de retrouver un sens similaire chez les orateurs du Vᵉ et du IVᵉ siècle : Lysias, Isée, Andocide, Isocrate, Démosthène et Isocrate. Le fait que l'accusé et l'accusateur ne sont pas représentés par un avocat ou par un autre professionnel de la justice accentue la dimension personnelle du conflit. L'accusé doit assumer seul sa défense. L'accusateur s'efforce d'établir (*elégkhein*) que l'acte délictueux est bien imputable à la personne accusée. Et c'est parce qu'un acte criminel ne peut être dissocié de l'agent que l'on tente de remonter jusqu'à l'individu responsable. Pour éviter d'être convaincu (*elegkhómenos*) d'un crime, l'accusé doit s'efforcer de rompre le lien présumé entre ce crime et lui, en apportant la preuve qu'il n'est pas l'agent responsable du délit qu'on lui impute. Dans ce contexte juridique, réfuter, c'est confondre.

Contrairement à bien des idées reçues[1], ce ne sont pas les sophistes non plus qui ont donné à l'*elenchos* son sens de « réfutation »; ce sens, on le retrouve chez Platon qui dans l'*Apologie* considère la réponse de l'oracle comme l'origine absolue de la pratique réfutative de Socrate. Dans l'*Apologie*, et notamment à la fin de l'interrogatoire auquel il soumet Mélétos (27a), Socrate définit l'*elenchos* comme le fait de se contredire soi-même (*tà henantía légein autòs heautôi*). Or, l'examen pratiqué par Socrate et la définition qu'il en propose correspondent point pour point à la définition de la dialectique réfutative que l'Étranger d'Élée donne dans le *Sophiste* : « Ils posent, à leur homme, des questions auxquelles, croyant répondre quelque chose de valable, il ne répond cependant rien qui vaille; puis, vérifiant aisément la vanité d'opinions aussi errantes, ils les rassemblent dans leur critique, les confrontent les unes avec les autres et, par cette

---

1 Que j'ai moi-même malheureusement contribué à répandre.

confrontation, les démontrent en même temps sur les
mêmes objets, aux mêmes points de vue, sous les
mêmes rapports mutuellement contradictoires[1]. »
Mais pour réfuter, il ne suffit pas de dire le contraire,
il faut contraindre l'interlocuteur à admettre une proposition contredisant une proposition initiale[2]. Voilà
précisément ce que fait Socrate, lorsqu'il interroge
Mélétos. Comme il situe la date dramatique du
Sophiste au ve siècle, Platon admet implicitement que
cette méthode était pratiquée bien avant cette date,
par Socrate et surtout par d'autres « penseurs » qui
étaient ses contemporains ou ses aînés. Qui plus est, il
est difficile de croire que la pratique de la dialectique
réfutative ou de l'*elenchos* dialectique ne s'inspire pas
de l'*elenchos* juridique qui lui était très antérieure. Mais
en rattachant, dans l'*Apologie*, l'*elenchos* à l'*erôtêsis*,
Platon arrive à masquer la filiation entre l'usage de
l'*elenchos* dans les tribunaux et la pratique dialectique.
On trouve donc bien dans l'*Apologie* une nouvelle
conception de l'*elenchos*, un *elenchos* qui est vraiment
une réfutation, qui suppose un échange de questions
et de réponses entre des interlocuteurs; et, cette nou-
veauté, Platon la présente comme absolue, en lui
déniant toute autre origine que la réponse de l'oracle.

Cela dit, si on restitue l'emploi d'*élegkhos* dans un
contexte historique plus global et qu'on le considère
dans la lente évolution où il s'inscrit, on s'aperçoit que
subsistent chez Platon les traces d'un usage qui fait la
synthèse entre réfuter et confondre. L'activité de
Socrate renvoie donc, dans l'*Apologie* même, à un sens
d'*elenchos* plus ancien encore que celui de « réfutation », celui de « preuve » qui révèle la valeur d'un
homme. La principale raison, qui explique que cette
dimension éthique a souvent été négligée, réside dans
le fait qu'on s'intéresse à peu près exclusivement aux
questions logiques et épistémologiques soulevées par

---

1. *Sophiste* 230b. Cette caractérisation de la réfutation a été
reprise par Aristote dans les *Réfutations sophistiques* 5, 167a27.
2 Cf. *Alcibiade* 114d-115a.

l'*elenchos*. Plusieurs raisons pourtant peuvent être avancées pour souligner l'importance de l'aspect moral de l'*elenchos*.

L'*elenchos* socratique s'exerce toujours sur des notions, des concepts et des valeurs qui ressortissent au domaine de la morale. En faisant de l'éthique son domaine d'application, Platon se borne à recueillir l'héritage d'une longue tradition. Par ailleurs, la règle de l'*elenchos* dialectique « réponds ce que tu crois » a pour but de maintenir et d'assurer le lien d'identité entre l'individu et ses paroles. En ce sens, l'enquête menée par Socrate ne porte pas tant sur des propositions que sur des convictions intérieures, comme on peut le constater en relisant *Lachès* 187e-188b. Bref l'*elenchos* socratique s'adresse en fait à la vie d'un individu par le biais d'un examen de son discours. La preuve du caractère personnel de l'*elenchos* est donnée par le sentiment de honte que provoque Socrate chez ceux qu'il soumet à réfutation[1]. Et ce sentiment de honte explique, selon Platon, l'agressivité qui s'accumula contre Socrate et qui provoqua son accusation et sa condamnation à mort[2]. Dans l'*Apologie*, Socrate souligne à plusieurs reprises (21c-d, 22e, 22e-23a) que sa recherche pour trouver quelqu'un de plus savant que lui lui avait attiré bien des inimitiés. Et il fait remarquer que la situation s'est même aggravée lorsque des jeunes voulurent l'imiter : « Qui plus est, c'est spontanément que s'attachent à moi les jeunes gens qui ont le plus de loisirs et qui appartiennent aux familles les plus riches, pour le plaisir d'entendre les gens que je suis en train de réfuter, et c'est de leur propre chef que souvent ils se prennent à m'imiter et que, à leur tour, ils s'essayent à éprouver d'autres personnes. Inutile d'ajouter, j'imagine, qu'ils trouvent à foison des gens qui s'imaginent savoir quelque chose, mais qui ne savent que très peu de choses ou même rien. Il s'ensuit que c'est contre moi et non contre eux

---

1. *Gorgias* 522d, *Euthydème* 303d, *Sophiste* 230c-d.
2 *Gorgias* 506b-c, *Théétète* 161c-d.

que se mettent en colère ceux que ces jeunes gens soumettent à réfutation, et qu'ils répandent la rumeur qu'il y a un certain Socrate, un sale type, qui corrompt les jeunes gens. » (*Apologie* 23c-d). Poursuivant, Socrate rapporte à la pratique de l'*elenchos* toutes les calomnies (22e-23a) qui sont les fondements des accusations (23e-24b) lancées contre lui.

L'*elenchos* tel qu'il est pratiqué par Socrate présente donc en dernière analyse une face positive indissociable de sa face négative. Tançant les Athéniens qui viennent de le condamner pour se débarrasser de lui, Socrate, qui se présente comme un cadeau fait par les dieux à ses concitoyens, déclare : « En me condamnant, vous avez cru vous délivrer de l'obligation de rendre compte (*didónai élegkhon*) de votre vie. » (*Apologie* 39c). Et il les prévient : c'est à tort que les Athéniens croient s'affranchir de la nécessité de donner une justification de leur existence (23c-e), car de plus jeunes prendront la relève. Dans l'expression *didónai élegkhon*, *élegkhos* conserve son sens ancien de « preuve », laquelle révèle la véritable valeur d'un homme, qui réside dans son âme plutôt que dans son corps. Par cette déclaration « prémonitoire », Socrate semble faire allusion au jeune Platon qui prendra la relève de son maître.

En donnant pour origine à la pratique philosophique Apollon le dieu de Delphes, Platon fait d'une pierre deux coups : il montre que celui que les Athéniens ont condamné à mort pour impiété n'était que le serviteur d'un dieu connu de tous et donc que cette condamnation était injuste ; et, surtout, il enracine la pratique philosophique dont il est lui-même un représentant dans la tradition religieuse.

La mort de Socrate comme témoignage

Pourtant, Platon ne présentera jamais la philosophie comme une vérité révélée, ce que fera Jamblique sept siècles plus tard[1]. Seul le dieu est « savant », et tout ce

---

1. Jamblique, *Vie de Pythagore*, § 1-2.

que l'homme peut faire c'est d'aspirer à ce savoir comme « philosophe ». Mais cette tâche doit être mise au-dessus de toute autre, car elle intéresse ce qui en l'homme a le plus de valeur, à savoir son âme. Dans la mesure où il était censé admettre ce principe, Socrate ne pouvait ni accepter de proposer une peine qui sanctionne sa conduite ni partir en exil avant ou après son procès. Proposer une peine eût été reconnaître que son action était injuste ; or, comment peut-on agir injustement quand on obéit à la divinité ? De plus, partir en exil eût été reconnaître que tout ce qu'il avait dit sur le soin qu'il faut apporter à l'âme de préférence au corps n'était que vaines paroles en lesquelles il ne croyait pas.

En mourant, Socrate, tel que le comprenait Platon, témoignait de ces convictions : l'âme, quel que soit le sens alors donné à ce terme, présente plus de valeur que le corps et, par suite, cette vie ne vaut plus d'être vécue si la pratique de la philosophie, comprise comme réfutation révélant la valeur d'un être humain, devient impossible. Si l'on en croit Platon[1], il fallait que Socrate meure pour que vive la philosophie.

Luc Brisson.

---

1. C'est le message qu'a retenu la tradition dans sa très grande majorité, cf. P. Hadot, « La figure de Socrate [1974] », dans *Exercices spirituels et Philosophie antique* [1981], Paris, Études augustiniennes, 1987.

2. Considérations tirées de l'«avantageux» (*to óphelon*)

    a. Les accusateurs ne peuvent causer aucun tort à Socrate (30c-d)

    b. La tâche dévolue à Socrate apporte un avantage à Athènes (30d-31c)

B. SECONDE OBJECTION : Socrate aurait dû prendre une part active à la vie politique. Sa réponse montre que son influence sur les jeunes fut salutaire (31c-34b)

1. Socrate en a été dissuadé par son signe divin (31c-d)

2. Il est impossible de rester honnête si l'on se mêle de politique à Athènes (31d-32e)

3. Voilà pourquoi Socrate s'en tient aux discussions privées, dont il n'exclut personne (32e-33b)

4. Son influence sur les jeunes fut salutaire (33b-34b)

V. PÉRORAISON : SOCRATE NE VA PAS SUPPLIER LES JUGES

1. Ce ne serait convenable ni pour lui ni pour Athènes (34b-35b)

2. Ce ne serait pas conforme à la justice (35b-c)

3. Ce ne serait pas conforme à la piété (35c-d)

SECOND DISCOURS : SUR L'ÉTABLISSEMENT D'UNE PEINE

A. INTRODUCTION : SOCRATE A ÉTÉ RECONNU COUPABLE PAR UNE COURTE MAJORITÉ (35e-36b)

B. PROPOSITIONS DE PEINE

1. En fonction de ce qu'il mérite

a. C'est un bienfaiteur de la cité, et il est pauvre (36b-d)
b. Par suite, il mérite d'être nourri aux frais de la cité (36d-37a)
2. En fonction des règles judiciaires
a. Socrate ne mérite pas de peine : l'exil dans son cas ne servirait à rien (37a-38b)
b. Si les juges insistent pour que Socrate propose une peine, Socrate propose une amende d'1 mine, proposition qui est portée à 30 mines (38b)

TROISIÈME DISCOURS (OU PLUTÔT CONVERSATION INFORMELLE)

A. AUX JUGES QUI ONT VOTÉ POUR UNE CONDAMNATION À MORT (38c-39d)

1. Introduction : leur responsabilité (38c-d)
2. Comparaison entre Socrate et ses accusateurs (38d-39b)
3. Socrate aura une relève (39c-d)

B. AUX JUGES QUI ONT VOTÉ POUR SON ACQUITTEMENT (39e-42a)

1. Le signe divin ne l'a averti d'aucun danger (39e-40c)
2. Deux représentations populaires de la mort (40c-41c)
3. Socrate a confiance en la Providence : il prie les juges de s'occuper de ses fils (41c-42a)

REMARQUES PRÉLIMINAIRES

1. *Le texte*

Le texte traduit est celui nouvellement établi par
E.A. Duke, W.F. Hicken, W.S.M. Nicoll, D.B.
Robinson et J.C.G. Strachan pour les *Platonis Opera*,
tomus I, Oxford Classical Texts, 1995. Voici une liste
des points sur lesquels je ne suis pas cette édition.

	OCT	Leçon traduite
23d4	*agnooûsin*	*aporoûsin*
23e6	*tôn dēmiourgôn kaì tôn politikôn*	*tôn demiourgôn*
24a1	*tôn rhētórōn*	*tôn rhētórōn*
		kaì tôn politikôn
31d7	*pálai*	je ne traduis pas
40a4	*mantikḕ*	*mantikḕ phōnḗ*

Je n'ai pas tenu compte des alternatives systéma-
tiques : *ándres* au lieu de *ô ándres Athēnaîoi* ou *ápantes*
au lieu de *pantés*.

Je ne me suis considéré comme tenu par aucune
ponctuation.

Par ailleurs, je tiens à signaler que, pour la division
en pages et en paragraphes, je me suis directement
référé à l'édition standard réalisée par Henri Estienne
à Genève en 1578. Le lignes sont celles de l'édition de
l'OCT.

2. *La traduction*

Cette traduction se veut claire, précise et simple.
J'ai cherché à respecter, dans la mesure du possible,
l'ordre des mots en grec; l'élégance y perd, mais
l'importance relative de tel ou tel membre de phrase
dans l'original est mieux mise en évidence. Enfin, j'ai
tenu le plus grand compte des particules, que j'ai
voulu traduire dans la plupart des cas; ainsi se trouve
préservée au mieux l'articulation du récit et de l'argumentation.

3. *Les notes*

Les notes répondent à quatre objectifs. 1. Donner
au lecteur les moyens de situer les moments de l'argument, qui ne sont pas toujours évoqués dans l'ordre,
ordre qu'on reconstituera à partir de l'Introduction, à
laquelle renvoient constamment les notes. 2. Établir le
réseau le plus serré possible de renvois aux œuvres
authentiques de Platon, et à celles d'Aristote qui
peuvent faire référence à l'*Apologie*. 3. Apporter des
précisions qui permettront de comprendre un vocabulaire philosophique, politique, social, technique et
économique spécifique à la Grèce ancienne. Et
4. enfin, indiquer les principales difficultés textuelles.

Les références spécifiques à la littérature
secondaire, dont on trouvera cependant trace dans les
diverses bibliographies, ont été réduites au strict minimum.

4. *L'Introduction*

En France, les dialogues de Platon ont été traditionnellement répartis en deux groupes : les dialogues
de jeunesse ressortissaient aux études classiques, et les
autres à la philosophie. Or, au cours de ces dernières
décennies, un courant s'est affirmé et amplifié qui
considérait que les dialogues de jeunesse pouvaient
intéresser la philosophie, et tout particulièrement
l'éthique. Le travail réalisé par Gregory Vlastos en ce
domaine, qui est maintenant disponible dans une
excellente traduction française par Catherine Dalimier, *Socrate. Ironie et philosophie morale*, Paris,

Aubier, 1994, reste emblématique et fondateur, puisqu'il a été à l'origine de tout un courant d'interprétation. C'est l'importance de l'*Apologie* pour l'éthique que, dans l'Introduction, j'ai voulu mettre en évidence.

APOLOGIE DE SOCRATE

genre éthique[1]

[17a] [2] Quel effet, Athéniens [3], ont produit sur vous mes accusateurs, je l'ignore. Toujours est-il que, moi personnellement, ils m'ont fait, ou peu s'en faut, oublier qui je suis [4], tant étaient persuasifs les propos qu'ils tenaient. Et pourtant, à bien parler, ils n'ont pratiquement rien dit de vrai [5]. Mais, dans la multitude de faussetés qu'ils ont proférées, il en est une qui m'a étonné au plus haut point, c'est la recommandation qu'ils vous faisaient de bien prendre garde de ne pas vous laisser abuser par moi, en me présentant comme un redoutable discoureur. Car, pour ne pas avoir à rougir de se voir sur l'heure réfutés **[17b]** par moi dans les faits, étant donné que je ne vais en aucune manière apparaître comme un redoutable discoureur, il faut, me semble-il, que ces gens soient vraiment incapables de rougir de rien, à moins qu'ils ne qualifient de redoutable discoureur celui qui dit la vérité. En effet, si c'est ce qu'ils veulent dire par là, sans doute leur accorderais-je pour ma part que je suis un orateur, mais pas à leur manière

Ces gens-là n'ont donc, je le répète, rien dit de vrai ou presque, tandis que, de ma bouche, c'est la vérité, toute la vérité [6], que vous entendrez sortir. Non bien sûr, Athéniens, ce ne sont pas, par Zeus, des discours élégamment tournés, comme les leurs, ni même des discours qu'embellissent des expressions et des termes choisis [7] que vous allez entendre, **[17c]** mais des

choses dites à l'improviste dans les termes qui me
viendront à l'esprit[8]. En effet, tout ce que j'ai à dire
est conforme à la justice, j'en suis sûr. Que nul d'entre
vous ne s'attende à ce que je parle autrement. Il serait
par trop malséant, Athéniens, qu'un homme de mon
âge montât à la tribune pour vous adresser des propos
qu'il aurait modelés comme l'aurait fait un jeune
homme[9].

Voici en vérité ce qu'en outre, Athéniens, je vous
demande et ce que je vous prie de ne pas faire. Si vous
m'entendez plaider ma cause en utilisant exactement
le même type d'arguments que ceux auxquels j'ai
habituellement recours sur la place publique, que ce
soit auprès des comptoirs des changeurs[10], où nombre
d'entre vous m'ont prêté l'oreille, ou ailleurs, ne soyez
pas étonnés [17d] et ne m'interrompez pas pour cela
en faisant du tapage[11]. Oui, c'est un fait; aujourd'hui
je comparais pour la première fois devant un tribunal,
à l'âge de soixante-dix ans[12]. Je suis donc tout bonnement étranger à la façon de s'exprimer en cet endroit.
Si j'étais réellement un étranger, vous me pardonne-
riez assurément de parler dans le dialecte et avec les
tournures [18a] qui m'auraient été inculqués; aussi
est-il tout à fait naturel que je vous demande
aujourd'hui la permission – et cela me paraît, à moi en
tout cas, une requête conforme à la justice – de me
laisser m'exprimer à ma manière; cette façon de
s'exprimer sera ce qu'elle sera, plus ou moins bonne.
La seule chose qu'il vous faut considérer et à laquelle
vous devez prêter votre attention, c'est de déterminer
si mes allégations sont justes ou non. Telle est en effet
la vertu du juge[13], tandis que celle de l'orateur est de
dire la vérité[14].

Cela étant[15], Athéniens, il est juste[16] que je me
défende, d'abord contre les premières accusations
mensongères qui ont été portées contre moi et contre
mes premiers accusateurs et, ensuite, contre les
accusations qui ont été récemment portées contre moi
et contre mes accusateurs récents[17].

[18b] C'est un fait que nombreux sont ceux qui

ont, il y a bien des années déjà, lancé contre moi auprès de vous des accusations qui ne présentaient rien de vrai; ces accusateurs-là, je les crains plus encore qu'Anytos et ses comparses[18], même si ces derniers sont redoutables eux aussi. Il n'en reste pas moins que mes premiers accusateurs sont encore plus redoutables, Athéniens, car, par l'influence qu'ils ont exercée sur plusieurs d'entre vous depuis que vous êtes enfants[19], ils vous ont convaincus en lançant contre moi l'accusation suivante, qui ne présente pas un soupçon de vérité : il existe un certain Socrate, un savant, un « penseur » qui s'intéresse aux choses qui se trouvent en l'air[20], qui mène des recherches sur tout ce qui se trouve sous la terre[21] et qui de l'argument le plus faible fait l'argument le plus fort[22]. C'est là, Athéniens, **[18c]** la rumeur qu'ils ont accréditée, et voilà des accusateurs que j'ai à craindre. En effet, ceux qui leur prêtent l'oreille estiment que les gens qui s'adonnent aux recherches qui viennent de déposer d'être mentionnées ne reconnaissent pas les dieux[23]; il faut ajouter que ces accusateurs sont nombreux, qu'ils m'accusent depuis longtemps déjà, et que, de plus, ils s'adressaient à vous à cet âge où vous étiez les plus crédules – certains d'entre vous étaient des enfants ou des adolescents –, et que tout simplement ils accusaient un absent[24] que personne ne défendait. Mais, le plus déconcertant de tout, c'est qu'on ne peut même pas connaître les noms de ces accusateurs ou les citer, **[18d]** à l'exception d'un seul, qui se trouve être un faiseur de comédies[25]. Mais tous ceux qui, poussés par la jalousie, ont eu recours à la calomnie[26] pour vous convaincre, et tous ceux qui, une fois convaincus, en ont convaincu d'autres, ce sont tous ces gens-là qui m'embarrassent le plus. Impossible, en effet, de faire monter à cette tribune aucun d'entre eux ni de le réfuter. Mais, pour me défendre, je me trouve tout bonnement contraint de me battre contre des ombres[27] et de me lancer dans une réfutation sans personne pour me répondre[28]. Il vous faut donc admettre, vous aussi, que, comme je viens de le dire, mes accusateurs se répartissent en deux groupes : les uns qui ont récemment déposé plainte et les autres que je viens d'évoquer et dont les accusations sont anciennes; et comprenez qu'il me faut **[18e]** d'abord répondre à ces derniers. Car ce sont eux que vous avez entendus en premier et sur une période de temps beaucoup plus longue que ceux qui les ont suivis.

Eh bien, il faut bien, Athéniens, que je me défende[29] et que je tente **[19a]** de détruire en vous la calomnie qui y est enracinée depuis longtemps; et je n'ai pour ce faire que si peu de temps[30]! Sans doute, préférerais-je y parvenir, à condition que cela valût mieux pour vous comme pour moi, et me défendre avec succès[31]. Mais j'estime que c'est une entreprise difficile, et je ne me dissimule absolument pas l'importance de la difficulté. N'importe, qu'il en aille comme cela plaira à la divinité[32], mon devoir est d'obéir à la loi et de présenter ma défense.

Remontons au point de départ[33], et examinons de quelle accusation est issue la calomnie[34] dont j'ai été l'objet et dont Mélétos s'est précisément **[19b]** auto-risé pour m'intenter la présente action judiciaire. Eh bien, en quoi exactement consistaient les calomnies que répandaient mes calomniateurs? Il faut donc faire comme si une accusation était effectivement déposée et lire le texte de l'accusation qu'ils porteraient sur la foi d'un serment : « Socrate est coupable de mener des recherches inconvenantes[35] sur ce qui se passe sous la terre et dans le ciel, de faire de l'argument le plus faible l'argument le plus fort et d'enseigner à d'autres à en faire autant. » **[19c]** Tel est à peu près l'acte d'accusation.

Dans la comédie d'Aristophane[36], vous avez vu de vos yeux vu la scène suivante : un Socrate qui se balançait[37], en prétendant qu'il se déplaçait dans les airs[38] et en débitant plein d'autres bêtises concernant des sujets sur lesquels je ne suis un expert[39] ni peu ni prou. En disant cela, je n'ai pas l'intention de dénigrer ce genre de savoir[40], à supposer que l'on trouve quelqu'un de savant en de telles matières[41]; puissé-je

n'avoir pas à me disculper en plus de plaintes en ce
sens déposées par Mététos! Mais, en vérité, Athéniens, ce sont là des sujets dont je n'ai rien à faire, et
c'est au témoignage personnel **[19d]** de la plupart
d'entre vous que j'en appelle. Oui, je vous demande
de tirer entre vous cette affaire au clair[42], vous tous
qui une fois ou l'autre m'avez entendu discourir; et
parmi vous ils sont nombreux ceux-là. Demandez-
vous les uns aux autres si jamais peu ou prou l'un
d'entre vous m'a entendu discourir sur de tels
sujets[43]; cela vous permettra de vous rendre compte
que tout ce que peuvent raconter la plupart des gens
sur moi est du même acabit.

Non, évidemment, aucun de ces griefs ne tient, et si
quelqu'un vous dit que je fais profession de transmettre aux gens un enseignement en exigeant de
l'argent **[19e]**, cela non plus n'est pas vrai. J'admets
pourtant que c'est une belle chose que d'être en
mesure de transmettre aux gens un enseignement,
comme le font Gorgias de Léontinoi[44], Prodicos de
Céos[45] et Hippias d'Élis[46]. Oui, citoyens, chacun de
ces personnages est capable, en se rendant dans chacune de vos cités[47], de persuader les jeunes gens, qui,
sans rien payer, peuvent fréquenter celui de leurs
concitoyens qu'ils désirent, de délaisser ces fréquenta-
tions **[20a]** pour les fréquenter, eux, en leur donnant
de l'argent et en leur témoignant en plus de la
reconnaissance[48]. À ce propos, il en est un autre
encore, un citoyen de Paros[49], un savant dont j'ai
appris qu'il était ici en visite[50]. En effet, un jour que je
m'étais rendu chez un homme qui à lui seul a versé
aux sophistes plus d'argent que tous les autres
ensemble, chez Callias le fils d'Hipponicos[51], je lui
posai la question suivante – il faut savoir en effet qu'il
a deux fils[52].

SOCRATE

Callias, demandai-je donc, si tes deux fils se trouvaient être deux poulains ou deux veaux, nous sau-
rions fort bien qui devrait s'en charger et qui devrait

recevoir un salaire pour en faire des êtres accomplis **[20b]** afin d'assurer l'excellence qui leur convient ; ce serait un éleveur de chevaux ou de bestiaux. Mais, puisqu'il s'agit de deux êtres humains, qui as-tu dessein de prendre pour s'en charger ? Qui possède le savoir permettant d'atteindre à l'excellence qui convient à l'homme et au citoyen[53] ? Puisque tu as des fils, je suppose que tu t'es bien posé la question. Un tel homme, demandai-je, existe-t-il oui ou non ?

CALLIAS

Oui, bien sûr qu'il existe.

SOCRATE

Qui est-ce, repartis-je, d'où est-il et combien prend-il pour enseigner ?

CALLIAS

Socrate, répondit-il, c'est Événos de Paros, et il prend 5 mines[54].

Et moi de considérer qu'Événos était vraiment un homme heureux, à supposer qu'il possédât réellement cet **[20c]** art[55] et qu'il pût l'enseigner à des conditions si mesurées. Pour ma part, en tout cas, je me glorifierais et je ferais le difficile, si je possédais un tel savoir. Mais c'est un fait, Athéniens, ce savoir je ne le possède pas.

Pourtant l'un d'entre vous pourrait me rétorquer[56] : « Mais enfin, Socrate, de quoi t'occupes-tu ? D'où viennent les calomnies dont tu es victime[57] ? Car, après tout, si tu ne faisais rien qui ne sorte de l'ordinaire, on n'aurait pas fait courir tant de bruits sur ton compte ; on n'aurait pas tant parlé de toi, si tu ne faisais rien qui soit différent de ce que font la plupart des gens[58]. Dis-nous donc ce qui en est, pour éviter que nous ne nous forgions à la légère une opinion sur ton compte. » **[20d]**
Question légitime que celle-là, j'en conviens ; aussi

vais-je tenter d'y répondre en vous faisant voir ce qui
a bien pu faire que j'ai reçu ce nom et que je suis en
butte à cette calomnie[59]. Écoutez donc. Peut-être
vais-je, il est vrai, donner à certains l'impression que je
plaisante. Il faut bien vous mettre cela dans la tête
pourtant : ce que je vais vous dire, c'est toute la
vérité[60].

En effet, Athéniens, c'est tout simplement parce
que je suis censé posséder un savoir que j'ai reçu ce
nom. De quelle sorte de savoir peut-il bien s'agir ? De
celui précisément, je suppose, qui se rapporte à l'être
humain[61]. Car, en vérité, il y a des chances que je sois
un savant en ce domaine. En revanche, il est fort possible que ceux que je viens d'évoquer[62] soient des
savants qui possèdent un savoir d'un rang plus élevé
[20e] que celui qui se rapporte à l'être humain ; autrement je ne sais que dire. Car c'est un fait que, moi, je
ne possède point ce savoir ; quiconque prétend le
contraire profère un mensonge et cherche à me
calomnier. Et n'allez pas, Athéniens, m'interrompre
par vos cris, même si je vais vous paraître tenir des
propos présomptueux, car même « s'ils ne sont pas de
moi les propos que je vais tenir[63] », ce sont les propos
de quelqu'un que vous estimez digne de foi[64] que je
vais évoquer. En effet, pour ce qui est de mon savoir –
de son existence et de sa nature –, je produirai devant
vous comme témoin le dieu de Delphes[65].

Vous connaissez sûrement Chéréphon[66], je suppose. Ce fut **[21a]** pour moi un ami d'enfance et pour
vous un ami du peuple[67] ; aussi dut-il, il n'y a pas si
longtemps[68], partir en exil et en revint-il avec vous.
Vous savez bien aussi quelle sorte d'individu était
Chéréphon, quelle impétuosité il mettait dans tout ce
qu'il entreprenait. En particulier, un jour qu'il s'était
rendu à Delphes, il osa consulter l'oracle[69] pour lui
demander – et n'allez pas, je le répète, m'interrompre
par vos cris, citoyens – si, en fait, il pouvait exister
quelqu'un de plus savant que moi. Or la Pythie répondit qu'il n'y avait personne de plus savant[70]. Et sur ce
point, c'est son frère[71] qui portera témoignage devant
vous, puisque Chéréphon est mort.

Considérez à présent pourquoi **[21b]** je vous parle
de cela. C'est que je me propose de vous apprendre
quelle est l'origine de la calomnie dont je fais l'objet.
En effet, lorsque je fus informé de cette réponse, je me
fis à moi-même cette réflexion : « Que peut bien vouloir dire la réponse du dieu, et quel en est le sens
caché[72] ? Car j'ai bien conscience, moi, de n'être
savant ni peu ni prou. Que veut donc dire le dieu,
quand il affirme que je suis le plus savant ? En tout
cas, il ne peut mentir, car cela ne lui est pas permis[73]. » Longtemps, je me demandai ce que le dieu
pouvait bien vouloir dire. Enfin, non sans avoir eu
beaucoup de peine à y parvenir, je décidai de m'en
enquérir en procédant à peu près de cette manière.

J'allai trouver un de ceux qui passent pour être des
savants[74], en pensant que là **[21c]**, plus que partout,
je pourrais réfuter la réponse oraculaire et faire savoir
ceci à l'oracle : « Cet individu-là est plus savant que
moi, alors que toi tu as déclaré que c'est moi qui
l'étais. »[75] Je procédai à un examen approfondi de
mon homme – point n'est besoin en effet de divulguer
son nom, mais qu'il suffise de dire que c'était un de
nos hommes politiques –, et de l'examen auquel je le
soumis, de la conversation que j'eus avec lui[76],
l'impression que je retirai, Athéniens, fut à peu près la
suivante. Cet homme, me sembla-t-il, passait aux
yeux de beaucoup de gens et surtout à ses propres
yeux pour quelqu'un qui savait quelque chose, mais
ce n'était pas le cas. Ce qui m'amena à tenter de lui
démontrer qu'il s'imaginait savoir quelque chose,
alors que ce n'était pas le cas. **[21d]** Et le résultat fut
que je m'attirai son inimitié et celle de plusieurs des
gens qui assistaient à la scène. En repartant, je me
disais donc en moi-même : « Je suis plus savant que
cet homme-là. En effet, il est à craindre que nous ne
sachions ni l'un ni l'autre rien qui vaille la peine[77],
mais, tandis que, lui, il s'imagine qu'il sait quelque
chose alors qu'il ne sait rien, moi qui effectivement ne
sais rien, je ne vais pas m'imaginer que je sais quelque
chose. En tout cas, j'ai l'impression d'être plus savant

que lui du moins en ceci qui représente peu de chose :
je ne m'imagine même pas savoir ce que je ne sais
pas. » Puis j'allai en trouver un autre, l'un de ceux qui
avaient la réputation d'être encore plus savants que le
précédent, et **[21e]** mon impression fut la même.
Nouvelle occasion pour m'attirer l'inimitié de cet
homme et celle de beaucoup d'autres.

Après cela, je continuai d'aller voir les hommes
politiques les uns après les autres. Même si je me ren-
dais bien compte, non sans chagrin ni crainte, que je
me faisais des ennemis[78], je me croyais malgré tout
obligé de mettre au-dessus de tout l'affaire dans
laquelle m'avait impliqué le dieu. Il me fallait donc
aller, en quête du sens de l'oracle, trouver tous ceux
qui prétendent savoir quelque chose. Et par le chien[79],
Athéniens, **[22a]** – car je dois vous dire la vérité –
mon impression, je l'avoue, fut à peu près celle-ci.
Ceux qui avaient la réputation la meilleure m'apparurent, au cours de l'enquête que je menais à l'instiga-
tion du dieu, être, à peu d'exceptions près, les plus
démunis, tandis que d'autres, qui passaient pour
valoir moins, m'apparurent être des hommes mieux
pourvus pour ce qui est du bon sens.

De toute évidence, il me faut vous décrire dans le
détail l'errance qui fut la mienne, comme si j'étais en
train de réaliser quelques travaux[80], pour me persuader que je ne pouvais réfuter la réponse de l'oracle.
Après les hommes politiques, en effet, j'allai trouver
les poètes, ceux qui composent des tragédies, des
dithyrambes, et les **[22b]** autres[81], convaincu que
cette fois j'allais me prendre moi-même en flagrant
délit d'ignorance par rapport à eux. Emportant donc
avec moi ceux de leurs poèmes qu'ils me paraissaient
avoir le plus travaillés, je ne cessais de les interroger
sur ce qu'ils voulaient dire, dans le but aussi
d'apprendre quelque chose d'eux par la même occasion. Eh bien, citoyens, j'ai honte de vous dire la
vérité ; pourtant il le faut. Il est de fait que pratiquement tous ceux qui étaient là à nous écouter, ou peu
s'en faut, auraient pu parler de ces poèmes mieux que

ceux qui les avaient composés. Cette fois encore, il ne me fallut donc pas longtemps pour faire au sujet des poètes la constatation suivante : ce n'est pas en vertu d'un savoir, **[22c]** qu'ils composent ce qu'ils composent, mais en vertu d'une disposition naturelle[82] et d'une possession divine[83] à la manière de ceux qui font des prophéties et de ceux qui rendent des oracles[84]; ces gens-là aussi en effet disent beaucoup de choses admirables, mais ils ne savent rien des choses dont ils parlent[85]. Il m'apparut que c'est dans un état analogue que se trouvaient aussi les poètes; et, par la même occasion, je me rendis compte que, même s'ils se considéraient, du fait de leur talent, pour les plus savants des hommes dans les autres domaines aussi[86], ils ne l'étaient vraiment pas. Je les quittai donc, tirant de mon expérience la même conclusion, à savoir que j'avais sur eux le même avantage que sur les hommes politiques.

À la fin donc j'allai trouver ceux qui travaillent de leurs mains. En effet, j'avais conscience de ne savoir pratiquement rien **[22d]**, mais j'étais convaincu de trouver en eux des hommes qui savaient quantité de belles choses. Sur ce point, je ne fus pas désappointé; ils savaient effectivement des choses que je ne savais pas et, sous ce rapport, ils étaient plus savants que moi[87]. Pourtant, Athéniens, ces bons artisans me parurent avoir le même défaut que les poètes : chacun, parce qu'il exerçait son art de façon admirable, s'imaginait en outre être particulièrement compétent aussi dans ce qu'il y a de plus important[88]. Et cette prétention, me sembla-t-il, occultait ce savoir qui était le leur, si bien que, poussé par l'oracle, j'en vins à me poser **[22e]** la question suivante : ne serait-il pas préférable que je sois comme je suis, n'ayant ni leur savoir ni leur ignorance, plutôt que d'être comme eux à la fois savant et ignorant? Et, à moi-même comme à l'oracle, je répondis qu'il valait mieux être comme je suis.

C'est précisément cette enquête, Athéniens, qui m'a valu des inimitiés si nombreuses **[23a]** qui présen-

taient une virulence et une gravité d'une telle importance qu'elles ont suscité maintes calomnies et m'ont
valu de me voir attribuer ce nom, celui de « savant »[89].
Chaque fois, c'est la même chose : ceux qui assistent à
la discussion s'imaginent en effet que je suis moi-
même savant dans les matières où je mets mon interlocuteur à l'épreuve[90]. Mais, citoyens, il y a bien des
chances pour que le vrai savant ce soit le dieu et que,
par cet oracle, il ait voulu dire la chose suivante : le
savoir que possède l'homme présente peu de valeur,
et peut-être même aucune[91]. Et, s'il a parlé de ce
Socrate qui est ici devant vous, c'est probablement
que, me prenant pour exemple, **[23b]** il a utilisé mon
nom, comme pour dire : « Parmi vous, humains,
celui-là est le plus savant qui, comme l'a fait Socrate, a
reconnu que réellement il ne vaut rien face au
savoir[92]. » Or, en allant de-ci de-là, je poursuis ma
recherche et, pour comprendre ce qu'a voulu dire le
dieu, je cherche à découvrir si, parmi les gens
d'Athènes et parmi les étrangers, il ne s'en trouve pas
un qui soit savant. Et, chaque fois qu'il me paraît que
ce n'est pas le cas, je prête main-forte au dieu en montrant que cet homme n'est pas savant[93]. Et l'absence
de loisir qui en résulte explique qu'il ne me reste pas
de temps pour m'occuper sérieusement[94] des affaires
de la cité et des miennes ; aussi est-ce dans une
extrême pauvreté que je vis[95], parce que je suis au service[96] du dieu.

[23c] Qui plus est, c'est spontanément que
s'attachent à moi les jeunes gens qui ont le plus de loisirs et qui appartiennent aux familles les plus riches,
pour le plaisir d'entendre les gens que je suis en train
de réfuter, et c'est de leur propre chef que souvent ils
se prennent à m'imiter et que, à leur tour, ils s'essaient
à éprouver d'autres personnes. Inutile d'ajouter, j'imagine, qu'ils trouvent à foison des gens qui s'imaginent
savoir quelque chose, mais qui ne savent que très peu
de choses ou même rien. Il s'ensuit que c'est contre
moi et non contre eux que se mettent en colère ceux
que ces jeunes gens soumettent à réfutation, et qu'ils

répandent la rumeur qu'il y a un certain Socrate, un
sale type[97], qui corrompt **[23d]** les jeunes gens. Leur
demande-t-on ce que Socrate fait et ce qu'il enseigne,
ils n'ont rien à répondre, ils sont dans l'embarras[98].
Mais, pour ne pas avoir l'air d'être dans l'embarras, ils
allèguent les griefs qu'ils ont sous la main contre tous
ceux qui pratiquent la philosophie[99] : « mener des
recherches sur ce qui se passe dans le ciel et sous la
terre », « ne pas reconnaître les dieux », « faire de
l'argument le plus faible le plus fort »[100]. La vérité –
j'imagine, en effet, qu'ils ne consentiraient pas à
l'admettre –, c'est qu'ils sont pris en flagrant délit de
faire semblant de savoir, alors qu'ils ne savent rien.
Or, comme sans aucun doute ils tiennent à leur réputation, comme ils sont agressifs et nombreux, et qu'ils
parlent de moi sur un ton véhément **[23e]** et persua-
sif, ils vous ont depuis longtemps déjà rempli les
oreilles de calomnies véhémentes. Et c'est en
s'appuyant sur ces calomnies que Mélétos de concert
avec Anytos et Lycon me sont tombés dessus, Mélétos exprimant l'hostilité des poètes, Anytos celle des
gens de métier[101], et Lycon **[24a]** celle des orateurs,
c'est-à-dire celle des dirigeants politiques. Aussi
serais-je étonné, comme je le disais en commençant[102], si je parvenais à détruire chez vous en un laps
de temps aussi court une calomnie qui a pris tant
d'ampleur. Voilà, Athéniens, toute la vérité ; et je vous
la dis sans rien cacher ni peu ni prou, sans rien dissi-
muler non plus. Pourtant, je sais assez bien que c'est
en disant la vérité que je me fais des ennemis, preuve
que j'ai raison, que là réside la calomnie dont je suis
victime et que les causes en sont celles-là. Et si vous
vous interrogez maintenant ou plus tard sur ces
causes, **[24b]** voilà ce que vous trouverez.

Eh bien, j'en ai assez dit pour me défendre auprès
de vous contre les accusations portées contre moi par
mes premiers accusateurs[103]. C'est maintenant contre
Mélétos, ce bon citoyen et ce patriote comme il se
qualifie, et contre mes récents accusateurs que je vais
tenter de me défendre. En effet il nous faut, voyez-

vous, revenir en arrière et faisant, comme si ces accusations étaient distinctes des précédentes, formuler une nouvelle fois la plainte déposée sous serment réciproque. Elle se présente à peu près ainsi : « Socrate, dit-elle, est coupable de corrompre la jeunesse et de reconnaître non pas les dieux que la cité reconnaît, mais, au lieu de ceux-là, des **[24c]** divinités nouvelles. » Ainsi se présente la plainte, et cette plainte, nous allons l'examiner à fond, point par point.

Mélétos prétend, vous le voyez bien, que je suis coupable de corrompre la jeunesse. Eh bien moi, Athéniens, je prétends que Mélétos est coupable de plaisanter avec des sujets sérieux, en intentant ainsi à des gens un procès à la légère et en faisant semblant de prendre au sérieux des affaires dont il ne s'est jamais soucié[104] et de s'en inquiéter. Qu'il en est bien ainsi, c'est ce que je vais tenter de vous faire voir[105].

Socrate

Viens ici Mélétos, et réponds-moi[106]. N'attaches-tu pas la plus grande importance **[24d]** à ce que les jeunes gens soient les meilleurs possible ?

Mélétos

Assurément.

Socrate

Allons, dis maintenant aux jeunes gens qui sont là quel est celui qui peut les rendre meilleurs. Évidemment, tu dois le savoir, puisque tu t'en soucies. Tu as, dis-tu, découvert celui qui les corrompt : c'est moi, que tu assignes devant ce tribunal et que tu accuses. Quant à celui qui les rend meilleurs, allons, dis-leur qui il est et indique-le-leur[107]. Tu vois, Mélétos, tu n'ouvres pas la bouche et tu ne sais que répondre. Tu ne te rends pas compte que cela est déshonorant et que cela suffit à prouver ce que moi je prétends, à savoir que tu n'as nul souci de la chose ? Allons, mon cher, réponds : qui rend les jeunes gens meilleurs ?

MÉLÉTOS

Les lois.

SOCRATE

Mais ce n'est pas là **[24e]** ce que je cherche à savoir, mon cher. Je demande plutôt pour commencer quel est l'homme qui connaît au mieux les lois dont tu parles ?

MÉLÉTOS

Les gens que voici, Socrate, les juges[108].

SOCRATE

Que veux-tu dire par là, Mélétos ? Les gens que voici sont capables d'instruire les jeunes et de les rendre meilleurs ?

MÉLÉTOS

Ils le sont au plus haut point.

SOCRATE

Tous sans exception ou certains d'entre eux oui, et d'autres non ?

SOCRATE

Tous[109].

SOCRATE

Voilà, par Héra[110], une bien bonne nouvelle que d'apprendre qu'il y a une telle abondance de gens qui œuvrent pour notre bien[111] ! Et alors, les gens qui nous écoutent[112] rendent-ils **[25a]** les jeunes gens meilleurs, oui ou non ?

MÉLÉTOS

Oui, eux aussi.

SOCRATE

Et qu'en est-il des membres du Conseil[113]?

MÉLÉTOS

Les membres du Conseil aussi.

SOCRATE

Mais, s'il en est bien ainsi Mélétos, faut-il craindre que ceux qui constituent l'Assemblée du peuple, les membres de l'Assemblée[114], corrompent les jeunes gens? ou bien eux aussi, dans leur ensemble, les rendent-ils meilleurs?

MÉLÉTOS

Eux aussi, ils les rendent meilleurs.

SOCRATE

Par conséquent, tous les Athéniens[115], à ce qu'il paraît, rendent les jeunes gens excellents, excepté moi, qui suis le seul à les corrompre. Est-ce bien là ce que tu veux dire?

MÉLÉTOS

C'est tout à fait ce que je veux dire.

SOCRATE

Eh bien, si je t'en crois, je me trouve dans une fort mauvaise passe[116]. Encore une question. À ton avis, en va-t-il de même en ce qui concerne les chevaux? Tout le monde serait en mesure de les rendre meilleurs, [25b] et il n'y aurait qu'un seul individu pour les rendre pires? Ou bien est-ce tout le contraire? Un seul individu[117], tout au plus quelques-uns, à savoir les éleveurs de chevaux, seraient en mesure de les rendre meilleurs, tandis que la plupart des gens, chaque fois qu'ils s'en occupent ou qu'ils les montent, les rendraient pires? N'en est-il pas ainsi, Mélétos, à la fois pour les chevaux et pour l'ensemble des autres vivants sans exception? Oui c'est bien le cas, que vous répondiez par oui ou par non, toi et Anytos. Certes, ce serait un grand bonheur pour les jeunes gens s'il était vrai qu'un seul homme les corrompt, tandis que les autres œuvrent pour leur bien. Mais il n'est pas besoin d'aller plus loin, **[25c]** Mélétos, car tu fais assez voir que jamais tu ne t'es préoccupé de la jeunesse; tu montres clairement l'insouciance qui est la tienne, ton absence totale de souci concernant les accusations qui t'amènent à me traduire devant ce tribunal.

Autre question. Au nom de Zeus[118], dis-moi, Mélétos, s'il vaut mieux vivre dans une cité de gens de bien ou dans une cité de méchantes gens? Mon bon[119], réponds-moi. Ma question n'a rien de difficile. N'est-il pas vrai que les méchantes gens font toujours du tort à ceux qui leur sont les plus proches, tandis que les gens de bien leur font du bien?

MÉLÉTOS

Hé oui, absolument.

SOCRATE

Cela dit, y a-t-il un homme qui souhaite être mal traité plutôt que bien traité par les gens avec lesquels il se trouve en relation **[25d]**? Réponds, mon cher. La loi t'enjoint, en effet, de répondre[120]. Existe-t-il quelqu'un qui souhaite être mal traité?

MÉLÉTOS

Non, bien sûr.

SOCRATE

Poursuivons. Me traduis-tu devant ce tribunal en m'accusant de corrompre les jeunes gens et de les rendre méchants à dessein, ou sans m'en rendre compte[121]?

MÉLÉTOS

C'est à dessein, j'en suis convaincu.

SOCRATE

Qu'est-ce à dire, Mélétos? À l'âge que tu as[122], ton savoir dépasse tellement mon savoir à moi, qui ai l'âge que j'ai, que, alors que toi tu es conscient du fait que les méchantes gens font toujours du tort à ceux qui leur sont les plus proches, **[25e]** et que les gens de bien leur font du bien, j'en suis arrivé, moi, à un tel degré de confusion que je ne sais ni que, si je rends méchant quelqu'un qui fait partie de mes relations, je cours le risque qu'il me fasse du tort; ni qu'un tort aussi grand c'est à dessein que je le fais, suivant ce que tu prétends toi? Non, Mélétos, de cela tu ne me convaincras pas, pas plus, j'imagine, que tu ne convaincras quelqu'un d'autre. Alors, ou bien je ne suis pas un corrupteur ou bien, si j'en suis un **[26a]**, ce n'est pas à dessein que je le suis, de sorte que, dans un cas comme dans l'autre, tu dis quelque chose de faux. Si ce n'est pas à dessein que je suis un corrupteur, la faute en question ressortit à ce genre de fautes qui, d'après la loi, impliquent non pas qu'on traduise le coupable devant un tribunal, mais qu'on le prenne en privé pour l'avertir et le réprimander[123]. Il va de soi, en effet, que, si je reçois un avertissement, je cesserai de faire ce que je fais. Mais toi tu t'es bien gardé de venir me trouver pour me donner un avertissement; et comme tu n'avais pas l'intention de le faire, tu m'as traduit devant ce tribunal, auquel la loi défère ceux qui doivent recevoir une punition, non un avertissement.

En voilà assez, Athéniens, pour faire apparaître clairement que, comme je le disais à l'instant, Mélétos **[26b]** n'a jamais eu ni peu ni prou le souci de la chose. Mais, quoi qu'il en soit, explique-nous, Mélétos : comment prétends-tu que je m'y prends pour corrompre les jeunes gens? D'après le texte de l'action judiciaire, c'est clair : « en leur enseignant à reconnaître non pas les dieux que la cité reconnaît, mais, à leur place, des divinités nouvelles[124] ». C'est bien en enseignant cela que, prétends-tu, je les corromps, n'est-ce pas?

MÉLÉTOS

Oui absolument, voilà bien ce que je prétends.

SOCRATE

En ce cas, Mélétos, au nom de ces dieux mêmes
dont il est question, exprime-toi avec plus de clarté
encore pour nous éclairer moi et les gens qui sont ici.
Pour ma part, en effet, **[26c]** je ne puis débrouiller
ceci. Que prétends-tu ? Que j'enseigne à ne pas
reconnaître que certains dieux existent ? Dans ce cas,
je reconnais qu'il y a des dieux, je ne suis en aucune
façon un athée et je ne suis pas non plus coupable à
cet égard. Ou seulement que je reconnais l'existence
de dieux qui sont non pas ceux que reconnaît la cité,
mais d'autres ? Et, dans ce cas, tu portes plainte contre
moi, parce que ce ne sont pas les mêmes dieux ? Ou
bien est-ce que tu soutiens que, personnellement, je
ne reconnais absolument aucun dieu et que j'enseigne
aux autres à prendre le même parti ?

MÉLÉTOS

Oui, voilà ce que je soutiens, que tu ne reconnais
absolument aucun dieu.

SOCRATE

Qu'est-ce qui te fait dire cela, étonnant Mélétos ?
Est-ce que je ne reconnais même pas, **[26d]** comme le
font les autres gens, que le soleil et la lune sont des
dieux [125] ?

MÉLÉTOS

Par Zeus [126], juges [127], il ne les reconnaît pas pour
tels, puisqu'il dit que le soleil est une pierre et la lune
une terre.

SOCRATE

Tu t'imagines accuser Anaxagore, cher Mélétos ? Et
ce faisant tu méprises les juges, en les prenant pour
des gens si incultes [128] qu'ils ne savent pas que ce sont

les livres écrits par Anaxagore de Clazomène qui sont pleins de ce genre de théories. Et, bien entendu, ces théories, dont à l'occasion ils peuvent avoir lecture à l'orchestre [129] pour le prix d'une drachme **[26e]** tout au plus, c'est moi qui les mettrais dans la tête de jeunes gens qui ne manqueraient certainement pas de se moquer d'un Socrate qui prétendrait qu'elles sont de lui ces théories qui, par-dessus le marché, sont si étranges ? Mais, par Zeus, est-ce bien là l'impression que je te donne ? Que je ne reconnais l'existence d'aucun dieu ?

MÉLÉTOS

Oui, par Zeus, tu ne reconnais l'existence d'aucun dieu, en aucune manière.

SOCRATE

Ce que tu dis est incroyable, Mélétos, et tu ne crois même pas toi-même à ce que tu dis, j'en ai bien l'impression. Le fait est, Athéniens, que j'ai l'impression que mon adversaire a perdu toute mesure et toute retenue et que, tout compte fait, l'action judiciaire qu'il a intentée est due à un manque de mesure, à un manque de retenue et à la jeunesse [130]. J'en viens, en effet, à me dire qu'il **[27a]** a voulu me mettre à l'épreuve en me soumettant une énigme : « Voyons. Est-ce que Socrate qui est un savant se rendra compte que je plaisante et que je me contredis moi-même [131] ou est-ce que je réussirai à l'abuser lui en même temps que le reste de ceux qui nous écoutent ? » Car il est clair que celui qui m'accuse se contredit lui-même dans l'action qu'il a intentée. C'est comme s'il avait dit : « Socrate est coupable de ne pas reconnaître les dieux, alors qu'il reconnaît les dieux. » Tout cela n'est donc que plaisanterie.

Je vous prie d'examiner avec moi, citoyens, de quelle façon j'interprète ce qu'il dit. Toi, Mélétos, réponds-nous. Et vous autres, rappelez-vous, **[27b]** que je vous ai, en commençant, recommandé de ne pas m'interrompre en faisant du tapage [132], si je parle chaque fois comme j'ai l'habitude de le faire [133].

Y a-t-il parmi les hommes quelqu'un, Mélétos,
pour reconnaître qu'il existe des affaires humaines,
mais qu'il n'existe pas d'hommes? Qu'il réponde,
citoyens, et qu'il ne m'interrompe pas tout le temps en
faisant du tapage [134]. Y a-t-il quelqu'un qui reconnaît
que les chevaux n'existent pas, mais qu'il y a des acti-
vités hippiques, qui reconnaît qu'il n'y a pas de flû-
tistes, mais qu'il y a un art de la flûte? Non, mon cher,
un tel individu n'existe pas. Puisque tu ne veux pas
répondre, c'est moi qui vais répondre à cette question
et qui répondrai aux autres. Mais réponds au moins à
la question suivante. Existe-t-il quelqu'un qui
reconnaît qu'il y a des puissances démoniques, mais
qu'il n'y a pas de démons [135]?

MÉLÉTOS

[27c] Non, personne.

SOCRATE

Quel service tu me rends en me répondant cette
fois, même si c'est à contrecœur, parce que les juges
t'y forcent. Ainsi donc, tu déclares que je reconnais et
que j'enseigne qu'il existe des puissances démoniques; qu'elles soient nouvelles ou anciennes [136]
qu'importe, toujours est-il que j'estime qu'elles
existent. C'est toi qui le dis, et cela tu l'as attesté par
serment en déposant ta plainte. Mais, si je crois qu'il y
a des puissances démoniques, il faut bien que je croie
qu'il y a aussi des démons? N'en est-il pas ainsi?

Oui, il en est ainsi. Je suppose, en effet, que tu es
d'accord, puisque tu ne réponds pas.

Mais les démons, ne considérons-nous pas sinon
que ce sont des dieux, **[27d]** du moins que ce sont des
enfants de dieux?

MÉLÉTOS

Oui, absolument.

SOCRATE

Dans ces conditions, si, comme tu l'affirmes, je
considère qu'il y a des démons, et si les démons sont
des dieux, n'ai-je pas raison de dire que tu parles par

énigmes et que tu plaisantes, quand tu prétends que je
considère que les dieux n'existent pas, alors que je
crois aux démons. Si, par ailleurs, les démons sont des
enfants de dieux, des bâtards nés de Nymphes[137] ou
d'autres personnages comme le rapporte la tradition,
quel être humain estimerait qu'il existe des enfants des
dieux, mais pas de dieux ? En effet, ce serait aussi
absurde que de soutenir cette opinion : les mulets sont
[27e] des rejetons de chevaux et d'ânes, mais il n'y a
pas de chevaux et il n'y a pas d'ânes. Non, Mélétos, il
n'est pas possible que tu n'aies pas eu l'intention de
nous mettre à l'épreuve en rédigeant l'action que tu as
intentée, à moins que tu te sois trouvé dans l'embarras
lorsqu'il s'est agi de trouver un chef d'accusation véritable à lancer contre moi. Mais tu n'arriveras jamais à
persuader quelqu'un, même s'il a l'esprit borné, qu'il
est impossible que ce soit le même homme qui croit
qu'il y a des puissances démoniques et divines, et qui
croit à l'inverse qu'il n'y a ni démons, ni dieux **[28a]**,
ni héros[138].

Cela établi, Athéniens, il n'est pas besoin d'une
défense plus longue pour prouver que je ne suis pas
coupable de ce dont m'accuse Mélétos dans sa
plainte ; ce que je viens de dire suffit[139].

Mais j'ai aussi dit tout à l'heure[140] que je m'étais
attiré beaucoup d'inimitié de la part de beaucoup de
gens ; c'est la vérité, sachez-le bien. Et ce qui est susceptible de me faire condamner, si je suis condamné,
ce n'est ni Mélétos ni Anytos, mais la calomnie transmise par beaucoup de gens et leur jalousie. C'est là, en
vérité, ce qui a fait condamner beaucoup d'hommes
de bien[141] et qui en fera condamner sans doute
encore. Il serait bien **[28b]** étrange que cela s'arrêtât à
moi.

Peut-être bien me dira-t-on[142] : « N'as-tu pas honte,
Socrate, d'avoir adopté une conduite qui aujourd'hui
t'expose à la mort ? » À cela je serais en droit de faire
cette réponse : « Mon bon[143], ce n'est pas parler
comme il faut que d'imaginer, comme tu le fais, qu'un
homme qui vaut quelque chose, si peu que ce soit,

doive, lorsqu'il pose une action, mettre dans la balance ses chances de vie et de mort, au lieu de se demander seulement si l'action qu'il pose est juste ou injuste, s'il se conduit en homme de bien ou comme un méchant[144]. À ton avis en tout cas, ce seraient, en effet, de pauvres types tous ces demi-dieux[145] qui ont trouvé la mort devant Troie, **[28c]** et tout particulièrement le fils de Thétis[146], qui faisait si peu de cas du danger, comparé au déshonneur. Sa mère, qui était une déesse, lui avait tenu, en le voyant tout impatient d'aller tuer Hector, ces propos qui, sauf erreur de ma part, sont à peu près les suivants : "Mon enfant, dit le poète[147], si tu dois venger le meurtre de ton ami[148] Patrocle et tuer Hector, toi aussi tu mourras, car 'tout de suite après Hector la mort est préparée pour toi'. Mais Achille, qui avait entendu cet avertissement, se soucia peu de la mort et du danger, car il craignait plus **[28d]** de vivre en lâche que de laisser ses amis sans vengeance. Aussi le poète poursuit-il par ces mots : "Que je meure tout de suite après avoir infligé un châtiment à ce criminel, et que je ne reste pas ici objet de risée, auprès des nefs recourbées, vain fardeau de la terre." T'imagines-tu qu'Achille se soit soucié de la mort et du danger ? »

Voici, en effet, la vérité sur la question, Athéniens. Quelle que soit la place dans le rang qu'on occupe – qu'on ait choisi soi-même cette place comme la plus honorable ou qu'on y ait été placé par son chef –, le devoir impose, à mon avis du moins, d'y demeurer quel que soit le risque encouru, sans mettre dans la balance ni la mort ni rien d'autre, en faisant tout passer avant le déshonneur[149].

Moi donc[150], Athéniens, je me conduirais d'une façon bien étrange si, quand mes chefs, **[28e]** ceux que vous aviez élus pour me commander[151], que ce soit à Potidée[152], à Amphipolis[153] ou à Délion[154], m'avaient assigné un poste, j'étais alors demeuré à ce poste, comme n'importe quel autre homme, en courant le risque d'être tué, et que à l'inverse, quand le dieu m'a assigné pour tâche[155] – comme je l'ai présumé et supposé[156] — de vivre en philosophant, c'est-à-dire en soumettant moi-même et les autres à examen, à ce moment-là, par peur de la mort ou de quoi que ce soit d'autre, je quittais mon poste[157]. **[29a]** Ce serait une conduite bien étrange, et c'est alors, assurément, qu'il serait juste de me traduire devant le tribunal[158], en m'accusant de ne pas reconnaître que les dieux existent, puisque je n'aurais pas obéi à l'oracle par crainte de la mort et en m'imaginant être savant, alors que ce ne serait pas le cas.

Qu'est-ce, en effet, que craindre la mort, citoyens, sinon se prétendre en possession d'un savoir que l'on n'a point ? En définitive, cela revient à prétendre savoir ce que l'on ne sait point. Car personne ne sait ce qu'est la mort, ni même si elle ne se trouve pas être pour l'homme le plus grand des biens, et pourtant les gens la craignent comme s'ils savaient parfaitement qu'il s'agit du plus grand des malheurs[159]. Comment ne pas discerner là de **[29b]** l'ignorance, celle qui est répréhensible et qui consiste à s'imaginer savoir ce que l'on ne sait pas ? Pour ma part, citoyens, c'est probablement bien en cela et dans cette mesure que je me distingue de la plupart des gens ; et si après tout je me déclarais supérieur à quelqu'un en ce qui concerne le savoir, ce serait en ceci que, ne sachant pas assez à quoi m'en tenir sur l'Hadès[160], je ne m'imagine pas posséder ce savoir aussi. Ce que je sais en revanche, c'est que commettre l'injustice, c'est-à-dire désobéir à qui vaut mieux que soi, dieu ou homme, est un mal, une honte. Il s'ensuit que, avant celle de maux dont je sais qu'il s'agit de maux, je ne ferai jamais passer la crainte envers des choses dont je ne sais s'il ne s'agit pas de biens, et je ne chercherai pas non plus à les éviter.

Par conséquent, à supposer même que vous soyez aujourd'hui prêts à m'acquitter, en refusant de faire ce que vous demandait de faire Anytos **[29c]** en vous disant[161] : « Ou bien il ne fallait absolument pas pour commencer que Socrate fût traduit devant ce tribunal, ou bien il est nécessaire, puisqu'il y est traduit, de prononcer contre lui une sentence de mort, étant donné que, prétendait-il en s'adressant à vous[162], si Socrate arrive à échapper à ce châtiment, désormais vos fils, mettant en pratique ce qu'il enseigne, ne manqueront pas d'être tous totalement corrompus[163]. » Supposons que, en réponse à ces propos, vous me disiez : « Socrate, nous ne suivrons pas aujourd'hui l'avis d'Anytos. Nous allons au contraire t'acquitter, mais à cette condition que tu cesses de passer ton temps à soumettre les gens à cet examen auquel tu les soumets, c'est-à-dire que tu acceptes de ne plus philosopher. Et, si on t'y reprend, tu mourras. » Si c'était aux conditions [29d], que je viens de formuler, que vous étiez disposés à m'acquitter, je vous répondrais : « Citoyens, j'ai pour vous la considération et l'affection les plus grandes[164], mais j'obéirai au dieu plutôt qu'à vous; jusqu'à mon dernier souffle et tant que j'en serai capable, je continuerai de philosopher, c'est-à-dire de vous adresser des recommandations et de faire la leçon à celui d'entre vous que, en toute occasion, je rencontrerai, en lui tenant les propos que j'ai coutume de tenir : "Ô le meilleur des hommes, toi qui es Athénien, un citoyen de la cité la plus importante et la plus renommée dans les domaines de la sagesse et de la puissance[165], n'as-tu pas honte de te soucier de la façon d'augmenter le plus possible richesses, réputation [29e] et honneurs, alors que tu n'as aucun souci de la pensée, de la vérité et de l'amélioration de ton âme, et que tu n'y songes même pas?"[166] » Et si, parmi vous, il en est un pour contester cette affirmation et pour prétendre qu'il se soucie de l'amélioration de son âme, je ne vais ni partir ni le laisser partir; bien au contraire je vais lui poser des questions, je vais le soumettre à examen et je vais chercher à montrer qu'il a tort[167] et, s'il ne me semble pas posséder la vertu, alors qu'il le prétend, je lui dirai qu'il devrait avoir honte[168] d'attribuer la valeur la plus haute [30a] à ce qui en a le moins et de donner moins d'importance à ce qui en a plus. Avec un jeune homme ou avec un plus vieux, quel que soit celui sur lequel je tomberai, avec quelqu'un d'ailleurs ou avec un habitant d'Athènes, mais surtout avec vous, mes concitoyens [169], étant donné que par le sang vous m'êtes plus proches, voilà comment je me comporterai. C'est cela, sachez-le bien, que m'ordonne de faire le dieu [170], et, de mon côté, je pense que jamais dans cette cité vous n'avez connu rien de plus avantageux [171] que ma soumission au service du dieu [172].

Ma seule affaire est d'aller et de venir pour vous persuader, jeunes et vieux, de n'avoir point pour votre corps et pour votre fortune de souci supérieur ou égal **[30b]** à celui que vous devez avoir concernant la façon de rendre votre âme la meilleure possible, et de vous dire : « Ce n'est pas des richesses que vient la vertu, mais c'est de la vertu que viennent les richesses et tous les autres biens, pour les particuliers comme pour l'État [173]. » Si donc c'est en tenant ce discours que je corromps les jeunes gens, il faut bien admettre que ce discours est nuisible [174]. Mais prétendre que je tiens un autre discours que celui-là, c'est ne rien dire qui vaille. Au regard de cela [175], si je puis me permettre, Athéniens, suivez ou non l'avis d'Anytos, acquittez-moi ou non, mais tenez pour certain que je ne me comporterai pas autrement, **[30c]** dussé-je subir mille morts [176].

N'allez pas m'interrompre en faisant du tapage, Athéniens. Continuez plutôt à faire comme je vous l'ai demandé. Cessez de m'interrompre en faisant du tapage, et prêtez-moi l'oreille. J'ai tout lieu de croire que vous y trouverez votre profit. Sans doute ai-je encore à vous dire des choses qui vont vous inciter à m'interrompre, en faisant du tapage. De grâce, veuillez vous en abstenir.

Sachez-le bien en effet, si vous me condamnez à mort, ce n'est pas à moi, si je suis bien l'homme que je dis être, que vous ferez le plus de tort, mais à vousmêmes. Ni Mélétos ni Anytos ne sauraient me faire de tort à moi. Comment le pourraient-ils d'ailleurs, puisqu'il n'est pas permis, j'imagine, **[30d]** que celui qui vaut le mieux éprouve un dommage de la part de

celui qui vaut moins [177] ? Oh ! sans doute est-il possible
à un accusateur de me faire condamner à mort, à l'exil
ou à la privation de mes droits civiques [178]. Sans doute,
cet accusateur, ou un autre, s'imagine-t-il, je suppose,
que ce sont là de terribles épreuves, mais je ne partage
pas cet avis. Je considère au contraire qu'il est plus
grave de faire ce qu'il fait maintenant, quand il tente
d'obtenir injustement la condamnation à mort d'un
homme. À présent, Athéniens, ce n'est pas, comme
on pourrait se l'imaginer, ma défense à moi que je
présente tant s'en faut, mais c'est la vôtre ; je crains
que, si vous me condamnez, vous ne commettiez une
faute grave en vous en prenant au cadeau que le dieu
vous a fait [179]. Si, en effet, [30e] vous me condamnez à
mort par votre vote, vous ne trouverez pas facilement
un autre homme comme moi, un homme somme
toute – et je le dis au risque de paraître ridicule – attaché à la cité par le dieu, comme le serait un taon [180] au
flanc d'un cheval de grande taille et de bonne race,
mais qui se montrerait un peu mou en raison même
de sa taille et qui aurait besoin d'être réveillé par
l'insecte. C'est justement en m'assignant pareille
tâche, me semble-t-il, que le dieu m'a attaché à votre
cité, moi qui suis cet homme qui ne cesse de vous
réveiller, de vous persuader et de vous faire honte, en
m'adressant à chacun de vous en particulier [181], [31a]
en m'asseyant près de lui n'importe où, du matin au
soir.

Non, citoyens, vous ne trouverez pas facilement un
homme comme moi ; aussi, si vous m'en croyez, allez-
vous m'épargner. Il est fort possible cependant que,
contrariés comme des gens qu'un taon réveille alors
qu'ils sont assoupis et qui donnent une tape, vous me
fassiez périr inconsidérément [182] en vous rangeant à
l'avis d'Anytos. En suite de quoi, vous passeriez votre
vie à dormir, à moins que le dieu, ayant souci de vous,
ne vous envoie quelqu'un d'autre. Mais que je sois,
moi, le genre d'homme que la divinité offre à la cité en
cadeau, les considérations suivantes vous permettront
[31b] de vous en convaincre. Aucun motif humain ne

semble devoir expliquer que je néglige toutes mes
affaires personnelles et que j'en supporte les conséquences dans l'administration de ma maison depuis
tant d'années déjà, et cela pour m'occuper en per-
manence de vous, en jouant auprès de chacun de vous
en particulier le rôle d'un père ou d'un frère plus
âgé[183], dans le but de le convaincre d'avoir souci de la
vertu. Certes, si j'en retirais un profit, si je recevais
une rémunération[184] pour les conseils que je vous
donne, ma conduite aurait un sens. Mais non, et vous
le voyez bien vous-mêmes, mes accusateurs, qui ont
eu l'effronterie d'amasser contre moi tant d'autres
griefs, se sont trouvés impuissants à pousser leur
effronterie au point de produire **[31c]** un témoin[185]
qui atteste qu'il m'est arrivé d'exiger ou de solliciter
une rémunération. En effet, il me suffit, j'imagine, de
produire le témoin qui atteste que je dis vrai : c'est ma
pauvreté[186].

Une chose toutefois pourra sembler étrange[187] :
alors que, bien sûr, je prodigue à tout vent mes
conseils en privé et que je me mêle des affaires de tout
le monde[188], je n'ai pas l'audace de m'occuper des
affaires publiques et de monter à la tribune de
l'Assemblée du peuple[189], dont vous êtes les
membres[190], pour donner des conseils à la cité. Cela
tient à ce que, comme vous me l'avez maintes fois et
en maints endroits entendu dire, se manifeste à moi
quelque chose de divin **[31d]**, de démonique, dont
précisément fait état Mélétos dans l'action qu'il a
intentée, en se comportant comme un auteur de
comédie[191]. Les débuts en remontent à mon enfance.
C'est une voix qui, lorsqu'elle se fait entendre, me
détourne toujours de ce que je vais faire, mais qui
jamais ne me pousse à l'action. Voilà ce qui s'oppose à
ce que je me mêle des affaires de la cité[192], et c'est là –
pour ma part je le crois – une opposition particulièrement heureuse. Car sachez-le, Athéniens, si j'avais
entrepris[193] de me mêler des affaires de la cité, il y a
longtemps que je serais mort et que je ne serais plus
d'aucune utilité **[31e]** ni pour vous ni pour moi-

même[194]. Et ne vous mettez pas en colère contre moi, car je vais vous asséner une vérité[195]. Il n'est en effet personne qui puisse rester en vie, s'il s'oppose franchement soit à vous soit à une autre assemblée[196], et qu'il cherche à empêcher que nombre d'actions injustes et illégales ne soient commises dans la cité. [32a] Mais celui qui aspire vraiment à combattre pour la justice, s'il tient à rester en vie si peu de temps que ce soit, doit demeurer un simple particulier et se garder de devenir un homme public[197].

Et je tiens personnellement à produire des preuves sérieuses de ce que j'avance : non pas des paroles, mais, ce qui compte à vos yeux, des actes[198]. Laissez-moi vous raconter ce qui m'est arrivé. Vous verrez bien ainsi que je n'ai fait de concession à personne au mépris de la justice, par crainte de la mort, même si, en ne cédant pas, je mettais par la même occasion ma vie en péril. Je vais vous parler sans discrétion à la mode des plaideurs, mais en disant la vérité[199].

Il est de fait que moi, Athéniens, je n'ai jamais exercé aucune [32b] magistrature, sauf celle de membre du Conseil[200]. Et il se trouva que la tribu Antiochide à laquelle j'appartiens exerçait la prytanie[201] au moment où vous vouliez juger en bloc les dix stratèges, parce qu'ils n'avaient pas recueilli les hommes qui étaient tombés à la mer au cours du combat naval[202]; procédure illégale comme un peu plus tard vous l'avez vous tous reconnu[203]. Ce jour-là, je fus, moi, le seul des prytanes à m'opposer à vous pour empêcher que rien ne soit fait d'illégal, et à voter contre la proposition[204]. Et, bien que les chefs politiques[205] me menaçaient de dénonciation et de prise de corps[206], ce à quoi vous les invitiez à grands cris[207], j'estimais, moi, que je devais courir des risques, en me rangeant du côté de la loi [32c] et de la justice plutôt que de me ranger, par crainte de la prison ou de la mort, de votre côté à vous qui vouliez commettre une action injuste.

Cela se passait au temps où la cité vivait encore sous un régime démocratique. Une fois le régime oligarchique établi, ce furent les Trente qui, à leur tour, me mandèrent, avec quatre autres[208], à la Tholos[209] et qui m'ordonnèrent de ramener de Salamine Léon[210] pour qu'il fût mis à mort[211]. Les Trente ordonnèrent en maintes autres circonstances encore à beaucoup d'autres citoyens de commettre de tels crimes, car ils souhaitaient en salir le plus grand nombre possible, en les rendant complices de leurs crimes. En cette circonstance une fois de plus, je fis bien entendu voir **[32d]**, non en paroles, mais en actes[212], que je n'avais, pour parler sans façon, rien à faire de la mort, et que ma préoccupation première était de ne commettre aucun acte injuste ou impie. Il faut bien reconnaître que, en dépit de sa violence, ce régime n'a pas réussi à m'intimider au point de me faire commettre un acte injuste. Effectivement, lorsque nous fûmes sortis de la Tholos, mes quatre collègues partirent pour Salamine et en ramenèrent Léon, tandis que moi je rentrai à la maison. Cela m'aurait sans doute valu la mort, si le régime n'avait été très rapidement renversé[213]. Voilà des faits **[32e]** qui vous seront attestés par de nombreux témoins.

Eh bien, dites-moi, imaginez-vous maintenant que j'aurais vécu tant d'années si je m'étais occupé des affaires publiques, et si, en me conduisant dignement en homme de bien, j'eusse pris la défense de la justice et que, comme il se doit, j'eusse mis cette exigence au-dessus de tout? Tant s'en faut, Athéniens; et personne d'autre que moi n'y serait parvenu non plus. **[33a]** Mais vous trouverez que, tout au long de mon existence, j'ai été un tel homme quelle que soit la fonction publique que j'ai exercée et que je suis resté le même en privé : je ne me suis jamais laissé convaincre d'agir contre la justice par personne, qu'il s'agisse de l'un de ceux que mes calomniateurs présentent comme mes disciples[214] ou de quelqu'un d'autre.

Pour ma part, je n'ai jamais été le maître de personne. Mais si quelqu'un a envie de m'écouter quand je parle et que j'accomplis la tâche qui est la mienne[215], qu'il soit jeune ou plus âgé, jamais je ne fais montre de réticence; et, pas plus que je ne m'entretiens avec quelqu'un pour recevoir de l'argent, **[33b]** je ne refuse de m'entretenir avec quelqu'un parce que je ne reçois pas d'argent. Non, je suis à la disposition du pauvre comme du riche, sans distinction, pour qu'il m'interroge ou pour que, s'il le souhaite, je lui pose des questions et qu'il écoute ce que j'ai à dire. Et s'il arrive que, parmi ces gens-là, l'un devienne un homme de bien et l'autre non, je ne saurais, moi, au regard de la justice en être tenu pour responsable, car je n'ai jamais promis à aucun d'eux d'enseigner rien qui s'apprenne, et je n'ai pas donné un tel enseignement. Et si quelqu'un prétend avoir jamais en privé appris quelque chose de moi ou m'avoir entendu parler de quelque chose dont personne d'autre n'est au courant[216], sachez bien qu'il ne dit pas la vérité.

Mais pour quel motif donc certaines personnes prennent-elles plaisir à passer beaucoup de temps avec moi? **[33c]** Vous avez entendu toute la vérité[217], Athéniens, car la vérité je vous l'ai dite : c'est qu'il leur fait plaisir de voir soumettre à examen ceux qui se figurent être savants, alors qu'ils ne le sont pas; certes, cela n'est pas sans agrément[218]. Mais pour moi, je le répète, c'est quelque chose que m'a prescrit de faire le dieu, par l'intermédiaire d'oracles[219], de songes[220] et par tous les moyens enfin que prend une dispensation divine pour prescrire à un homme de remplir une tâche, quelle qu'elle soit[221]. Ce que je viens de dire, Athéniens, est vrai et facile à contrôler. Mais prenons pour acquis que je suis en train de corrompre **[33d]** des jeunes gens et que j'en ai déjà corrompu. Il va de soi que certains d'entre eux, en prenant de l'âge, se seraient rendus compte du fait que, au temps de leur jeunesse, je leur avais donné de mauvais conseils, et qu'aujourd'hui ils monteraient à la tribune pour m'accuser et pour me faire condamner. Et, à supposer qu'ils ne souhaitassent pas le faire eux-mêmes, il va de soi que, si vraiment j'avais fait du tort à leurs proches, pères, frères et autres parents seraient là aujourd'hui pour le rappeler et me faire condamner. En tout cas, beaucoup de ces gens-là sont venus au tribunal, et je peux les voir. Et d'abord, Criton qui a mon âge et qui est du même dème, **[33e]** le père de Critobule que voici [222]. Et ensuite, Lysanias de Sphettos, le père d'Eschine que voici [223]. Et encore notre Antiphon de Céphise, le père d'Épigène [224]. D'autres encore que voici dont les frères m'ont fréquenté, Nicostrate [225], fils de Théozotidès [226] et frère de Théodote [227] – comme Théodote est mort, il ne pourrait donc pas empêcher Nicostrate de parler contre moi –, puis Paralios [228], le fils de Démodocos et qui avait pour frère Théagès [229]. Voici encore **[34a]** le fils d'Ariston, Adimante [230] de qui Platon [231], ici présent, est le frère, et Aïantodore [232], dont j'aperçois le frère Apollodore [233]. Et je puis vous en nommer encore beaucoup d'autres, dont tel ou tel aurait dû être cité avant tout autre comme témoin par Mélétos dans son réquisitoire. Mais s'il a oublié de le faire, qu'il les cite maintenant, je lui cède la place [234]; oui, s'il arrive à trouver un témoin de ce genre, qu'il le cite. Mais, tout au contraire, citoyens, vous trouverez que tous ces gens sont prêts à m'apporter leur appui à moi qui les corromps, à moi qui fais du mal à leurs proches, suivant ce que prétendent Mélétos et **[34b]** Anytos. Il est vrai que ceux qui sont corrompus pourraient bien avoir quelque motif de m'apporter leur appui; en revanche, ceux qui ne le sont pas, des hommes d'âge mûr et des parents de ceux que j'aurais corrompus, quel motif ont-ils de m'apporter leur appui, si ce n'est la droiture et la justice, car ils savent bien que Mélétos ment, tandis que moi je dis la vérité.

Eh bien [235], citoyens, ce que je pourrais alléguer pour ma défense se réduit à ces observations et à d'autres du même genre. Peut-être cependant y aurait-il parmi vous quelqu'un pour s'irriter **[34c]**, parce qu'il se souvient que, ayant eu à affronter un procès beaucoup moins grave que celui auquel je suis confronté, il a prié et supplié les juges en versant des

torrents de larmes, et fait monter à la tribune ses
jeunes enfants pour attirer plus facilement la pitié des
juges, et encore le reste de ses proches et des amis en
grand nombre, tandis que, moi, je ne vais rien faire de
cela, même si je risque ce qui, à ses yeux, constitue le
péril suprême. Cette pensée pourrait effectivement
l'indisposer contre moi, et alors, irrité par ce genre de
choses, il déposerait un vote qui serait un vote de
colère. Si tel est le cas pour l'un d'entre vous **[34d]** –
ce que, pour ma part, je ne crois pas devoir envisager,
mais enfin ! –, voilà, me semble-t-il, ce qu'il convien-
drait de lui dire : « Moi aussi, mon cher, j'ai des
proches, car pour citer Homère, je suis né "non pas
d'un chêne ou d'un rocher [236]", mais d'êtres humains ;
j'ai donc des parents et j'ai aussi des fils, Athéniens,
trois, dont l'un est déjà un adolescent, tandis que les
deux autres sont de jeunes enfants [237]. Et, pourtant, je
ne ferai monter aucun d'eux à cette tribune, et je ne
vous prierai pas de m'acquitter par votre vote. Pourquoi donc ne ferai-je rien de cela ? Ce n'est, Athéniens, ni par obstination ni par mépris à votre égard.
[34e] Que, confronté à la mort, je reste ferme ou non,
c'est une autre histoire. Mais, au regard de notre
réputation, la mienne, la vôtre et celle de la cité tout
entière, j'estime que ce ne serait pas une bonne chose
que d'avoir recours à l'un de ces procédés, à l'âge qui
est le mien et avec le nom que l'on me donne [238] ;
est-ce à tort ou à raison, toujours est-il que c'est une
opinion reçue qu'il y a chez Socrate quelque chose qui
le distingue de la plupart **[35a]** des hommes [239]. Or si,
parmi vous, ceux qui passent pour se distinguer par le
savoir, par le courage ou par toute autre vertu se
comportaient de la sorte, ce serait une honte. Et pourtant j'ai souvent vu des citoyens distingués se comporter, au cours de leur procès, de manière étrange au
regard de la réputation qui était la leur, parce qu'ils
s'imaginaient qu'ils souffriraient un mal redoutable
s'ils venaient à mourir, comme s'ils allaient devenir
immortels au cas où vous ne les condamneriez pas à
mort [240]. Ces gens, me semble-t-il, jettent la honte sur

notre cité, au point de susciter chez n'importe quel étranger la conviction que ceux des Athéniens qui se distinguent par leur vertu **[35b]**, et que leurs concitoyens choisissent de préférence aux autres pour leur confier magistratures et autres charges, ne se distinguent en rien des femmes. Voilà donc, Athéniens, ce que nous devons nous abstenir de faire en quelque domaine que ce soit pour garder notre réputation et ce que, si nous le faisons, vous devez non pas admettre, mais sanctionner clairement, en condamnant par vos votes celui qui vient à la tribune pour y jouer ces drames apitoyants et rendre la cité ridicule, et cela avec bien plus de détermination que celui qui garde son sang-froid.

Mis à part la question de la réputation, citoyens, il ne me paraît pas qu'il soit juste d'adresser au juge des prières **[35c]** ni davantage d'arracher par ces prières un acquittement qui doit s'obtenir par l'exposé des faits et par la persuasion. Non, ce n'est pas pour cela que siège le juge, pour faire de la justice une faveur, mais pour décider de ce qui est juste. Et le serment qu'il a prêté [241], c'est celui non pas de favoriser ceux qui lui paraissent devoir l'être, mais de rendre la justice conformément aux lois. En conséquence, c'est notre devoir à nous de ne point vous faire prendre l'habitude de vous parjurer, et à vous de n'en point prendre l'habitude ; ainsi nous ne ferions ni les uns ni les autres preuve de piété [242]. Aussi n'exigez pas de moi, Athéniens, que je me comporte envers vous d'une manière qui ne me semble ni belle, ni juste, ni pie, **[35d]** et cela d'autant plus, par Zeus, que je suis poursuivi pour impiété par Mélétos ici présent. Car il est évident que si je cherchais à vous persuader et si, par mes prières, je vous faisais violer votre serment [243], je vous enseignerais à croire que les dieux n'existent pas, et, en me défendant de la sorte, je me dénoncerais moi-même comme quelqu'un qui ne reconnaît pas les dieux. Mais il s'en faut de beaucoup qu'il en soit ainsi. Oui, Athéniens, je reconnais les dieux plus fermement qu'aucun de mes accusateurs, et je m'en remets à

vous et au dieu du soin de porter un jugement sur ce
qui vaudra mieux pour moi comme pour vous.

[35e] Si je ne m'indigne pas, Athéniens, du résultat
de ce vote par lequel vous m'avez condamné[244], [36a]
c'est pour plusieurs raisons et, notamment, parce que
je n'étais pas sans m'y attendre. Mais ce qui m'étonne
le plus c'est le nombre de voix dans un sens et dans
l'autre. Pour ma part, en effet, je ne m'imaginais pas
qu'une si faible majorité se prononcerait contre moi;
j'estimais que l'écart serait plus fort. En fait, si je
compte bien, il eût suffi d'un déplacement de trente
voix[245], pour que je fusse acquitté. Par suite, je considère que j'ai bien été acquitté de l'accusation intentée
par Mélétos[246]. Non seulement suis-je acquitté, mais
de plus, il est clair pour tout le monde que, si Anytos
et Lycon[247] n'étaient pas montés à la tribune pour
m'accuser, Mélétos aurait été condamné à une
amende de 1 000 drachmes [36b], faute d'avoir
recueilli le cinquième des voix[248].

En tout cas, la peine à laquelle Mélétos propose de
me condamner est la mort. Eh bien, Athéniens, quelle
contre-proposition vous ferais-je maintenant comme
peine? Évidemment celle que je mérite. Mais
laquelle[249]? À quelle peine, à quelle amende ai-je
mérité[250] qu'on me condamne pour n'avoir pas su rester tranquille[251] au cours de ma vie, et pour avoir
négligé ce dont justement se soucie la plupart des
gens, à savoir les affaires, l'administration de leur fortune, les charges politiques[252] et, en général, les
magistratures, les coalitions et les factions politiques
qui agissent dans la cité[253], pour m'être jugé trop scru-
puleux pour pouvoir survivre si je m'engageais sur
cette voie?[36c] Aussi me suis-je engagé non pas sur
cette voie où je n'aurais été d'aucune utilité ni pour
vous ni pour moi[254], mais sur cette voie où, à chacun
de vous en particulier[255], je rendrais service, le plus
grand des services, à ce que je prétends, en essayant
de convaincre chacun d'entre vous de ne pas se préoccuper de ses affaires personnelles avant de se pré-

occuper, pour lui-même, de la façon de devenir le
meilleur et le plus sensé possible ; de ne point se préoccuper des affaires de la cité, avant de se préoccuper
de la cité elle-même ; et de ne se préoccuper de tout le
reste qu'en vertu du même principe[256]. Eh bien, quel
traitement puis-je mériter **[36d]** pour avoir été pareil
homme ? Un bon traitement, Athéniens, si du moins
la chose à fixer doit correspondre à ce que j'ai réellement fait ; oui, en vérité, un bon traitement qui corres-
ponde au genre d'homme que je suis. Mais quel traitement convient à un homme pauvre, qui est votre
bienfaiteur[257], et qui a besoin de loisir pour vous
adresser ses recommandations ? Aucun traitement,
Athéniens, ne sied mieux à un tel homme que d'être
nourri dans le prytanée[258]. Oui, cela lui siérait bien
mieux qu'à tel d'entre vous qui a été vainqueur à
Olympie avec un cheval de course ou avec un char
attelé de deux ou de quatre chevaux[259]. Cet
homme-là, en effet, vous donne des satisfactions illu-
soires, alors que moi je vous rends réellement heureux ; et tandis que lui **[36e]** n'a pas besoin d'être
nourri[260], moi j'ai besoin de l'être. Si donc c'est
conformément à la justice que doit être fixée l'amende
méritée, voilà celle **[37a]** que je fixe : être nourri dans
le prytanée.

Mais, sans doute, penserez-vous que ce que je dis
s'apparente à ce que je disais au sujet des larmes et
des supplications[261], et que je continue de faire preuve
d'arrogance[262]. Ce n'est pas le cas, Athéniens, mais
voici plutôt ce qui en est. Alors que je suis convaincu
de n'être, de mon plein gré[263], coupable envers personne, je n'arrive pas à vous faire partager cette
conviction. Nous avons eu peu de temps[264] pour en
discuter entre nous. Eh bien, je pense en ce qui me
concerne que, si chez vous, comme c'est le cas ailleurs[265], la loi voulait que soient consacrés à juger une
affaire impliquant la peine de mort non pas un jour,
[37b] mais plusieurs, je serais arrivé à vous
convaincre. Mais, en fait, il n'est pas facile[266] en si peu
de temps de me laver de calomnies si graves[267].

Comme je suis convaincu de n'avoir été injuste envers personne, je ne vais tout de même pas commettre une injustice envers moi-même, en admettant que je mérite qu'on m'inflige une peine et en me fixant à moi-même une telle peine. Qu'ai-je à craindre? De subir la peine que Mélétos réclame contre moi [268], et dont je viens de dire ne pas savoir si c'est un bien ou un mal [269]? Me faut-il donc à la place choisir quelque chose que je sais pertinemment être un mal pour me l'appliquer comme peine? Sera-ce l'emprisonnement [270]? Pourquoi devrais-je vivre en prison, esclave [271] de ces magistrats qui sont périodiquement institués pour s'en occuper [37c], les Onze [272]? Faut-il plutôt proposer une amende et la détention jusqu'à ce que je l'aie payée [273]? Mais alors je répète ce que je disais tout à l'heure; je n'ai pas de quoi payer cette amende. Devrais-je plutôt m'appliquer comme peine l'exil [274]? Peut-être, en effet, serait-ce la peine que vous m'appliqueriez? Il faudrait que j'aie un bien grand amour de la vie [275], Athéniens, si j'étais irréfléchi au point de ne pouvoir réfléchir à ceci : vous, qui êtes mes concitoyens, n'avez pu supporter les entretiens auxquels je vous soumettais [37d] et les propos que je vous tenais [276]; ils ont fini par devenir un fardeau si lourd et si haïssable que maintenant vous cherchez à vous en débarrasser. Mais ces entretiens et ces propos seront-ils donc plus faciles à supporter pour d'autres? Tant s'en faut, Athéniens. Ah quelle belle vie ce serait, pour un homme de mon âge, que de quitter sa cité pour aller de cité en cité, expulsé de toutes! Car partout où j'irais, je le sais fort bien, les jeunes gens viendraient comme ici m'entendre discuter. Et, si je les repoussais, ce sont eux qui prendraient l'initiative de me mettre dehors en persuadant les citoyens les plus âgés de le faire. Si, au contraire, je ne les repoussais pas, ce sont [37e] leurs pères et leurs relations qui, pour les protéger, me feraient mettre dehors.

Mais peut-être y aura-t-il quelqu'un pour dire : « Tu ne pourrais donc pas, Socrate, une fois que tu nous auras débarrassés de ta présence, vivre en te

tenant tranquille, sans discourir ? » Ma réponse serait
encore plus difficile à faire admettre à certains d'entre
vous. Vous ne me croirez pas et vous penserez que je
pratique l'ironie[277] **[38a]** si, en effet, je vous réponds
que ce serait là désobéir au dieu et que, pour cette raison, il m'est impossible de me tenir tranquille[278]. Et si
j'ajoute que, pour un homme, le bien le plus grand
c'est de s'entretenir tous les jours de la vertu et de tout
ce dont vous m'entendez discuter, lorsque je soumets
les autres et moi-même à cet examen, et que je vais
jusqu'à dire qu'une vie à laquelle cet examen ferait
défaut ne mériterait pas d'être vécue[279], je vous
convaincrai encore moins. Or, citoyens, il en va bien
comme je le dis[280], mais il n'est pas facile de vous le
faire admettre. Ce n'est pas tout : je n'ai pas l'habitude
de réclamer pour moi un mal. Si, en effet, j'avais de
l'argent, je me serais assigné pour peine **[38b]** une
amende que je serais en mesure de payer, car cela ne
me causerait aucun dommage[281]. Mais, que voulez-
vous, de l'argent je n'en ai pas. À moins que vous ne
consentiez à mesurer l'amende à ce que je puis payer.
Peut-être bien serais-je en mesure de vous payer la
somme d'une mine d'argent[282]. Voilà le montant de
l'amende que je fixe pour ma peine.

Attendez, citoyens athéniens, Platon que voici, Criton, Critobule et Apollodore[283] me pressent de fixer
l'amende à 30 mines[284], dont ils garantissent le paiement[285]. Tel est donc le montant de l'amende que je
propose, et ces gens-là vous garantissent que cette
somme **[38c]** sera bien payée.

En tout cas, faute d'avoir attendu un tout petit peu
de temps, citoyens athéniens, vous allez acquérir,
auprès de ceux qui souhaitent jeter l'opprobre sur
votre cité, la réputation et la responsabilité d'avoir
décidé par votre vote la condamnation à mort de
Socrate, un homme renommé pour son savoir[286] ! Car,
bien sûr, même si ce n'est pas le cas, ils prétendront
que je possède un savoir, ceux qui souhaitent vous
dénigrer. Si, pourtant, vous aviez attendu un peu de

temps, vous auriez obtenu le même résultat sans avoir
à en prendre l'initiative. Vous voyez bien mon âge[287] :
ma vie est déjà avancée et je ne suis pas loin de la
mort. Ce que je dis là ne s'adresse pas à vous tous,
mais à ceux **[38d]** dont les votes m'ont condamné à
mort[288]. Voilà ce que j'ai encore à dire à ces gens-là.
Sans doute, pensez-vous, citoyens athéniens, que ce
qui m'a perdu, c'est mon incapacité à tenir les discours qui vous auraient convaincus[289], si j'avais cru
qu'il fallait tout faire et tout dire[290] pour échapper à
cette sentence. Eh bien, il s'en faut de beaucoup. Non,
ce qui m'a perdu, ce n'est certainement pas mon incapacité à prononcer des discours, mais bien mon incapacité à faire montre d'audace et d'effronterie et à
prononcer le genre de discours qui vous plaisent au
plus haut point, en pleurant, en gémissant, en faisant
et **[38e]** en disant beaucoup d'autres choses que
j'estime être indignes de moi, en un mot le genre de
choses que vous êtes habitués à entendre de la bouche
des autres accusés. Non, je n'ai pas cru, tout à l'heure,
devoir rien faire qui soit indigne d'un homme libre
pour échapper au danger, et je ne me repens pas non
plus à cette heure de m'être défendu comme je l'ai fait.

Je l'affirme, je préfère mourir après une telle
défense que de vivre à pareil prix. Car, pas plus au tribunal qu'à la guerre, personne, qu'il s'agisse de moi
ou d'un autre, ne doit **[39a]** chercher[291] par tous les
moyens à se soustraire à la mort. Souvent au combat,
il est évident en effet que l'on échapperait à la mort en
jetant ses armes et en demandant grâce à ceux qui
vous poursuivent. Dans chaque situation périlleuse, il
y a bien des moyens d'échapper à la mort, si l'on ose
faire et dire n'importe quoi[292]. Mais attention,
citoyens, il est moins difficile d'échapper à la mort
qu'à la méchanceté[293]. La méchanceté, en effet, court
plus vite que la mort[294]. Aussi **[39b]** maintenant, lent
et vieux comme je suis, ai-je été rattrapé par le plus
lent des deux maux, tandis que mes accusateurs, qui
sont vigoureux et agiles, l'ont été par le plus rapide, la
méchanceté. Ainsi, tout à l'heure, allons-nous nous

séparer, moi qui serai condamné à mort par vous, et eux qui auront été reconnus par la vérité coupables de méchanceté et d'injustice. Je m'en tiens à la peine qui a été fixée pour moi, et eux doivent s'en tenir à celle qui a été fixée pour eux. Sans doute fallait-il qu'il en fût ainsi, et j'estime que les choses sont ce qu'elles doivent être.

Cela étant, j'ai bien envie de faire une prédiction **[39c]** vous concernant, vous dont les votes m'ont condamné. J'en suis, en effet, à cette heure de la vie où les êtres humains sont le plus aptes à faire des prophéties, au moment où ils vont mourir[295]. Je vous prédis en effet, citoyens, vous qui m'avez condamné à mort, que vous aurez à subir, tout de suite après ma mort, un châtiment beaucoup plus pénible, par Zeus, que celui auquel vous m'avez condamné en me condamnant à mort. En agissant ainsi aujourd'hui, vous avez cru en effet vous libérer de la tâche de justifier votre façon de vivre[296]; or, c'est tout le contraire qui va vous arriver, je vous le prédis. Il augmentera le nombre de ceux qui vous demanderont de vous justifier, et que je m'employais à retenir[297] sans que vous **[39d]** vous en rendiez compte. Et ils seront d'autant plus agressifs qu'ils seront plus jeunes, et ils vous irriteront davantage. Car si vous vous imaginez que c'est en mettant des gens à mort que vous empêcherez qu'on vous reproche de ne pas vivre droitement, vous faites un mauvais calcul. En effet, cette manière de se débarrasser du problème n'est ni particulièrement efficace ni particulièrement honorable. En revanche, la façon plus élégante et la plus pratique consiste non pas à supprimer les autres, mais à prendre les moyens qui s'imposent pour devenir soi-même le meilleur possible. Voilà ce que j'avais à prédire à ceux de vous qui m'ont condamné par leur vote; cela fait, je prends congé d'eux. **[39e]**

Quant à vous qui, par votre vote, m'avez acquitté, j'aurais plaisir à m'entretenir avec vous sur ce qui vient de se passer pendant que les magistrats sont occupés et en attendant qu'on m'amène là où je dois

mourir[298]. Eh bien, citoyens, restez avec moi pendant
ce court laps de temps. Rien ne nous empêche de
bavarder entre nous aussi longtemps que cela sera
possible. Je souhaite, en effet, comme à des amis,
[40a] vous faire voir comment j'interprète désormais
ce qui vient de se passer. Oui, juges, et en vous appelant « juges » j'utilise la formule juste[299], il m'est arrivé
quelque chose d'étonnant. En effet, alors que la voix
divinatoire qui m'est familière[300], celle que m'envoie
la divinité[301], ne cessait de se manifester jusqu'à ce
jour pour m'empêcher, même dans des affaires de peu
d'importance[302], de faire ce que je ne devais pas faire,
aujourd'hui, comme vous pouvez le constater vous-
mêmes, il m'est arrivé ce que l'on pourrait considérer
comme le plus grand des malheurs et qui passe pour
tel. Et, pourtant, le signe divin ne m'a retenu ni ce
matin alors que je sortais de chez moi **[40b]** ni au
moment où ici, devant le tribunal, je montais à la tribune ni durant mon plaidoyer pour m'empêcher de
dire quoi que ce soit. Bien souvent, en d'autres circonstances, il m'a fait taire au beau milieu de mes propos. Aujourd'hui, au contraire, au cours de l'affaire, il
ne m'a jamais empêché de faire ou de dire quoi que ce
soit. Quelle raison dois-je avancer pour expliquer la
chose ? Je vais vous le dire. C'est que ce qui m'arrive a
des chances d'être un bien pour moi, et que tous, tant
que nous sommes, nous nous trompons quand nous
nous imaginons **[40c]** que mourir est un mal. Ceci en
est pour moi une preuve décisive : il n'eût pas été possible, en effet, que le signe qui m'est familier ne se fût
point opposé à moi, si ce que j'allais faire n'eût pas été
une bonne chose.

Mais considérons que les raisons sont nombreuses
d'espérer que la mort soit un bien, en présentant les
choses d'une autre façon. En ce qui concerne la mort,
de deux choses l'une, en effet. Ou bien effectivement
celui qui est mort n'est plus rien et ne peut avoir
aucune conscience de rien[303] ou bien, comme on le
raconte[304], c'est un changement et, pour l'âme, un
changement de domicile[305] qui fait qu'elle passe d'un

lieu à un autre. Supposons que toute conscience disparaisse, et **[40d]** que la mort s'apparente à un sommeil durant lequel un dormeur ne voit plus rien, même en songe, quel étonnant profit ne serait-ce pas que la mort! En effet, si, par hypothèse, l'on avait à choisir entre cette nuit durant laquelle on a dormi assez profondément pour ne rien voir, même en songe, et les autres nuits et les autres jours de sa propre vie, et si, en les mettant en regard avec cette nuit-là, il fallait faire un choix et dire combien dans sa vie on a eu de jours et de nuits meilleurs et plus agréables que cette nuit-là, tout être humain, qu'il s'agisse d'un simple particulier ou même du grand roi en personne[306], n'éprouverait, je suppose, **[40e]** aucune difficulté à les compter[307], eu égard aux autres jours et aux autres nuits. Si donc, dis-je, la mort est un sommeil de ce genre, il s'agit de quelque chose de profitable à mes yeux en tout cas, puisque, à ce compte, la totalité du temps se réduit à une seule nuit. Supposons, en revanche, que la mort soit un voyage qui vous mène de ce lieu à un autre[308], et si ce qu'on raconte[309] est vrai, à savoir justement que là-bas habitent tous ceux qui sont morts, que pourrions-nous imaginer qu'il nous advienne de meilleur, je vous le demande juges? En effet, si, en arrivant chez Hadès, on se trouve débarrassé **[41a]** de ces gens qui prétendent être des juges, et qu'on y trouve des juges qui sont réellement des juges, et notamment ceux-là qui, dit-on, rendent là-bas la justice, Minos, Rhadamante et Éaque[310], Triptolème aussi[311], et tous ceux qui, parmi les demi-dieux[312], ont été des justes durant leur existence sur terre, pensez-vous que le voyage n'en vaudrait pas la peine? Et encore, la compagnie d'Orphée, de Musée[313], d'Hésiode et d'Homère[314], que ne donneriez-vous pas pour en jouir? Pour ma part, je veux bien mourir mille fois, si c'est la vérité. Dans quelles merveilleuses conversations je me lancerai, personnellement, lorsque je rencontrerai Palamède[315], Ajax[316], le fils de Télamon[317], et tel ou tel héros du temps passé qui est mort par suite d'un juge-

ment injuste[318]; comparer mon sort au leur ne me
serait pas désagréable, je le crois. **[41b]** Et tout naturellement le plus intéressant, c'est que je pourrais, en
conversant avec eux, soumettre les gens de là-bas à
l'examen et à l'enquête auxquels je soumets les gens
d'ici-bas, pour découvrir qui d'entre eux sait quelque
chose et qui ne sait rien en s'imaginant savoir quelque
chose. Que ne donnerait-on pas, juges, pour soumettre à cet examen celui qui a conduit devant Troie
cette grande armée[319], Ulysse[320] ou Sisyphe[321], et tant
d'autres hommes **[41c]** et de femmes[322] que l'on
pourrait nommer? Discuter avec ceux de là-bas, vivre
en leur société, les soumettre à examen, ne serait-ce
pas le comble du bonheur? D'autant plus que, de
toute façon, là-bas on ne risque pas la mort pour
cela[323]! En effet, l'une des raisons qui fait que les gens
de là-bas sont plus heureux que ceux d'ici, c'est que
désormais, pour le temps qui leur reste[324], ils ne
peuvent connaître la mort, si du moins ce qu'on
raconte est vrai[325].

Mais vous aussi, juges, il vous faut être pleins de
confiance devant la mort[326], et bien vous mettre dans
l'esprit une seule vérité à l'exclusion de toute autre, à
savoir qu'aucun mal ne peut toucher un homme de
bien **[41d]** ni pendant sa vie ni après sa mort[327], et
que les dieux ne se désintéressent pas de son sort[328].
Le sort qui est le mien aujourd'hui n'est pas non plus
le fait du hasard; au contraire, je tiens pour évident
qu'il valait mieux pour moi mourir maintenant et être
libéré de tout souci[329]. Voilà pourquoi le signal ne
m'a, à aucun moment, retenu[330], et de là vient que,
pour ma part, je n'en veux absolument pas ni à ceux
qui m'ont condamné par leur vote ni à mes accusateurs. Il est vrai qu'ils avaient un autre dessein quand
ils m'ont accusé et qu'ils m'ont condamné : ils s'imaginaient bien me causer du tort[331]. Et en cela ils **[41e]**
méritent d'être blâmés. Pourtant, je ne leur demande
que la chose suivante. Quand mes fils[332] seront
grands, punissez-les, citoyens, en les tourmentant
comme je vous tourmentais, pour peu qu'ils vous

paraissent se soucier d'argent ou de n'importe quoi d'autre plus que de la vertu. Et, s'ils croient être quelque chose, alors qu'ils ne sont rien, adressez-leur le reproche que je vous adressais : de ne pas se soucier de ce dont il faut se soucier et de se croire quelque chose, alors que l'on ne vaut rien. Si vous faites cela, vous ferez preuve de justice **[42a]** envers moi comme envers mes fils.

Mais voici déjà l'heure de partir, moi pour mourir et vous pour vivre. De mon sort ou du vôtre lequel est le meilleur? La réponse reste incertaine pour tout le monde, sauf pour la divinité.

NOTES

à la traduction de l'*Apologie de Socrate*

1. Lorsqu'il fit réaliser une édition annotée de Platon, qui rajeunissait l'édition faite à Alexandrie au IIIᵉ siècle av. J.-C., T. Pomponius Atticus, un ami de Cicéron, adopta le classement tétralogique des dialogues (par groupe de quatre, sur le modèle du classement adopté par les tragédies) peut-être proposé par Dercyllide, classement qui se retrouve par ailleurs dans le catalogue de Thrasylle qui comprend neuf groupes de quatre dialogues. Aussi bien dans celui-ci que dans les manuscrits médiévaux, dont les plus anciens remontent à la fin du IXᵉ siècle apr. J.-C, on trouve, pour chaque dialogue, un titre et deux sous-titres. Le titre correspond en général au nom de l'interlocuteur principal. Le premier sous-titre indique le sujet (*skopós*) et le second le caractère (l'orientation philosophique générale) du dialogue. Suivant Diogène Laërce (III, 50, 58), l'*Apologie de Socrate* faisait partie, avec l'*Euthyphron,* le *Criton* et le *Phédon,* de la première tétralogie qui raconte la fin de Socrate ; elle ne comportait pas de premier sous-titre, probablement parce que son titre était suffisamment « explicite », et elle était tout naturellement classée sous l'« étiquette « éthique ».

2. L'exorde (*tò prooímion*), qui va de 17a à 18a, peut être mis en parallèle avec celui de différents orateurs : le refus d'être considéré comme un orateur redoutable (Lysias, *Contre Ératosthène* [XII], 3 ; Isée, *La Succession d'Aristarchos* [X], 1) ; la mise en garde contre le danger d'être abusé (Isocrate, *Sur l'échange* [XV], 38) ; le fait de n'être pas familier avec le Tribunal (Isocrate, *Sur l'échange* [XV], 38) ; le fait de solliciter l'impartialité (Lysias, *Sur les biens d'Aristophane* [XIX], 2-3) ; la mise en garde comme les manifestations bruyantes (Eschine, *Sur l'ambassade infidèle* [II], 24) ; le rejet d'un style ne convenant pas à un homme d'âge mûr (Isocrate, *Panathénaïque* [XII], 3).

3. Socrate n'emploie pas la formule habituelle *ô ándres dikastaí,* c'est-à-dire « juges ». Mais on apprendra plus bas (40a) que c'est de façon délibérée que Socrate utilise la formule *ô ándres Athenaîoi* (*Gorgias* 522c1-2). En effet, avant qu'ils n'aient formulé leur verdict, Socrate ne peut vraiment pas dire que les Athéniens sont des

juges. En outre, même s'il semble connaître les ficelles du métier, Socrate aborde ce procès, comme s'il s'agissait d'une des conversations habituelles qu'il a avec ses concitoyens. Sur ce point, cf. 17c-d.

4. Dans le *Ménexène* (234c-235c), Socrate développe avec beaucoup de clarté l'idée suivant laquelle tout l'art de l'orateur consiste à « manipuler » ses auditeurs. Voilà pourquoi la rhétorique peut être assimilée aux charmes de la magie ; elle transforme le comportement de ses destinataires à leur insu.

5. Socrate oppose sa conception de l'éloquence à celle de ses accusateurs qui viennent de terminer leur discours, cf. l'Introduction, p. 23-26.

6. Socrate utilisera les mêmes termes en 20d et en 33c. Cette répétition marque son insistance sur ce point.

7. Les termes *rhêmata* et *onómata* semblent ici être pris dans leur sens rhétorique, et non dans leur sens grammatical et logique ; *rhêmata* fait référence à des mots et *onómata* à des combinaisons de mots. Pour des lieux parallèles, cf. *Banquet* 198b, 199b et 221e.

8. C'est en ces termes que Socrate présente dans le *Banquet* (199a-b) l'éloge qu'il va faire d'Éros.

9. Le terme *meirákion* désigne une tranche d'âge qui va de quatorze à vingt et un ans. En rhétorique, le style approprié à un *meirákion*, qui contrôle mal ses émotions et son expression, est souvent opposé au style approprié à l'âge mûr, cf. Platon, *Ménexène* 236c, Isocrate, *Panathénaïque* [XII], 3, Aristote, *Rhétorique* III 11, 1413a29-b2.

10. Cf. la carte (II) de l'agora. Il semble que les comptoirs des changeurs étaient alors regroupés dans un coin de l'agora. Cf. H.A. Thompson et R.E. Wycherley, *The Agora of Athens*, op. cit., p. 171, n. 12.

11. Le terme *thorubeîn* fait référence à une réaction d'indignation qui peut se traduire par du tapage. Il semble que ce soit toujours le cas dans l'*Apologie* (20 e, 21a, 27b, 30c). Cependant, dans d'autres contextes, le même verbe peut exprimer une réaction d'admiration et d'encouragement se manifestant notamment par des applaudissements (*Euthydème* 276d, 303b ; *République* VI 492c).

12. Un problème textuel rend controversée toute estimation précise de l'âge de Socrate. Suivant les manuscrits, Socrate est âgé ou bien de soixante-dix ans lors de son procès ou bien de plus de soixante-dix ans. Pour une discussion détaillée, cf. *DPhA* II, 1994, éd. R. Goulet, s.v. Démocrite d'Abdère, p. 664 et 672 [Denis O'Brien].

13. C'est-à-dire la justice. Les juges juraient en effet de rendre un jugement juste, cf. l'Introduction, n. 3, p. 22.

14. Conclusion qui reprend l'idée, particulièrement paradoxale dans le contexte, émise plus haut en 17b, à savoir que celui qui parle au Tribunal, accusateur ou accusé, doit dire la vérité, alors que, en réalité, seul le vraisemblable compte en de telles circonstances, comme l'explique bien Platon à la fin du *Phèdre*. À la limite, cet idéal de vérité amènerait la disparition du tribunal, car la vérité ne peut être objet de délibération (cf. n. 6).

15. Socrate passe à l'exposé de son plan de défense (*próthesis*) qui va de 18a à 19a. Il distingue deux groupes d'accusateurs : les anciens qui l'ont présenté comme un « intellectuel », faisant porter ses recherches sur la nature et habile à faire prévaloir l'argument le plus faible sur l'argument le plus fort, et les nouveaux qui l'accusent de délits dans le domaine de la religion et de corruption de la jeunesse.

16. Socrate présente une ligne de défense inhabituelle, qui fait passer au second plan les accusations spécifiques auxquelles il doit faire face au cours de son procès, en rappelant dans un premier temps les accusations antérieures.

17. Les premiers accusateurs ont répandu sur le compte de Socrate des calomnies (*diaboloí*), sur lesquelles les nouveaux accusateurs se sont appuyés pour rédiger la plainte (*graphēn*) qu'ils ont déposée devant l'archonte-roi. Voilà comment Socrate s'emploie à justifier sa stratégie.

18. Sur ces accusateurs, cf. l'Introduction, p. 23-25.

19. On trouve ici le terme *paîs*, qui fait référence à une classe d'âge allant de sept à quatorze ans. Cela donne peut-être une idée de l'âge moyen des juges. On se trouve en 399, et les *Nuées* d'Aristophane, auxquelles il est ici fait allusion, furent représentées en 423. Cela signifie que les membres du jury sont âgés de trente ans au moins, ce qui correspond bien à la réalité. Sur le sujet, cf. l'Introduction, p. 22.

20. En grec ancien, on trouve *tá te meteōra phrontistēs*. Le terme *phrontistēs* sert souvent à qualifier Socrate : on le retrouve chez Xénophon (*Banquet*, VI, 6). Le verbe correspondant (*phrontizeîn*) est rapporté à Socrate dans le *Banquet* (220c). Par ailleurs, le terme *tà meteōra* désigne avant tout les corps célestes, objet d'étude privilégié pour ceux qui s'intéressent à la nature, c'est-à-dire la plupart des « présocratiques », suivant la façon de parler habituelle. Voilà pourquoi au IVᵉ siècle, celui qui s'intéresse aux *meteōra* correspond dans la mentalité populaire à quelqu'un qui pourrait maintenant être qualifié de « philosophe », terme dont le sens sera fixé par Platon. Sur cette accusation qui fait intervenir les *meteōra*, cf. Luc Brisson, « L'unité du *Phèdre* de Platon. Rhétorique et philosophie dans le *Phèdre* », *Understanding the* Phaedrus. *Proceedings of the II Symposium Platonicum*, International Plato Studies 1, Sankt Augustin, Academia Verlag, 1992, p. 61-76, qui s'inspire notamment de Claude Gaudin, « Remarques sur la "météorologie" de Platon », *Revue des Études anciennes* 72, 1970, p. 332-343.

21. Sur ce genre de recherches rapporté à Socrate, cf. Aristophane, *Nuées*, v. 188, et le mythe à la fin du *Phédon*.

22. Cette formule est empruntée à Protagoras, DK 80 B 6b, mais elle est interprétée en un sens purement négatif par Aristophane qui, dans les *Nuées* (v. 112, v. 889 sq.), parle de faire prévaloir le faux et l'injuste (pour plus de détails, cf. l'Introduction, p. 29-30). Il s'agit probablement là d'une extrapolation à partir de la notion de *sképsis en lógois* qui caractérise l'activité de Socrate dans le *Phédon* (99e). Deux autres textes intéressants, Xénophon, *Économique*, XI, 25 ; Isocrate, *Sur l'échange* [XV], 15.

23. Sur l'ambiguïté de l'expression *oudè theoùs nomízein,* cf. l'Introduction, n. 2, p. 37-38.

24. L'expression *erémēn katégoroûntes* est une expression technique qui désigne une accusation par défaut, comme l'explique la scholie. On en trouve de nombreux exemples notamment chez Démosthène, *Contre Boéthos* I [XXXIX], 87 ; *Contre Boéthos* II [XL], 17.

25. Aristophane, bien sûr, dans les *Nuées,* représentées en 423. Sur le sujet, cf. l'Introduction, p. 26-37. Même si Aristophane ne meurt qu'en 385, il est peu vraisemblable qu'il ait assisté au procès de Socrate ; et, de toute façon, il n'était pas sommé de comparaître, cf la note précédente.

26. Cf. *Euthyphron* 3b.

27. Comme le boxeur à l'entraînement, cf. *Lois* IX 830c ; l'expression anglaise « *shadow-boxing* » est très parlante.

28 Socrate rapproche ici la pratique de l'*elenchos* de celle de l'*erótēsis,* cf. Lysias, *Contre Ératosthène* [XII], 24 sq., et l'*erótēsis* à laquelle Socrate soumet Mélétos, cf. *infra* 24c-28a.

29. Ici commence la réfutation (*lúsis*) qui s'étend de 19a à 28a et que Socrate met en œuvre contre ses anciens (19a-24b), puis contre ses nouveaux (24b-28a) accusateurs.

30. Socrate reviendra sur ce point, après avoir été condamné. Pour l'expression de la même idée au cours d'un procès réel (Antiphon, *Sur le meurtre d'Hérode* [V], 19).

31. On trouve sur ce point un désaccord entre Platon et Xénophon. Alors que le Socrate de Platon fait de sérieux efforts pour convaincre les juges (*Apologie* 18e-19a), le Socrate de Xénophon se montre délibérément provocateur, parce qu'il estime qu'une condamnation serait une occasion d'échapper aux maux de la vieillesse (Xénophon, *Mémorables,* IV, 8, 6-8 ; *Apologie,* 1 et *passim*).

32. Pour la formule, cf. Sophocle, *Œdipe roi,* v. 1458.

33. Socrate commence par se défendre contre ses anciens accusateurs (19a-24b). Cette défense comprend une partie négative, dans laquelle Socrate se défend d'être un « philosophe de la nature » (19a-d) ou un « sophiste » (19d-20c), et une partie positive (20c-21a), dans laquelle Socrate tente de montrer quel genre d'homme il est.

34. Cf. 18d et 19a.

35. Peut-être une allusion à cette accusation en *Phédon* 70b-c.

36. Les *Nuées* représentées en 423 ; sur le sujet, cf. l'Introduction, p. 26-37

37. Une allusion aux *Nuées,* v. 218 sq., où Socrate se balance dans un panier au bout d'une corde amarrée à un crochet.

38. Cf. *Nuées,* v. 225 : « *aerobatô kaì periphronô tòn hélion* ».

39. On retrouve le verbe *epaíōn* en ce sens dans le *Criton* 47b-48a.

40. Dans l'*Apologie,* les termes *sophía* et *epistémē* sont interchangeables.

41. Socrate semble partager le scepticisme de la plupart des gens à l'égard des philosophes de la nature, scepticisme sur lequel jouait Aristophane dans les *Nuées.*

42. Cet appel au souvenir des juges semble conforme à la procédure judiciaire à Athènes : Andocide, *Sur les mystères* [I], 17, 46, 69 ; Démosthène, *Contre Évergos et Mnésiboutos* [XLVII], 44.

43. Socrate ne prétend pas n'avoir eu aucun intérêt pour les problèmes relatifs à la nature ; il se défend d'être un expert en la matière et d'en discuter avec ses concitoyens. Une telle ligne de défense modifie considérablement les jugements que l'on peut porter sur son autobiographie dans le *Phédon* (96a sq.).

44. Considéré par Platon comme un « rhéteur », Gorgias, qui était originaire de Léontinoi en Sicile, aurait vécu jusqu'à un âge très avancé ; né aux alentours de 485 av. J.-C., il était toujours vivant au IIIe siècle. On racontait qu'il avait connu Empédocle et qu'il était venu à Athènes en 427 av. J.-C. avec l'ambassade envoyée par Léontinoi pour persuader les Athéniens de conclure avec sa colonie une alliance contre Syracuse. Profitant de l'occasion, il aurait prononcé un discours devant l'Assemblée qui aurait fait l'admiration de tous. Il aurait beaucoup voyagé dans le monde grec, sans s'établir définitivement dans aucune cité ; c'est au cours de ces voyages qu'il aurait parlé à Olympie, à Delphes, en Thessalie, en Béotie et à Argos. À Athènes, où il aurait eu des disciples (*Hippias majeur* 282b-c) qui lui auraient versé d'importantes sommes d'argent, il prononça des discours épidictiques, c'est-à-dire des discours qui lui permettaient de faire montre de son habileté oratoire sur des thèmes divers et suivant des règles établies à l'avance. Son traité *Sur le non-être* ou *Sur la nature* aurait été écrit durant la LXXXIVe olympiade, c'est-à-dire entre 444 et 441 av. J.-C. Des résumés, des fragments ou des témoignages ont survécu de certains discours intitulés : *Oraison funèbre*, *Discours olympique*, *Discours pythique*, *Éloge des Éléens*, *Éloge d'Hélène*, *Défense de Palamède*. Il est possible qu'il ait écrit un *Manuel de rhétorique*.

45. Prodicos était originaire de l'île de Céos dans les Cyclades, tout comme le poète Simonide. Il serait né avant 460 av. J-C. et il était toujours vivant lorsque Socrate mourut en 399. Il participa à plusieurs ambassades envoyées par Céos à Athènes, et il parla une fois devant la Boulè (le Conseil). Tout comme Gorgias, il prononçait des discours épidictiques et des cours privés, gagnait beaucoup d'argent et allait de cité en cité. Xénophon fut tellement impressionné par l'un de ces discours, le *Choix d'Héraclès* qui appartenait à un ouvrage intitulé *Les Saisons*, qu'il en proposa un résumé en le mettant dans la bouche de Socrate (*Mémorables* II, 1, 21-34) ; Platon, lui aussi, fait référence à cet apologue (*Banquet* 177b). On attribuait encore à Prodicos, qui semble s'être aussi intéressé à certains aspects théoriques de la rhétorique (*Phèdre* 267b), un discours *Sur la nature de l'homme* (Cicéron, *De l'orateur*, III, 128 ; Galien, *Des facultés naturelles* II 9 = III 195 Helmreich). Le personnage était surtout fameux pour ses recherches sur la rectitude des termes (Platon, *Protagoras* 337a-c, 340a-341b, *Ménon* 75e, *Euthydème* 277e, *Lachès* 197b, 197d, *Charmide* 163a-163b, 163d ; Aristote, *Topiques* II 6, 112b22). On ne sait rien de certain sur la mort de Prodicos, que, par ailleurs, mentionnent deux dialogues platoniciens apocryphes (*Axiochos* 366b-c, et *Éryxias* 397d).

46. Originaire d'Élis, Hippias semble avoir été un contemporain de Prodicos, si l'on en croit Platon dans le *Protagoras* (337c sq.). Il était toujours vivant en 399 av. J.-C. Dans l'*Hippias majeur* (368b), Hippias prétend être versé dans tous les arts. Un jour qu'il s'était rendu à Olympie, raconte-t-il, tous les objets qu'ils portaient sur lui étaient de sa fabrication. Pour l'occasion, il avait composé des poèmes, des épopées, des tragédies, des dithyrambes et de nombreux discours sur tous les sujets et dans tous les styles. Il possédait une connaissance supérieure à tous en ce qui concerne les rythmes, les accents et la rectitude des termes. Son savoir s'étendait à l'astronomie, aux mathématiques, à la géométrie, à la généalogie, à la mythologie, à l'histoire, à la peinture, à la sculpture, à l'étude de la fonction des lettres, des syllabes, des rythmes et des échelles musicales. Il se vantait d'avoir été l'inventeur de la mnémotechnique (cf. aussi Xénophon, *Banquet*, IV, 62). De ses œuvres ne subsistent que des fragments d'une *Élégie*, d'une liste de *Noms de peuples*, d'un *Registre des vainqueurs olympiques*, et d'un *Recueil* où il aurait rassemblé différents passages d'ouvrages connus, des histoires et des informations diverses sur l'histoire des religions et sur des sujets similaires. Cet ouvrage semble avoir eu une grande influence. Enfin, dans son *Commentaire au premier livre des* Éléments *d'Euclide* (272.3 sq. Friedlein), Proclus attribue à Hippias l'invention d'une méthode pour arriver à la quadrature du cercle

47. Critique souvent portée par Platon contre les sophistes (cf. *Protagoras* 316c, et le début du *Timée*) ; ce sont des étrangers qui vont de cité en cité sans se fixer nulle part.

48. Pour des passages parallèles, cf. *Cratyle* 391b, et *Théagès* 128a.

49. Il s'agit d'Événos de Paros (une île des Cyclades). Dans le *Phédon*, il est présenté par Cébès comme quelqu'un qui compose des poèmes (*Phédon* 60c-d), même si Simmias le tient pour un philosophe (*Phédon* 61c). Dans le *Phèdre* (267a), il est considéré comme un rhéteur.

50. On apprend dans le *Phédon* (60d) qu'Événos de Paros était encore à Athènes un mois plus tard, car Cébès a parlé avec lui la veille.

51. Fils d'Hipponicos, Callias, né entre 455 et 450 av. J.-C., est l'héritier de l'une des plus riches familles de la Grèce. Une partie de cette fortune provenait de l'exploitation des mines du Laurion ; suivant Xénophon (*Revenus*, 4, 15), Callias y possédait six cents esclaves qui lui rapportaient, après déduction d'impôts, la somme d'1 mine par jour (cf. n. 2, p. 43, pour une estimation de cette somme). Pour assurer le développement de son capital, Callias possédait aussi une banque (Andocide, *Sur les mystères* [I], 130) et plusieurs propriétés immobilières Beau-frère d'Alcibiade, qui épousa sa sœur Hipparétè, Callias appartenait au *génos* des Kérykes, une famille qui s'occupait de la célébration des mystères d'Éleusis. Dans un contexte particulièrement sombre que décrit Andocide dans une plaidoirie prononcée en 399, où se mêlent inceste, héritage et pouvoir politique, Callias fut marié trois fois. Il épousa d'abord une fille

de Glaucon de Céramique. Ce mariage dut être célébré entre 425 et
420, car le fils, Hipponicos, que lui donna sa première épouse est
adulte en 399, lorsqu'il réclame en mariage la seule fille héritière
d'un certain Épilycos (Andocide, *Sur les mystères* [I], 120-121). La
seconde épouse de Callias est la fille d'un certain Ischomachos
(*Ibid.* [I], 124-125) et de la Chrysilla qui deviendra la troisième
épouse de Callias (*Ibid.* [I], 127). Le second mariage de Callias
dura moins d'un an; la fille fut répudiée au profit de la mère, Chrysilla (*Ibid.* [I], 121). En tout cas, entre la date de ce mariage, c'est-
à-dire en 413 ou après, et celle du procès de 399, Chrysilla avait
déjà été répudiée. Mais, enceinte à ce moment-là, elle donna naissance à un fils que Callias commença par renier avant de le
reconnaître alors qu'il était déjà grand. Par la même occasion, il
reprit Chrysilla. Ce fils que donna Chrysilla à Callias est probablement le second enfant auquel fait allusion Socrate au cours du procès, le premier devant être Hipponicos. Platon (*Apologie* 20a, *Cratyle* 391c) et Xénophon (*Banquet*) représentent ce personnage,
renommé pour ses richesses (Lysias, *Sur les biens d'Aristophane*
[XX], 48, cf. pseudo-Platon, *Éryxias* 395a) comme un bienfaiteur
des sophistes; c'est chez Callias, probablement dans une des maisons qu'il possédait à Athènes, que se situe la scène décrite dans le
Protagoras. En outre, Callias entretint directement ou indirectement
des liens nombreux et puissants avec Socrate et son groupe. C'est
dans une autre de ses maisons, au Pirée cette fois, que se situe la
scène du *Banquet* de Xénophon. Son demi-frère, Hermogène, joue
un rôle considérable dans le *Cratyle* (391c). Et le Protarque, qui est
l'interlocuteur de Socrate dans le *Philèbe*, qui dit être le fils de Callias (19b) et qui reprend une idée de Gorgias (58a), pourrait bien
être le fils que donna Chrysilla à Callias, comme le croient Wilamowitz et Friedländer, à la différence de Hackforth.

52. Les deux fils auxquels fait ici allusion Socrate pourrait être
Hipponicos qu'il eut avec la fille de Glaucon et Protarque qu'il eut
avec Chrysilla et que, pendant un moment, il refusa de reconnaître.
Hipponicos est déjà un adulte en 399, alors que le fils de Chrysilla,
peut-être Protarque, n'est qu'au début de l'adolescence. Mais peut-
être s'agit-il d'autres personnages?

53. On touche là un point fondamental. Pour enseigner, il faut
posséder un savoir; car enseigner consiste à transmettre ce savoir.
Tout le reste de l'argumentation découle de ce postulat.

54. Prenons pour acquis que, à cette époque, 1 drachme représentait le salaire moyen quotidien d'un ouvrier qualifié. Comme il
fallait 100 drachmes pour faire 1 mine, le salaire demandé par Événos est de 500 drachmes, soit deux ans de salaire, ce qui ne semble
pas excessif, surtout pour Callias qui était l'homme le plus riche
d'Athènes. Vlastos a calculé que l'architecte de l'Érechteion, d'après
les comptes de la construction (409-406 av. J.-C.), recevait 3 mines
et 60 drachmes par an, tandis qu'Isocrate demandait 10 mines à un
étudiant pour trois ou quatre ans d'études et indique que les
sophistes allaient jusqu'à 4 mines. Par ailleurs, suivant l'*Alcibiade*
119a, Callias aurait versé 100 mines à Zénon, ce qui paraît une

somme invraisemblable. Au début de l'*Hippias majeur*, Hippías ren-
chérit sur les sommes déjà élevées que mentionne Socrate, mais il
s'agit là de revenus tirés d'auditoire, et il faut faire la part de la van-
tardise.

55. Autre postulat : il y a équivalence entre art (*tékhnē*) et savoir
(*epistémē* ou *sophia*).

56 Ici commence la partie positive de la réfutation, celle où
Socrate va expliquer qui il est et quelle est l'origine des calomnies
qui courent sur son compte. Il s'agit de l'exposé des faits (*diégēsis*)
qui va de 20c à 24b Après avoir été informé de la réponse de
l'oracle (20c-21a), Socrate cherche à comprendre ce qu'elle signifie
(21b-22e) ; il interroge les hommes politiques (21b-e), les poètes
(21e-22c) et les gens de métiers (22c-e). Les résultats de cette
enquête (22e-24b) sont les suivants : les calomnies commencent à
se répandre sur le compte de Socrate (22e) qui comprend qu'Apollon lui a donné une tâche à remplir (23a-c). Socrate fait des émules
(23c-e) ce qui accentue le mouvement de calomnies qui ont mené
Socrate au tribunal (23e-24b).

57. Cf. 19a-b. Ces calomnies ont pour origine l'examen auquel
Socrate a soumis ses concitoyens dans le but de comprendre ce que
voulait dire l'oracle.

58. On peut se demander avec Cobet s'il ne s'agit pas là d'une
interpolation. Ce membre de phrase qui ne se rattache à rien se
borne à reprendre en d'autres mots ce qui vient d'être dit.

59. Le nom en question, c'est celui de *sophós* (cf. 18b, 20d, 23a,
38c), et la calomnie, celle que formule l'acte d'accusation fictif.

60. Exigence qui inspire le discours de Socrate, cf. 17b, 18a.

61. L'expression *anthrōpínē sophia* me semble faire référence à
un domaine limité à l'homme et aux affaires humaines, comme
viendraient le confirmer les *Mémorables* (I, 1, 12) dans lesquelles
Xénophon oppose ce savoir à celui qui porte sur la nature.

62. C'est-à-dire Gorgias, Prodicos et Hippias.

63 L'expression *hou gàr emòs ho mûthos, hòu méllō légein* ouvre le
discours d'Éryximaque (*Banquet* 177a) qui déclare l'emprunter à la
Mélanippe d'Euripide. L'expression est citée dans sa totalité par
Denys d'Halicarnasse (*Rhet.*, IX, 11) : *kouk emòs ho mûthos, all'
emês mētròs para*.

64. Le terme *axiókhreōn* est un terme technique qui sert à qualifier un témoin « digne de foi », par exemple chez Démosthène,
Contre Boéthos, II, [XL], 61).

65. Apollon qui préside à l'oracle de Delphes.

66. Il était mort à l'époque du procès, cf. 21a. Ami d'enfance de
Socrate, il est mis en scène dans les *Nuées* (v. 144-164), où il apparaît comme une sorte d'« assistant » de Socrate. Lorsqu'il évoque le
physique de Chéréphon, le poète comique l'assimile à une « chauve-
souris », elle-même assimilée dans l'*Odyssée* (XXIV, 6) à un fantôme ; aussi est-ce à un fantôme qu'Aristophane compare Chéréphon dans les *Guêpes* (v. 1408-1413). Chéréphon avait un tempé-
rament impétueux (ici et Xénophon, *Apologie*, 14). Au début du
Charmide, Platon décrit ainsi l'accueil qu'il fait à Socrate de retour

du siège de Potidée : « En me voyant à l'improviste y pénétrer [dans la palestre de Tauréas], aussitôt, chacun de sa place, ils me faisaient bonjour à distance. Mais Chéréphon, comme un fou [*manikós*] qu'il est, bondissant hors de son cercle, courait vers moi : "Socrate, me dit-il en me prenant la main, comment as-tu pu sortir, sain et sauf, de la bataille?" » (153b). Dans le *Gorgias*, Chéréphon intervient, mais très peu. On notera que Calliclès s'adresse à lui pour lui demander : « Dis-moi, Chéréphon, est-ce que Socrate parle sérieusement? est-ce qu'il plaisante? » (481b).

67. Socrate joue sur les deux sens de *hetaîros* : ami et partisan. Chéréphon était en effet un démocrate convaincu, un ami et un partisan « du peuple » (c'est ainsi que j'ai traduit *tôi plêthei*) qui joua un rôle politique effectif.

68. Je paraphrase le *taútēn*, pour rendre plus claire l'allusion aux troubles de 404, à la suite de la prise du pouvoir par les Trente. Sur tout cela, cf. l'Introduction, p. 63-65.

69. Il est impossible de fixer une date à cette consultation. Il semble que ce soit là un choix stratégique de Platon, cf. l'Introduction, p. 66-67.

70. Il est très difficile de savoir de quelle façon se fit cette consultation. Sur les conséquences de la réponse de l'oracle, cf. l'Introduction, p. 67-73.

71. Chérécrate, le frère de Chéréphon (cf. n. 66), est aussi présenté comme un disciple de Socrate (Xénophon, *Mémorables*, I, 2, 48). Dans les *Mémorables* (II, 3), Socrate intervient pour apaiser une querelle entre les deux frères. Selon Diogène Laërce (II, 120), Stilpon aurait écrit un *Chérécrate* et un *Callias*.

72. En grec ancien, on trouve *ainíttesthai*, le verbe habituellement utilisé quand il s'agit de l'oracle de Delphes. Déjà Héraclite avait formulé ce principe : « Le maître à qui appartient l'oracle, celui de Delphes, ni ne dit ni ne cache; il indique. » (DK 22 B 93, trad. Bollack-Wismann). En d'autres termes, l'oracle est souvent exprimé en langage à double sens, qu'il s'agit de déchiffrer.

73. C'est un postulat pour Platon (*République* II et III) ; un dieu doit être bon et, donc, il ne peut mentir. L'expression *ou thémis estí* est à prendre ici dans son sens fort; elle désigne une règle qui s'applique à tous les êtres, y compris aux dieux. Sur l'impossibilité pour les dieux de mentir, cf. plus précisément *République* II 383a.

74. Socrate va trouver trois catégories de gens considérés comme des savants : les hommes politiques (21b-e), les poètes (21e-22c) et les gens de métier (22c-e). Les hommes politiques donnent l'impression de ne posséder ni savoir ni capacité particulière. Les poètes possèdent une véritable compétence, qui est fondée non sur un savoir particulier, mais sur un talent indépendant de la raison et résultant d'une possession divine, qui peut être comparée à celle que manifestent les devins et les praticiens d'initiation. Seuls les gens de métier possèdent un véritable savoir. Mais cela ne les sauve pas de l'ignorance (*amathia*). Car il y a deux sortes de savoir (*sophia*). L'un implique des lois qui s'appliquent dans un domaine

défini et qui doivent atteindre des buts spécifiques déterminant leur efficacité. L'autre est un savoir qui prescrit quels buts doivent être subordonnés aux autres. C'est le savoir des « choses les plus importantes » (22d), qui porte sur le bien, le savoir que l'*Euthydème* (291b-292d) qualifie d'« art royal ». Alors qu'un forgeron ne prétend pas avoir la compétence du charpentier, il considère savoir à quoi s'en tenir dans le domaine des choses les plus importantes. Il est difficile de ne pas voir là une critique de la démocratie, telle qu'elle se trouve présentée dans le mythe du *Protagoras*, et par ricochet, une critique d'Anytos.

75. Socrate projette de réfuter l'oracle, c'est-à-dire de lui faire admettre le contraire de ce qu'il a dit, convaincu qu'il n'est pas le plus savant des hommes. Comme il ne peut le faire directement, il use d'un moyen détourné. S'il trouve un homme plus savant que lui, il aura réfuté l'oracle. D'où ses questions à ses concitoyens qui se prétendent en possession d'un savoir : homme politique, poète, artisan.

76. Répétition surprenante ; serait-ce une autre interpolation, comme on l'a pensé ?

77. Traduction libre de l'expression *kalòs kagathós*.

78. Peut-être une allusion à l'animosité des hommes politiques qui aurait déclenché les poursuites contre Socrate.

79. Serment qui fait probablement allusion à Anubis, le dieu égyptien à tête de chien, et qui s'inscrit dans cette tendance que manifeste toute civilisation de transformer l'usage des *nomina sacra* pour éviter le blasphème ; « parbleu », « sacrebleu » en français par exemple. Ce serment n'est pas particulier à Socrate. Aristophane le met dans la bouche d'un esclave (*Guêpes*, v. 83). On ne peut à partir de là tirer aucune conclusion sur l'éventualité d'un voyage de Platon en Égypte ou sur une influence de l'orphisme sur Socrate. Pour plus de détails, cf. l'article par Ilse Tödt, « Beim Hunde », *Platon-Miniaturen für Georg Picht*, Heidelberg, 1987, p. 73-90.

80. Allusion ironique aux travaux d'Héraclès. Sur ce thème développé par les pythagoriciens et repris par les cyniques et par les néoplatoniciens, cf. l'article de Marcel Detienne, « Héraclès, héros pythagoricien », *Revue de l'histoire des religions* 158, 1960, p. 19-53, celui de Pépin, « Héraclès et son reflet dans le néoplatonisme », *Le Néoplatonisme* [Actes du Colloque international de Royaumont 1969], Paris, 1971, p. 167-192, et celui de Nicole Loraux, « Socrate, Platon, Héraclès : sur un paradigme héroïque du philosophe », *Histoire et Structure, à la mémoire de Victor Goldschmidt*, éd. par Jacques Brunschwig, Claude Imbert et Alain Roger, Paris, Vrin, 1985, p. 93-105.

81. Sur ces différents types de poètes qui participaient à Athènes à des concours présentant des aspects aussi bien esthétiques que politiques et religieux, cf. Luc Brisson, *Platon, les mots et les mythes* [1982], Paris, La Découverte, 1994, p. 61-68.

82. L'expression s'oppose aux notions d'apprentissage et d'éducation, comme on le constate chez Pindare (*Olympiques*, II, 24).

83. Comme l'explique Platon dans l'*Ion*, surtout en 533e.

84. Dans le *Phèdre* (244a-245c, 265b-c), Socrate rappelle comment poésie, divination et pratique d'initiation (aux mystères) ne dépendent pas d'un usage habituel de la raison, mais relèvent d'une folie dispensée par les dieux. Cela dit, on trouve ici le couple *hoi theománteis kaì hoi khrēsmōidoí*, que l'on retrouve aussi avec deux articles dans le *Ménon* (99c). Le second terme (*khrēsmōidós*) fait référence (Thucydide, II, 8,2, 21,3, cf. 54.2) à un individu différent du *mántis* (Aristophane, *Oiseaux*, v. 960, *Paix*, v. 1047). Le *mántis* est un personnage public désigné officiellement et qui donne des réponses originales aux questions posées par des consultants. En revanche, un *khrēsmológos* est un individu qui, à titre privé, choisit dans un recueil de réponses oraculaires versifiées (des *khrēsmoí*) celle qui correspond le mieux à une question qui vient de lui être posée (*Paix*, v. 1046-1047).

85. Socrate dit la même chose des hommes politiques dans le *Ménon* 99c.

86. Ce passage est parallèle à un passage de l'*Ion* (534c) qui évoque le poète en termes similaires et qui fait aussi référence à ceux qui rendent des oracles.

87. Étymologiquement, ceux qui « travaillent de leurs mains » (*kheirótéknes*); un peu plus loin (22d, 23e), ils seront appelés *dēmiourgoí*. Il s'agit d'un groupe qui inclut non seulement les manœuvres, mais aussi les peintres et les sculpteurs notamment. Ce sont les seuls auxquels Socrate reconnaît la possession d'un certain savoir, qui n'est cependant pas celui qu'il recherche, lui. Mais le savoir des *dēmiourgoí* se trouve dévoyé par la prétention à un savoir qu'ils ne possèdent pas, celui qui touche à la politique notamment.

88. Pour *tâlla*, cf. 22b. L'expression *tà mégista* fait référence aux questions touchant l'excellence qui convient à l'homme et au citoyen, *Protagoras* 319c-d, 322d-e sq., 324c. Voici un inventaire des occurrences où *tà mégista* prend ce sens : *Gorgias* 451d, 487b, 527e, *République* VI 497a, 504e, X 599c-d; *Lois* III 688c, X 890b, *Sophiste* 218d, *Politique* 285e. Souvent le terme renvoie à des questions concernant le bien et ressortissant à l'éthique et à la politique.

89. Après avoir rappelé que l'oracle était à l'origine de son enquête, après avoir énuméré les catégories de personnes qu'il a soumises à cette enquête, Socrate examine les conséquences. C'est le mécontentement des gens soumis à cette enquête qui est à l'origine des calomnies dont il est la victime (22e-23a). Mais cette enquête doit être poursuivie, car elle équivaut à une mission assignée à Socrate par Apollon (23a-c). Et comme Socrate a fait des émules, la haine contre lui s'est accrue (23c-e). C'est cette haine qui a inspiré la plainte de Mélétos (24b).

90. Comme le fait remarquer Aristote (*Réfutations sophistiques* 11, 172a23-27), pour mettre à l'épreuve le savoir de son interlocuteur, il n'est pas nécessaire d'être soi-même savant dans les domaines sur lesquels on l'interroge.

91. Ce thème est repris dans le *Lysis* (218a-b), le *Phèdre* (278d) et dans le *Banquet* (204a). Un homme peut être qualifié de *philósophos*, c'est-à-dire d'« aspirant au savoir » et non de *sophós* « savant », nom

réservé aux dieux. Deux attitudes caractérisent le *philósophos* : 1. il réalise qu'il est dépourvu de savoir, et 2. il recherche ce qu'il sait lui manquer et aspire ainsi à la vérité. Cela recoupe l'idée exprimée dans le *Banquet* (204a) et dans le *Phèdre* (278d), suivant laquelle seul le dieu peut être déclaré « savant (*sophós*) », l'homme se contentant « d'aspirer à être savant (*philósophos*) ». Dans l'*Hippias majeur* (289b), Socrate souscrit à la formule d'Héraclite, selon laquelle « l'homme le plus savant est à la divinité ce qu'un singe est à l'homme » (DK 22b83) ; voilà pourquoi un dieu n'a pas besoin de pratiquer la philosophie.

92. La divinité déclare non pas que le savoir humain n'a pas de valeur en un sens absolu, mais que le savoir humain n'a pas de valeur par comparaison avec le véritable savoir, celui qu'elle possède, elle.

93. Alors que, au point de départ, il se proposait de la réfuter, Socrate se trouve maintenant à confirmer la réponse du dieu.

94. Le grec dit : « assez pour qu'on en parle ». À ce propos, cf. 31c sq. et surtout 32a-b.

95. Socrate rappellera sa pauvreté en 38b. Cela dit, le fait que Socrate ait participé à des campagnes militaires comme hoplite implique qu'il devait payer son armure lourde, qui coûtait assez cher, et donc qu'il possédait quelques biens. Peut-être était-il devenu pauvre par la suite.

96. On trouve ici l'expression *tèn toû theoû latreían* qui exprime une idée formulée différemment en 30a *tèn emèn tôi theôi hupêresían* et qui correspond bien avec ce que vient de dire Socrate sur le fait qu'il prête main-forte au dieu (*tôi theôi boêthôn*). La première expression a des connotations religieuses très fortes, comme on le constate en *Phèdre* 244e : *theôn eukhás te kai latreías.*

97. En grec, le superlatif *miarótatos* est particulièrement dépréciatif.

98. Je traduis ici la conjecture d'Ast qui a été reprise par O'Sullivan (« On Plato's *Apology* 23c-d », *American Journal of Philology* 97, 1976, p. 114-116) et qui suggère de lire *aporoûsin* au lieu de *agnooûsin.*

99. Sur le sens de *prókheira*, « qui tombe sous la main », relire *Euthyphron* 7c. Ces accusations sont donc assimilées à des lieux communs.

100. Reprise elliptique de l'acte d'accusation fictif formulé en 19 b.

101. Je ne traduis pas *kaì tôn politikôn* qui suit le *tôn dêmiourgôn* et qui se trouve dans tous les manuscrits et chez Diogène Laërce. Dans l'*Apologie*, les hommes politiques ne sont jamais associés aux gens de métier. En revanche, les orateurs sont considérés comme de véritables hommes politiques ; le déplacement de *tôn politikôn* qui aurait dû suivre en l'explicitant *tôn rhêtorôn* vers *tôn dêmiourgôn* résulte soit d'une erreur matérielle, soit d'une mécompréhension du texte résultant d'une ignorance du contexte politique dans l'Athènes du IVe siècle de la part d'un copiste ou d'un érudit travaillant plusieurs siècles plus tard. Au IVe siècle, l'expression toute faite *rhêtores kaì stratêgoí* désigne les « leaders » politiques, ceux qui font voter à l'Assemblée du peuple des lois relatives à la paix et à la guerre et qui assurent leur réalisation, cf. n. 205, p. 150.

102. Cf. 19a.

103. Socrate va maintenant se défendre contre la plainte déposée contre lui par Mélétos (24b-28a). On a l'impression, en lisant cette défense, que le non-dit est plus important que le dit, notamment parce que, par suite de la loi d'amnistie de 403, les attaques politiques ne peuvent être ouvertement évoquées (cf. l'Introduction, p 52 et 54). Contre toute attente, la défense de Socrate se fait dans le cadre d'un interrogatoire auquel il soumet Mélétos et qui porte d'abord sur l'éducation (24c-26a), puis sur l'athéisme (26a-27e).

104. Le jeu de mots entre Mélétos et *mélein* (se soucier) qui donne *melétēs* (celui qui se soucie) reviendra très souvent par la suite.

105. L'interrogatoire (*erōtēsis*) à laquelle Socrate soumet Mélétos comporte deux parties. Dans la première (24c-26a), Socrate, jouant sur les mots, montre que Mélétos ne s'est jamais soucié des problèmes relatifs à l'éducation, alors que, dans la seconde (26a-27e), Socrate démontre que Mélétos se contredit sur la question de l'athéisme.

106 Dans l'*Apologie*, l'*erōtēsis* est très différente de ce que l'on trouve chez les orateurs. Alors que l'*erōtēsis* n'était qu'un instrument secondaire pour les prévenus et se trouvait intégrée dans leur défense, Socrate l'utilise de façon extensive. Pourquoi agit-il ainsi? Pour deux raisons : pour insérer dans l'*Apologie* un exemple de dialectique socratique, comme il l'indique lui-même dans le préambule (17c-d), non pas un court échantillon comme dans le cas de Callias (20a-b), mais un exemple assez long pour montrer l'effet produit sur l'interlocuteur. Et, deuxièmement, pour faire apparaître avec quelle légèreté Mélétos a lancé ses accusations contre Socrate. La première partie de cet interrogatoire examine deux questions : qui peut rendre les jeunes gens meilleurs (24c-25c)? est-il possible de corrompre de son plein gré (25c-26a)?

107. Cette question découle du principe suivant lequel c'est la même science qui s'occupe des contraires (Aristote, *Topiques* II 3, 110b20).

108. Sur les juges, cf. l'Introduction, p 21-23.

109. Dans le cas du procès de Socrate, on estime à plusieurs centaines (environ cinq cents) le nombre des juges ou plutôt des membres du jury.

110. D'après William M. Calder III, « The oath by Hera in Plato », *Mélanges Delebecque*, 1983, p. 33-42; cette formule de serment particulière aux femmes exprime l'admiration feinte. Platon le met six fois dans la bouche de Socrate (ici, *Gorgias* 449d; *Hippias majeur* 287a, 291e; *Phèdre* 230b; *Théétète* 154d). Dans ses *Mémorables*, Xénophon fait de même cinq fois (I 5, 5; III 10, 9; III 11, 5; IV 2, 9; IV 4, 9.

111. Dans l'Athènes de Socrate, le bien est mis en rapport avec l'avantage. Est bon ce qui apporte un avantage, et mal ce qui en prive ou empêche de l'acquérir. Les deux premiers discours du *Phèdre*, celui de Lysias lu par Phèdre et le premier discours de Socrate, constituent de bons exemples de cette réaction; encore

faut-il déterminer en quoi consiste le véritable avantage. On comprend dès lors que le bien contribue au bonheur (*eudaimonia*) qui constitue la fin ultime de l'être humain.

112. Le terme *akroatai*, terme technique, désigne les gens qui, dans l'auditoire, n'étaient pas juges. Les procès étaient publics, et tous pouvaient y assister : citoyens, métèques, esclaves.

113. La démocratie directe s'exprimant dans l'Assemblée du peuple ne pouvait fonctionner sans discontinuer. Le peuple délé-guait donc une partie de sa souveraineté à un corps qui constituait le seul organe représentatif du démos. Les bouleutes, au nombre de cinq cents à raison de cinquante par tribus, étaient tirés au sort parmi les candidats de chaque dème. Il n'y avait pas de condition de cens exigée. Et la fonction de bouleute était, depuis le milieu du Ve siècle, rétribuée. En fait, il est très vraisemblable que les bouleutes se recrutaient parmi les gens de condition relativement aisée ayant la possibilité de consacrer un an de leur vie à la cité. Certes la Boulè ne se réunissait pas tous les jours. Mais le bouleute devait consacrer entièrement à la cité au moins trente-six jours de l'année, ceux pen-dant lesquels la tribu exerçait sa prytanie ; au cours de cette période, les réunions du Conseil étaient nombreuses et fréquentes.

114. Le terme *ekklēsiastai* que l'on retrouve en *Gorgias* 452e et en *Euthydème* 290a est un terme rare. La forme régulière était *ekklēsiá-zousai*, cf. Aristophane. Le fondement de la démocratie athénienne reposait sur la souveraineté populaire qui s'exprimait essentielle-ment à travers les assemblées d'une part, les tribunaux de l'autre. L'Ecclésia, l'Assemblée du peuple, n'était pas à proprement parler une institution. C'était le peuple assemblé, et, théoriquement, au moins tous les citoyens athéniens avaient non seulement le droit, mais aussi le devoir d'assister aux séances. Il est à peine besoin de dire qu'une telle situation ne se présentait jamais, si l'on songe qu'il y avait au Ve siècle entre vingt mille et trente mille citoyens athé-niens. Seule une fraction du corps civique assistait effectivement aux séances, et la nécessité de réunir six mille votants lors des assemblées qui avaient à prendre des décisions importantes dit assez que ce nombre était rarement atteint.

115. Entre vingt mille et trente mille environ, comme on vient de le voir dans la note précédente. On peut trouver grotesque cette réponse de Mélétos, mais il faut se souvenir que l'idée suivant laquelle les vertus civiques doivent être transmises non par des spé-cialistes, mais par l'ensemble des citoyens, constitue une croyance de base pour les démocrates athéniens. On en voudra pour preuve le mythe de Protagoras. La même idée est formulée dans l'*Oraison funèbre* attribuée à Périclès (Thucydide II, 37, 1 ; 37, 3 ; 40, 2). Et Platon la met dans la bouche d'Anytos à la fin du *Ménon* (92e).

116. Une phrase qui semble courante durant un procès, cf. Iso-crate, *À Nicoclès* [II], 12, *Sur l'échange* [XV], 212. *Katagignōskein*, dans le sens d'imputer, cf. *Euthyphron* 2b et Démosthène, *Contre Onétor* I [XXX], 38.

117. Cf. *Criton* 47b.

118. Pour l'expression, cf. *Apologie* 26e, *Ménon* 71d et *Lois* II 662c.

119. En Grec, *ô tán* implique un ton condescendant, cf. G. J. de Vries, « Remarks on a Greek form of address », *Mnemosyne* 19, 1966, p. 225-230. Seule occurrence de cette expression familière dans un dialogue authentique de Platon.

120. Sur cette loi à laquelle fait allusion Platon dans les *Lois* (XII 965e), cf. Démosthène, *Contre Stéphanos* II [XLVI], 10 : « Les parties sont tenues de répondre aux questions qu'elles s'adressent l'une à l'autre. » (trad. L. Gernet). Cette règle vaut pour la phase de l'instruction et pour le jour de l'audience. Pour son application, cf. Lysias, *Contre Ératosthène* [XII], 24 sq.; *Contre Agoras* [XIII], 30, 32.

121. L'argumentation est simple dans sa structure. 1. Quiconque corrompt l'un de ses proches court le risque qu'on lui fasse du mal. 2. Personne ne recherche le mal de son plein gré. Par conséquent, 3. ou bien Socrate n'est pas un corrupteur ou, s'il l'est, ce n'est pas à dessein. Mais sa formulation est loin d'être aussi évidente.

122. Cf. *Euthyphron* 2b, où Mélétos est dit être « jeune et inconnu ».

123. Une allusion à ce que Socrate dit dans l'*Euthyphron* 5b. Un exemple est donné dans les *Lois* VII 845b-c.

124. Reprise de 24b. Dans les deux cas, Socrate est accusé non pas de ne pas reconnaître l'existence des dieux, mais de ne pas reconnaître les dieux que reconnaît la cité. Mais par la suite, Socrate déplace le centre de gravité de l'accusation qui porte sur l'existence même des dieux. D'où la contradiction dans laquelle tombe Mélétos.

125. En Grèce ancienne, on ne doutait pas que le soleil et la lune fussent des dieux, même si on ne leur rendait pas un culte public (*Cratyle* 397c-d). La prière de Socrate au soleil à la fin du *Banquet* (220d) semble constituer une exception en ce domaine.

126. L'expression très commune semble cependant être utilisée ici avec beaucoup de force comme dans le *Gorgias* 489e.

127. Mélétos utilise une formule qu'évite Socrate, comme on l'a vu plus haut dans la note 3. D'où l'ironie mordante de Socrate dans sa réponse.

128. L'expression en grec ancien est *apeirous grammátōn*. Cette expression fait évidemment référence à l'écriture et, donc, à la lecture. Il faut cependant savoir que, à l'époque de Platon, la lecture silencieuse était très peu pratiquée, car elle était très difficile. Comme l'indique le verbe *anagignṓskein* qui désigne la lecture en grec ancien, on devait déchiffrer un texte composé exclusivement de lettres majuscules se suivant sans interruption, puisque les mots n'étaient pas séparés les uns des autres et se présentaient sans signes de ponctuation; sur le sujet, cf. Pierre Chantraine, « Les verbes signifiant "lire" », *Mélanges Henry Grégoire* II, Bruxelles, 1950, p. 115-126. En général, les spécialistes lisaient à haute voix pour un large public, cf. la note suivante; sur le sujet, cf. Bernard M.W. Knox, « Silent reading in Antiquity », *Greek, Roman and Byzantine Studies* 9, 1968, p. 421-435.

129. Suivant le lexique que Timée le sophiste (le « rhéteur » dans le grec de l'époque, IVe siècle apr. J.-C.) rédigea pour permettre

de comprendre certains mots utilisés par Platon et qui n'étaient plus compris sept cents ans plus tard ; le terme désignait non seulement la partie du théâtre de Dionysos où le chœur évoluait, mais aussi le coin de l'agora où s'élevaient les statues d'Harmodios et d'Aristogiton et où on aurait vendu des livres. Or, aucun témoignage archéologique ne vient corroborer cette explication, ce qui nous renvoie au théâtre de Dionysos. De plus la somme demandée, 1 drachme, c'est-à-dire le salaire quotidien moyen d'un ouvrier qualifié paraît dérisoire comme prix d'un livre (en fait d'un rouleau de papyrus) à cette époque. En outre, à l'époque, la lecture à haute voix devant un auditoire était beaucoup plus fréquente, semble-t-il, que la lecture silencieuse et solitaire (cf. le début du *Parménide* et celui du *Phèdre*). Toutes ces raisons m'amènent à penser que Platon n'évoque pas ici le commerce des livres, mais la lecture publique de livres au théâtre. Sur un plan grammatical, le relatif *hă*, qui reprend le démonstratif *taûta* ne peut renvoyer à *biblía*.

130. Mélétos est jeune, cf. l'Introduction p. 24.

131. Il s'agit là d'une définition de l'*elenchos* comme réfutation. Cf. l'Introduction, p. 70-71.

132. Cf. 17d, et n. 7, p. 14, n. 11, p. 130.

133. Socrate reconnaît que son langage ne cadre pas parfaitement avec celui que l'on attend de lui, comme il l'a déjà admis lui-même en 17b-c.

134. Il semble bien, comme le montre la suite, que Mélétos est excédé, parce que Socrate vient de prouver qu'il s'est contredit, et qu'il le manifeste.

135. En grec ancien, *daimōn*. Le terme désigne des réalités dont le statut et le rôle restent très flous chez Platon. Il peut s'agir de puissances intermédiaires entre les dieux et les hommes comme on le voit dans le *Banquet*. Mais il peut aussi s'agir d'êtres attachés à un individu en particulier, Socrate, par exemple, ici et dans le *Phèdre*.

136. Socrate donne une définition de *kainá* en l'opposant à *palaiá* : d'où la contradiction de Mélétos qui se manifeste dans la plainte elle-même. Cela dit, le champ sémantique de *kainós* est beaucoup plus large : « nouveau », « inattendu », « étrange », « extraordinaire »

137. Divinités secondaires, filles d'Ouranos et/ou de Gaia (*Théogonie*, 130, 187) ou filles de Zeus (*Iliade*, XX, v. 8 sq.) qui peuplent les montagnes et les campagnes, et qui sont associées notamment aux arbres, aux sources et aux cours d'eau. Socrate les évoque souvent dans le *Phèdre*, car, comme elles sont associées aux sources, lesquelles entretiennent un lien privilégié avec la divination, Socrate peut prétendre parler sour leur emprise.

138. Sur cette suite : dieux, démons, héros, cf. *Cratyle* 397d, *République* IV 427b, *Lois* IV 717a-b, V 738d, VII 801e, 818 c. Les héros ne sont pas mentionnés antérieurement dans l'argument. La classe des héros correspond à celle des demi-dieux, c'est-à-dire de personnages qui sont les rejetons d'un dieu ou d'une déesse et d'un mortel ou d'une mortelle. Achille, fils de Thétis et de Pélée, en est un excellent exemple. Dans l'*Iliade*, les héros sont pratiquement tous des demi-dieux.

139. Socrate a fondé sa défense sur une réfutation de type dialectique, et il estime que l'autocontradiction de Mélétos constitue
une preuve suffisante de l'inanité de son accusation. C'est là quelque chose de tout à fait inhabituel dans le cadre d'un procès. À la
limite, le procès pourrait s'arrêter là, car Socrate estime avoir
apporté la preuve que Mélétos s'est contredit sur les deux points
que comprend l'acte d'accusation.

140. Cf. 23a sq. On trouve ici une conclusion générale de l'interrogatoire (28a-b) qui fait la synthèse de tout ce qui vient d'être dit
en évoquant et les accusations anciennes et les accusations nouvelles. Cette conclusion devrait mettre fin à la défense contre la
plainte; d'ailleurs Socrate estime en avoir assez dit. On pourrait
donc s'attendre à la péroraison. Mais, au lieu de cela, Socrate, qui
se détourne de ses accusateurs pour s'adresser aux juges, introduit
une section qui est la plus longue et la plus riche de l'*Apologie*. En
fait, l'interrogatoire ne constitue pas le véritable noyau de la
défense, pas plus d'ailleurs que la réfutation des anciennes accusations qui ne donne qu'une image négative de Socrate.

141. Peut-être un *tópos* rhétorique destiné à faire face à la calomnie.

142. On passe maintenant à la digression (*parékbasis*). Dans un
premier temps, Socrate explique que le mode de vie qu'il a choisi
est dangereux, mais que, dans l'action, la justice et le bien doivent
passer avant toute autre considération, notamment celle relative à
ses chances de survie. Cette digression (28b-34b) comprend deux
parties. Après avoir répondu à une première objection (28b-31c),
suivant laquelle il n'aurait pas mesuré le risque que lui faisait courir
son mode de vie, Socrate fait face à une autre objection (31c-34b) :
il aurait dû prendre une part plus active à la vie politique de la cité.

143. En grec, on lit *ỗ ánthrōpe*, une formule particulièrement
froide et impersonnelle (*Protagoras* 314d, *Gorgias* 518e, *République* I
329c, 337b, pour d'autres exemples).

144. Socrate rappelle que la souveraineté de la vertu doit être le
principe suprême intervenant dans tout choix pratique : cf. *Apologie*
28d, et *Criton* 48c-d. Tout le reste découle de ce principe.

145. Sur cette notion de demi-dieux appliqués aux héros homé-
riques, cf. *Iliade*, XII, v. 23 et Hésiode, *Travaux*, 159, entre autres;
voir la note 138. Socrate n'hésite pas à faire intervenir des exemples
mythologiques dans le cadre de son argumentation. Sur le pouvoir
du mythe comme pourvoyeur d'exemples de comportements à imiter, cf. Luc Brisson, *Platon, les mots et les mythes, op. cit.*, p. 91-92.

146. Il s'agit d'Achille bien évidemment. La scène (*Iliade*, XVIII,
v. 94 sq.) est aussi évoquée dans le *Banquet* en 179e-180a.

147. Ici comme en 28d, j'aurais tendance à suivre de Strycker et
Slings et à penser que le sujet de *phēsín* est le poète et non Achille
ou Thétis.

148. En grec, *hetaîros* signifie à la fois « aimé », « ami », « partisan » et « disciple » (cf. n. 67, p. 137).

149. Rappel d'une règle militaire précise dans le cas du combat
hoplitique, qui est très différent du combat entre héros, où, au
contraire, il faut se mettre en valeur. Il faut tenir son rang dans le

rang quoi qu'il arrive, telle est la première définition du courage dans le *Lachès*. Socrate adapte donc un point de morale homérique à une pratique nouvelle relative au combat entre cités. Cf. Marcel Detienne, « La phalange », dans *Problèmes de la guerre en Grèce ancienne*, sous la direction de Jean-Pierre Vernant, Paris-La Haye-Mouton, 1962, p. 119-142.

150. Après avoir donné l'exemple d'Achille, Socrate évoque son propre cas. Il n'a pas eu peur au combat en obéissant à ses chefs, pourquoi aurait-il peur en remplissant sa mission (28d-30c) ?

151. Tous les postes de commandement militaire étaient dévolus par une élection à main levée (*kheirotonía*) et non par le sort.

152. Au siège de Potidée (432-429) — ville de Chalcidique (cf. la carte I) comme Amphipolis —, événement qu'Alcibiade évoque à la fin du *Banquet* (219e sq.), Socrate, dont la conduite fut admirable, avait environ trente-sept ans. Cité de Chalcidique et colonie de Corinthe, Potidée avait, malgré son alliance avec Athènes, gardé des liens avec sa métropole. En 433, les Athéniens pour s'assurer de sa fidélité la mirent en demeure de couper tous les liens avec Corinthe. Et, comme Potidée s'y refusait, ils mirent le siège devant la cité, qui ne tomba qu'au cours de l'hiver 430-429. Au début du *Charmide*, Socrate revient d'un de ses séjours devant Potidée.

153. En ce qui concerne la bataille d'Amphipolis — ville de Chalcidique comme Potidée (cf. la carte I) — qui n'est évoquée nulle part ailleurs dans le corpus platonicien, on hésite entre 437-436 et 422. En 422, Socrate aurait alors eu quarante-sept ans, ce qui est un âge avancé pour être enrôlé dans un corps expéditionnaire. Et on ne sait rien d'une bataille devant Amphipolis en 437-436, lors de sa fondation.

154. En fait, Délion (cf. Xénophon, *Mémorables* III, 5, 4) n'était pas une ville mais le temple d'Apollon Délien à Lébadée. Alcibiade, dans le *Banquet* (221a), et Lachès, dans le *Lachès* (181b), évoquent le comportement admirable de Socrate dans des circonstances particulièrement pénibles. Le plan athénien consistait à arracher les Béotiens à l'alliance péloponnésienne en provoquant des révolutions démocratiques dans les cités. Deux armées athéniennes, partant l'une d'Athènes, l'autre de la côte méridionale de Béotie, devaient épauler les démocrates béotiens. Mais les deux colonnes ne surent pas coordonner leurs mouvements et le stratège Hippocrate, venu d'Attique avec une levée en masse (*pandēmeí*) — ce qui expliquerait que Socrate ait été enrôlé en dépit de son âge (quarante-cinq ans au moins) —, comprenant des métèques et des alliés, se fit écraser près du temple d'Apollon Délien sur la côte nord de la Béotie (cf. la carte I) à l'automne de 424. Les Athéniens perdirent près de mille combattants, un chiffre énorme pour l'époque.

155. L'expression en grec ancien, *toû dè theoû táttontos*, est claire. Socrate interprète l'oracle comme une espèce d'ordre.

156. Les mêmes termes sont utilisés dans le *Phédon* en 60e-61a, où Socrate raconte le rêve à propos duquel il a supposé que « faire de la musique » voulait dire « faire de la philosophie ».

157. La même idée est reprise en 38a.

158. Retournement complet de situation. On devrait traduire Socrate devant le tribunal précisément si sa conduite était le contraire de celle pour laquelle il est cité aujourd'hui.

159. Rappel de la conception populaire de la mort comme catastrophe ultime, conception qui engendre la peur la plus intense (*Phédon* 68d). Face à cette peur qui est à la base du comportement de la plupart de ses concitoyens, Socrate élabore cette argumentation. Pour avoir peur de la mort, il faut savoir ce qu'est la mort et être sûr que c'est un mal ; or je ne sais pas ce qu'est la mort ; donc je ne puis en avoir peur.

160. Cette ignorance à l'égard du monde de l'Hadès explique probablement que, dans le *Gorgias*, le mythe final soit présenté comme un « risque avantageux ».

161. Il doit s'agir là d'une citation du discours prononcé par Anytos comme *sunēgoros* ; voilà pourquoi je transforme tout en discours direct. D'après ce que dit Anytos, on peut croire qu'il espérait que Socrate quittât Athènes avant que ne commence le procès ; la chose semble aussi suggérée dans le *Criton* en 45e. En revanche, si Socrate ne faisait rapidement pas un tel choix, la condamnation à mort devenait inévitable.

162. Probablement dans son discours qui précédait celui de Socrate ; sur le discours de l'accusateur, cf. l'Introduction, p. 23 sq.

163. Pour un argument de ce genre, cf. Eschine, *Contre Timarque* [I], 192.

164. On retrouve la même expression dans la *République* X 607a.

165. Ce passage est susceptible de deux interprétations, suivant l'hypothèse faite concernant la rédaction de l'*Apologie*. Ou bien l'on se trouve peu après 399, au moment où Athènes est tombée au plus bas en ce qui concerne sa puissance notamment, et ce passage doit être considéré comme ironique. Ou bien on se situe dans les années 392-387, période au cours de laquelle Athènes est redevenue la première puissance de Grèce. En 393 en effet, sous la direction de Conon, les Longs-Murs sont reconstruits, ainsi qu'une nouvelle flotte, et de nombreuses cités et îles recherchent une alliance avec Athènes.

166. Cette énumération fait intervenir les biens que recherche ce qui, dans les dialogues postérieurs, sera considéré comme chacune des trois parties de l'âme : la partie désirante recherche les richesses, la partie agressive la réputation et les honneurs et la partie rationnelle le savoir (cf. *Phédon* 68c, entre autres). La plupart des gens recherchent les deux premiers types de biens, alors que le philosophe veut obtenir le troisième. On retrouve donc là l'opposition entre l'extériorité représentée par les biens, qui intéressent le corps et la considération, et l'intériorité représentée par le savoir qui intéresse l'âme.

167. Les trois moments de l'intervention socratique : question, examen, réfutation.

168. Traduction périphrastique, qui devrait cependant bien rendre l'idée ; on se trouve dans une morale de l'honneur, où la honte joue un rôle fondamental, y compris dans l'*elenchos,* dont la tâche est double : réfuter et confondre, cf. l'Introduction, p. 68-73.

169. Par là Socrate indique qu'il est un citoyen, et non un étranger ou un métèque, c'est-à-dire un hôte résidant; par conséquent, ce n'est pas un sophiste qui vient de l'étranger (cf. n 47, p 134).

170. Le dieu ordonne à Socrate de s'occuper non seulement des citoyens, mais aussi des étrangers, cf. 23b.

171. Cette idée de *meîzon agathón* sera développée en 30c-31c.

172. Cf. 23 c, et n. 96, p. 140.

173. Le sens de cette phrase, qu'il faut mettre en rapport avec un autre passage de l'*Apologie* (29e-30a), est très controversé. Suivant en cela G. Vlastos (*Socrate. Ironie et philosophie morale* [1991], Paris, Aubier, 1994, p. 303-308) notamment, j'estime que Socrate ne recommande pas la vertu comme un moyen d'obtenir des avantages matériels, mais rappelle que les biens extérieurs dont il a parlé présentent une valeur qui, sans être négligeable, reste très inférieure à celle du bien le plus précieux, la perfection de l'âme.

174. L'opposition *ōphélimon* / *blaberón* recouvre celle de *kalón* / *aiskhrón* et de *agathón* / *kakón*, cf. n. 111, p. 141-142. L'adjectif *kalón* désigne ce qui est moralement (et donc politiquement) correct comme tel. Par ailleurs, le terme *agathón* fait référence à l'éventail de toutes les valeurs hédoniques, économiques, politiques, psychologiques, physiologiques, etc., susceptibles de faciliter l'accès au bonheur (*eudaimonia*)

175. Avec un impératif, l'expression *pròs taûta* indique la défiance. Elle implique que le locuteur a déjà pris une décision, dont il ne changera pas, et que l'autre partie doit agir en tenant compte de cette décision. L'expression se retrouve dans le *Charmide* 176c.

176. Pour cette expression, cf. 41a, et Démosthène, *Philippique* III [IX], 65.

177. On comprend que le tribunal se récrie. À une affirmation paradoxale, il faut s'occuper de son âme plutôt que de son corps, Socrate ajoute la provocation suivante : il vaut mieux que ses accusateurs, qui sont des hommes estimés par ailleurs. Cela dit, comme cela est expliqué en *Criton* 44d et en *Gorgias* 527d, il faut comprendre que seule l'âme peut subir du mal.

178 Dans plusieurs passages du *Gorgias* (466b-c, 468b, 468c, 468e, 470b), Socrate et Polos mentionnent plusieurs fois les peines auxquelles les orateurs arrivent à faire condamner les accusés : mort, exil et confiscation des biens. Dans l'un de ces passages (468e), la confiscation des biens est remplacée par la prison. En revanche, la privation des droits civiques n'est jamais mentionnée dans le *Gorgias*. Dans l'*Apologie*, la confiscation des biens n'est pas mentionnée, probablement parce que Socrate est trop pauvre (23b-c, 31c) pour en être menacé; il hésite même à proposer une amende (37c, 38b).

179. Les accusateurs ne peuvent causer aucun tort à Socrate (30c-d). Qui plus est, c'est pour l'avantage d'Athènes que Socrate remplit la mission que lui a confiée le dieu (30d-31c). Par suite, en le faisant condamner à mort, ses accusateurs n'arriveront pas à faire du mal à Socrate, mais ils causeront à Athènes un dommage irrépa-

rable. En se défendant, Socrate défend l'avantage de sa cité à laquelle la divinité a fait un cadeau.

180. En grec, on trouve *múōps*. Pour une discussion sur le sens de ce terme, cf. Luis Gil Fernandez, *Nombres de insectos en Griego antiguo*, Madrid, Instituto Antonio de Nebrija, 1959, p. 81-83.

181. Même s'il recherche à réformer la cité dans laquelle il vit, Socrate s'adresse aux individus, cf. 31b, 36c.

182. Cf. *supra*, 24c.

183. Qui, prenant la place du père décédé, joue le rôle d'un *epitropos*, cf. 33d, 34a.

184. Comme les sophistes dont il est question en 19d-20c. Socrate n'est pas un sophiste pour deux raisons : c'est un citoyen et il ne demande pas d'argent.

185. Sur le rôle du témoin dans un procès, cf. l'Introduction, p. 17. Ce point est important, car il fait référence à la réalité même du procès.

186. Sur ce point, cf. n. 95, p. 140.

187. Socrate va maintenant répondre à une seconde objection : il n'a pas pris part à la vie politique, ce qui, pour un citoyen athénien qui ne cesse de discuter avec ses concitoyens, constituait un reproche grave. Socrate répond à cette objection en faisant ces quatre remarques. 1. Il a été détourné de s'occuper des affaires de la cité par son signe (31c-d). 2. Il est impossible de rester honnête, quand on se mêle de politique à Athènes (31d-e). 3. Aussi s'est-il contenté de discuter avec ses concitoyens, quels qu'ils soient (32e-33b). 4. Son influence sur les jeunes fut salutaire (33b-34b).

188. Cf. *République* IV 433a.

189. J'interprète ainsi l'expression *tò plêthos tò huméteron*. En ce qui concerne l'Assemblée du peuple, cf. l'Introduction p. 18.

190. Les juges sont, en tant que citoyens athéniens, des membres de l'Assemblée du peuple, cf. n. 114, p. 142.

191. L'allusion à Aristophane semble évidente. Mais pourquoi cette remarque ? Parce que Mélétos reprend les accusations lancées par Aristophane ? Ou parce que l'acte d'accusation est ridicule, comme l'a montré Socrate au cours du contre-interrogatoire ?

192. On retrouve la même justification en *République* VI 496e.

193. Je ne traduis pas le premier *pálai* en pensant, comme Cobet, qu'il est superflu.

194. L'examen auquel Socrate soumet les autres le concerne lui aussi, comme il le répète en 36c.

195. Pour l'expression, cf. Démosthène, *Sur les forfaitures de l'ambassade* [XIX], 227.

196. Il doit s'agir surtout de l'Assemblée du peuple. Sur ces deux instances que sont le Tribunal et l'Assemblée du peuple, cf. n. 114, p. 142.

197. Pour des passages parallèles où ces mots sont employés, cf. *Gorgias* 514d-515a, 521d.

198. Après avoir énoncé le principe suivant lequel on ne peut, en politique, se conduire en accord avec la justice dans une cité injuste, Socrate va donner deux exemples.

199. Pour l'expression, cf. *Gorgias* 482e. Les accusés avaient l'habitude de vanter leurs mérites. Ce que va faire Socrate, qui, cependant, précise que tout ce qu'il va dire est vrai (cf. 24b) et donc qu'il n'y a pas exagération.

200. Sur le Conseil et la prytanie, cf. n. 113, p. 142.

201. Parmi les dix tribus telles qu'elles se présentaient après la réforme de Clisthène, c'est-à-dire divisées en trois sections, c'est à la tribu Antiochide qu'appartenait Socrate.

202. À l'été de 406, une flotte venue d'Athènes réussit à dégager la flotte commandée par Conon, bloquée dans le port de Mitylène par l'amiral spartiate Callicratidas et sa flotte. La bataille s'engagea aux îles Arginuses, à l'entrée sud du chenal qui sépare Lesbos du continent. Les Péloponnésiens perdirent soixante-quinze trières et Callicratidas fut tué. Les Athéniens qui perdirent vingt-cinq vaisseaux arrivèrent à dégager la flotte de Conon. Mais cette brillante victoire tourna au drame. Dans la fièvre du combat et par suite d'une tempête, on négligea de recueillir ceux qui étaient tombés à la mer (les morts et les vivants). De retour à Athènes, les stratèges vainqueurs furent mis en accusation et condamnés à mort. En fait, ils n'étaient pas dix, mais six seulement : en effet, Conon ne fut pas accusé, Archestratos était mort au combat, et deux autres stratèges avaient refusé de rentrer à Athènes et furent condamnés par contumace. L'illégalité de la procédure venait du fait que les stratèges furent condamnés collectivement par un seul vote, et non un à un (Xénophon, *Mémorables* I, 1, 18). Sur tout cela, cf. Pierre Vidal-Naquet, « Platon, l'histoire et les historiens », d'abord publié dans *Histoire et Structure, à la mémoire de Victor Goldschmidt*, éd. par Jacques Brunschwig, Claude Imbert et Alain Roger, Paris, Vrin, 1985, p. 147-160 ; puis repris dans *La Démocratie grecque vue d'ailleurs*, Paris, Flammarion, 1990, p. 121-137.

203. Cf. Xénophon, *Helléniques* I, 7, 35. Socrate fonde son action sur la loi et la justice (*Apologie* 31e, 32a, b, e, 33a).

204. Contre la proposition de Callixène, pour laquelle votèrent tous les autres membres du Conseil.

205. Les *rhètores* sont les chefs politiques, cf. n. 101, p. 140-141.

206. Les termes *éndeixis* et *epagõgẽ* sont des termes techniques. L'*éndeixis* était seulement une dénonciation faite au magistrat compétent par l'accusateur qui, au moment des faits délictueux, n'avait pas pu ou n'avait pas voulu saisir le coupable (Démosthène, *Sur l'immunité, Contre la loi de Leptine* [XX], 156). L'*epagõgẽ* est une procédure sommaire autorisée par la loi athénienne contre certains délinquants dans le cas de flagrant délit. L'accusateur qui prenait le coupable sur le fait pouvait s'emparer de lui, en respectant toutefois son domicile, et le conduire devant le magistrat (Démosthène, *Contre Aristocrate* [XXXII], 80).

207. Cf. Démosthène, *Sur les forfaitures de l'Ambassade* [XIX], 122.

208. Sur l'expression *pémpton autón*, cf. K.J. Dover, « *Dékatos autós* », *Journal of Hellenic Studies* 80, 1960. L'homme désigné par un nombre ordinal avec *autós* n'avait pas d'autorité sur ses col-

lègues. Ce qui suggérerait que Socrate n'était rien de plus que l'un des cinq hommes chargés d'arrêter Léon.

209. Pendant tout le temps qu'ils exerçaient la prytanie, les membres du Conseil devaient loger dans un édifice qui leur était spécialement affecté, la Tholos ou Skias. Cf. la carte II de l'agora.

210. L'identité véritable de ce Léon reste incertaine. W.J. McCoy, « The identity of Leon », *American Journal Philology* 96, 1975, p. 187-199, pense qu'il s'agit de l'un des collègues de Conon qui aurait été capturé par les Spartiates en 406, puis libéré par Lysandre et renvoyé à Athènes. L'épithète « de Salamine » utilisée par Platon ici et par Xénophon dans ses *Helléniques* (II, 3, 39) ne signifie pas que ce n'était pas un Athénien. Léon était un citoyen athénien (*Lettre* VII 324e, 325c) et il s'était réfugié dans l'île de Salamine (carte I) qui n'est pas très éloignée d'Athènes (*Apologie* 32c, 32d; *Lettre* VII 325c).

211. Dans le discours que Xénophon (*Helléniques* II, 3, 39) met dans sa bouche, Théramène, se défendant devant le Conseil contre les accusations de Critias, fait mention de trois personnages : Léon, Nicératos le fils de Nicias et un certain Antiphon en les qualifiant d'*ándres kaloús te kaí agathoús* que veulent éliminer les oligarques. Selon toute probabilité, le procès de Théramène eut lieu en janvier-février 403; par suite, l'arrestation de Léon dut se produire peu après.

212. Reprise de 32a.

213. Si le procès de Léon eut lieu en février, on comprend que les Trente n'aient pas eu le temps de se venger de Socrate, car ils perdent le pouvoir en mars.

214. Il s'agit avant tout de Critias et d'Alcibiade. Isocrate nous apprend que Polycrate qui, quelques années plus tard, peu après 390, publia un discours rapportant ce qu'Anytos aurait pu dire au cours du procès de Socrate y évoque la figure d'Alcibiade (*Busiris* [XI], 5). Une génération plus tard, Eschine accuse Socrate d'avoir eu Critias comme disciple (I, 173). Évoquant longuement ce texte (*Mémorables* I, 2, 12-47), Xénophon se sent obligé d'admettre que, sans être ses disciples, Critias et Alcibiade furent liés à Socrate. Telle est en fait la vraie portée de la seconde partie de l'acte d'accusation : « corruption de la jeunesse ». Aussi Socrate va-t-il tenter de montrer qu'il ne peut être tenu pour responsable des crimes commis par des hommes politiques, tout simplement parce que ces hommes politiques furent tenus pour ses disciples. En fait, Socrate refuse d'admettre que ces individus furent ses disciples, parce qu'il estime n'avoir jamais eu de disciple. Un maître est celui qui transmet un savoir qu'il possède. Or, Socrate déclare ne posséder aucun savoir. Comment dès lors, pourrait-il transmettre un savoir qu'il n'a pas. Il s'est contenté de discuter avec Critias et Alcibiade comme il le fait avec tout le monde, sans d'ailleurs rien demander en échange. Voilà pourquoi il se dégage de toute responsabilité dans les crimes dont ils se sont par la suite rendus coupables.

215. Cette tâche est sa mission divine, cf. l'Introduction,

p. 52-56. L'expression *emautoû práttontos* correspond à la définition de la justice dans la *République* : « accomplir la tâche qui est la sienne (*tà hautoû práttein*) » (*République* IV 433b).

216. Socrate élimine cette possibilité qu'il avait évoquée plus haut (30b). Il ne fait pas de différence entre les étrangers et ses proches. À ces derniers, il n'enseigne pas de doctrines secrètes, qui leur seraient réservées. Il met tout le monde sur le même pied.

217. Cf. *Apologie* 20d.

218. La réponse à la question précédente suscite une nouvelle question. Si Socrate discute avec le premier venu, pourquoi, dès lors, certains interlocuteurs s'attachent-ils à lui ? La réponse : pour le plaisir de le voir réfuter des gens qui ont des prétentions.

219. Allusion à la réponse donnée par l'oracle à Chéréphon.

220. Cf. le *Phédon* (60e-61a).

221. Sur la *theîa moîra*, cf. J. Souilhé, « La *theîa moîra* chez Platon », *Mélanges J. Geyser*, Regensburg, J. Habbel, 1930, p. 11-25.

222. Sur Criton et Critobule, cf. l'Introduction au *Criton*, p. 177-180.

223. Eschine de Sphettos, disciple de Socrate, et sur lequel Diogène Laërce rapporte des informations particulièrement discutables, aurait écrit des dialogues de caractère socratique. Diogène Laërce (II, 63) donne une liste de titres. Seul Platon cite Lysanias comme étant son père. Cf. Aischinès de Sphettos, *DPhA* I, 1989, p. 89-94 [M.-O. Goulet-Cazé].

224. Épigène est mentionné par Xénophon (*Mémorables* III, 12) comme l'un de ceux qui sont en relation avec Socrate. Sa condition physique n'est pas bonne, et Socrate lui recommande de faire de l'exercice. Il était présent lorsque Socrate but la ciguë (*Phédon* 59b).

225. Ce nom apparaît dans une inscription (*IG* II², 1927).

226. Dans un *Contre Théozotidès* de Lysias, dont il ne reste que des fragments (Gernet-Bizos, Lysias, *Discours* II, Paris, 1926, p. 234-236 et p. 257-259), et surtout dans un décret important (publié et commenté par Ronald S. Stroud, « Greek inscriptions. Theozotides and the athenian orphans », *Hesperia* 40, 1971, p. 280-301), qui nous apprend que Théozotidès avait fait voter un décret pour que les enfants des citoyens morts pour la défense de la démocratie soient mis sur le même pied que les autres orphelins de guerre. Dans un autre décret, Théozotidès proposait de réduire la rémunération quotidienne des cavaliers, ce qui était une proposition typiquement démocratique.

227. Théodote est mort, comme l'indique l'*hekeînos* qui le désigne.

228. Le *Théagès* (127e) (probablement apocryphe) nous apprend que Démodocos de Anagyros était plus âgé que Socrate et qu'il avait occupé les plus hautes magistratures de l'État. Il s'agit probablement du *stratêgós* (425-424) mentionné par Thucydide (IV, 75). Un dialogue apocryphe de la collection platonicienne porte pour titre le nom de Démodocos.

229. Dans la *République* (VI 496b-c), Socrate parle de lui en ces termes : « Tandis que tout a été mis en œuvre pour le chasser de la

philosophie, le régime exigé par sa santé l'y retient en le détournant de la politique. » Puis il enchaîne en évoquant le démon qui le retient, lui, de faire de la politique. L'imparfait utilisé pour parler de lui semble indiquer qu'il était mort à l'époque du procès de Socrate.

230. Adimante est beaucoup plus âgé que Platon qui a aux alentours de vingt-huit ans à l'époque. D'ailleurs en 34b, il doit être considéré parmi les hommes d'âge mûr. Le père de Platon et d'Adimante devait être mort à l'époque car leur mère Périctionè se remaria avec un certain Pyrilampe, à qui elle donna un fils, l'Antiphon dont il est question au début du *Parménide*.

231. En dehors de la *Lettre* VII, le nom de Platon n'apparaît que trois fois dans les dialogues : ici, un peu plus loin (38b), lorsqu'il se porte garant de la somme que Socrate propose comme amende, et dans le *Phédon* (59b), où il est dit qu'il n'assistait pas aux derniers moments de Socrate, parce qu'il était malade. Le fait que Platon fasse savoir qu'il était présent au procès de Socrate constitue sinon une preuve, du moins un indice du fait que pour lui l'*Apologie* devait rapporter objectivement les faits. Platon est le témoin direct des faits qu'il rapporte, il ne compte pas sur des sources secondaires.

232. Cet Aiantodore, présenté comme le frère d'Apollodore, n'est pas connu par ailleurs. On remarquera que la finale de son nom est similaire à celle de son frère.

233. Apollodore de Phalère est le narrateur dans le *Banquet* de Platon. C'est un admirateur enthousiaste de Socrate. La description (172a-174a) qui en est faite dans ce dialogue correspond à ce que laisse entendre Xénophon dans son *Apologie* (28). De concert avec Criton et Critobule, Apollodore se déclare prêt à garantir l'amende qu'ils conseillent à leur maître de proposer. Et tout naturellement, il fait partie du groupe de ceux qui sont présents, lorsque Socrate boit la ciguë (*Phédon* 59a, 117d). Son comportement est alors sévèrement jugé par Platon : « Apollodore, lui, qui, même auparavant, n'arrêtait pas un instant de pleurer, s'étant naturellement mis alors à mêler des rugissements à ses pleurs et à l'expression de sa colère, il n'y eut personne, parmi ceux qui étaient là, dont il ne brisât le courage, sauf, il est vrai Socrate lui-même ! » (*Banquet* 117d). L'admiration d'Apollodore pour Socrate était proverbiale, comme en témoigne Plutarque (*Caton le jeune*, 46, 1).

234. Au cours d'un procès, on trouve des exemples où l'accusé offre de céder sa place à un témoin de l'accusation en prenant sur son temps de parole (Andocide, *Sur les Mystères* [I], 26 ; Eschine, *Contre Ctésiphon* [III], 165 ; Démosthène, *Contre Théocrinès* [XVIII], 139 ; Lysias, *Pour Polystratos* [XX], 11).

235. En conclusion de sa plaidoirie (34b-35d), Socrate se refuse à solliciter la clémence des juges en faisant appel à leurs sentiments comme c'était habituellement le cas, cf. Hypéride, *Pour Euxénippe* [III], 41. Un tel comportement nuirait à sa réputation et à celle d'Athènes (34b-35b). Ce ne serait pas conforme à la justice, car cela reviendrait à inciter les juges à violer le serment qu'ils ont juré (35b-c). En outre, ce ne serait pas conforme à la piété (35c-d), car violer un serment revient à ne pas reconnaître l'existence des dieux

236. Formule homérique dans l'*Odyssée*, IX, 163.

237. On est *meirákion* de quatorze à vingt et un ans et *paidíon* de la naissance à sept ans (cf. *Phédon* 60a). La différence d'âge entre ses enfants pourrait indiquer que c'est le second mariage de Socrate.

238. Celui de « *sophós* », 23a.

239. Pour une expression parallèle, cf. *Euthyphron* 4e.

240. Là est le point central de l'argumentation. Socrate n'a pas peur de mourir ; on ne peut donc rien contre lui.

241. Sur la teneur de ce serment, cf. l'Introduction, n. 3, p. 22.

242. Violer la justice humaine, c'est offenser les dieux, puisque c'est violer un serment, celui qu'ont fait les juges ; et offenser les dieux constitue un acte d'impiété. La situation se trouve complètement retournée. Ironie dans le cadre de ce procès : en faisant ce qu'attendent de lui les juges, Socrate serait vraiment impie.

243. Celui qui vient d'être évoqué, bien sûr.

244. On trouve ici la contre-proposition que Socrate doit faire (35e-38b) ; il a été condamné à mort, mais il doit proposer une peine de substitution (*antitímēsis*). En effet, le type de procès auquel est soumis Socrate est un *agōn timētós*, c'est-à-dire un procès pour lequel aucune peine n'est fixée par la loi. Ce sont les juges qui fixent cette peine. Dans cette perspective, les juges doivent choisir entre la peine proposée à la fin de la plainte et la peine de substitution proposée par la personne condamnée. Mais une seule peine peut dans chaque cas être proposée. L'accusateur avait donc intérêt à proposer une peine plus sévère que celle qu'il était en droit d'attendre tout simplement pour obtenir une peine de substitution qui ne soit pas dérisoire. De ce fait, il est tout à fait vraisemblable de penser que ni Anytos ni Mélétos ne cherchaient vraiment à faire condamner Socrate à mort ; l'exil leur aurait suffi, cf. n. 1, p. 42.

245. Un problème textuel se pose en ce qui concerne ce nombre. Quoi qu'il en soit, si on prend pour acquis que le nombre habituel des membres du jury était à l'époque cinq cents environ (des jurys de cinq cent un membres ne sont attestés que vers le milieu du VIᵉ siècle), Socrate nous informe que deux cent quatre-vingts membres du jury ont voté contre lui et deux cent vingts pour lui ; dans ce cas, il eût suffi d'un déplacement de trente voix pour obtenir un acquittement par égalité (l'acquittement pouvait s'obtenir ainsi).

246. Que veut dire Socrate ? Probablement que, comme il a obtenu plus du tiers des voix en sa faveur, il est acquitté au regard de Mélétos, celui de ses trois accusateurs, qu'il a réfuté personnellement au début de son discours (24b-28a).

247. Anytos et Lycon étaient les coaccusateurs (*sunḗgoroi*), cf. l'Introduction, p. 23-25.

248. Cf. l'Introduction, p. 24. Pour des témoignages concernant cette disposition : Démosthène, *Contre Timocrate* [XXIV], 7 ; Eschine, *Sur l'ambassade infidèle* [II], 14.

249. Socrate va faire deux contre-propositions. L'une en accord avec ce qu'il mérite (36b-37a), l'autre en accord avec ce qui est en

son pouvoir (37a-38b). Dans un premier temps, Socrate, qui se
considère comme un bienfaiteur de la cité (36b-d), demande à être
nourri au prytanée (36d-37a). Mais, comme cette proposition
s'apparente à de l'arrogance aux yeux de ses juges, Socrate fait une
autre proposition plus conforme à leur attente. Après avoir rappelé
qu'il ne mérite pas qu'on le condamne à une peine (37a-38b),
Socrate propose d'abord qu'on le condamne à une amende
d'1 mine, puis, face aux manifestations d'humeur du public, il propose une amende de 30 mines (39c-d).

250. Ce membre de phrase évoque d'un côté l'emprisonnement,
l'exil ou la mort, et de l'autre une amende ou le paiement de dom-
mages, cf. Démosthène, *Contre Timocrate* [XXIV], 105.

251. Ici *hēsukhía* est synonyme de *apragmosúnē*. Socrate dit la
même chose en 31c, 36c et 37e.

252. On doit relier les deux termes : *stratēgiôn kaì dēmēgoriôn*, si
l'on accepte les conclusions de P. Accatino, « L'*arkhḗ* del *Politico* »,
Reading the Statesman, Proceedings of the IIIrd Symposium Platonicum, ed. by Chr. J. Rowe, Sankt Augustin, Academia Verlag, 1995,
p. 203-212.

253. Pour une liste de ces termes, cf. *Théétète* 173d, et Thucydide, VIII, 54.

254. Allusion probable à 30c-31a.

255. Socrate insiste sur le caractère individuel de sa mission.
Cf. 30e.

256. La doctrine politique de la *République* illustrera ces principes.

257. Il doit s'agir d'une allusion à 36c, plutôt que d'une référence au titre de bienfaiteur (*euergétēs*) accordé par la cité à des
potentats ou à des généraux étrangers ayant rendu des services émi-
nents à la cité. Aucun citoyen ne semble jamais avoir reçu ce titre.

258. Sur cet édifice (carte II), qui se trouvait à l'extérieur de
l'agora, cf. H.A. Thompson et R.E. Wycherley, *The Agora of
Athens*, *op. cit.*, p. 46-47. Il faut dire que le prytanée n'était pas le
même bâtiment que la Tholos, avec lequel il fut parfois confondu,
car, on l'a vu plus haut (cf. n. 209, p. 151), c'est là que vivaient les
prytanes durant une partie de l'année. En fait le prytanée était le
foyer commun de la cité, et la coutume à laquelle fait allusion
Socrate était une survivance de l'époque où les rois faisaient l'honneur à leur hôte de partager leur table. Ce privilège était accordé
aux vainqueurs des jeux à Olympie, à des stratèges et aux représen-
tants de certaines familles, par exemple les descendants d'Harmodios et d'Aristogiton. Ceux qui se voyaient accorder cet honneur
étaient appelés *parásitoi*, ce terme voyant son sens dégénérer dès le
ve siècle où il commence à être appliqué aux flatteurs (*kólakes*). Isocrate s'appropriera la revendication de Socrate (*Antidosis* [XV], 95).

259. Ce sont des termes techniques : *híppōi* (on disait habituellement *kélēti*) désigne la course montée, *sunōrídi* (la course de char
attelé de deux chevaux) et *zeúgei* (*tetríppōi*), la course de char attelé
de quatre chevaux.

260. Pour élever des chevaux et participer à ce genre de course,
il fallait être très riche.

261. Cf. 34c.

262. Cf. 34d.

263. Cf. 25e.

264. Cf. 19a et aussi *Gorgias* 455a. Socrate fait probablement allusion à la limite imposée par la clepsydre aux discours tenus au Tribunal (*Théétète* 201a). Il doit aussi s'agir là d'une critique des institutions démocratiques où l'on gagne du temps en substituant la persuasion à la preuve; au livre VI des *Lois* (766e), Platon recommande une certaine lenteur dans les tribunaux.

265. À Sparte par exemple, cf. Plutarque, *Apophthegmes laconiens*, 217a, et Thucydide, I, 132, 5.

266. Socrate revient sur l'idée que les anciennes calomnies sont à la base de l'accusation à laquelle il a dû faire face durant le procès, 19a, 24a

267. Sur cette expression, cf. *République* VI 499e et *Phèdre* 267d.

268. La mort.

269. Cf. 29b.

270. En fait, l'emprisonnement n'était pas une peine habituellement appliquée à un citoyen. Seule exception : si un citoyen devait une certaine somme au trésor public, il pouvait être retenu en prison jusqu'à ce que cette somme soit payée (cf. 37c).

271. L'expression est très forte. Socrate veut dire par là que, en prison, il serait privé de toute faculté de décider, d'agir selon son gré (*ekôn*); il devrait obéir aux Onze et donc agir contre son gré (*ákôn*).

272. Leur magistrature était annuelle. Ils avaient la charge d'introduire les poursuites, d'administrer la prison et de faire exécuter les criminels. Cf. *Phédon* 59e et 116e.

273. Sur cette loi, cf. Démosthène, *Contre Midias* [XXI], 47, *Contre Timocrate* [XXIV], 105.

274. Cf. 36b.

275. Sur la notion de *philopsukhia*, cf. Euripide, *Hécube*, 315; *Héraclès*, 517.

276. Sur l'expression *tàs diatribàs kaì toùs lógous*, cf. *Gorgias* 484e.

277. Ou plus explicitement « que j'affiche un faux motif ».

278. Cf. 39b. Comme la mission de Socrate ne se limite pas à Athènes (30d-e, 31a) et qu'elle s'étend aux autres cités (23b, 30a), tout porte à croire qu'il ne sera pas toléré ailleurs non plus.

279. Reprise de 28e.

280. Cf. 35c

281. Puisque, pour Socrate, le seul mal qui existe est celui qui touche l'âme, une amende ne peut lui causer aucun dommage, cf. 30c.

282. Il faut rappeler que 1 drachme représente le salaire moyen quotidien d'un ouvrier qualifié et que 1 mine = 100 drachmes. Suivant Aristote (*Éthique à Nicomaque* 1134b21), 1 mine constituait une rançon raisonnable pour le rachat d'un prisonnier de guerre.

283. Sur tous ces personnages, cf. n. 233, p. 153, et l'Introduction au *Criton*, p. 177-180.

284. Pour avoir une idée de la somme représentée, cf. n. 4, p. 43. Suivant Lysias (*Pour Mantithéos* [XVI], 10), c'est là une somme

décente qu'un citoyen de fortune moyenne pouvait offrir comme dote pour sa sœur.

285. Le terme *égguos* « garant » est un terme technique, souvent associé à *axiókhreōn* (cf. *Lois* IX 871e, XI 914d, 914e).

286. Socrate vient d'être condamné à mort. Dans un troisième discours, il s'adresse aux membres du jury qui l'ont condamné (38c-39d), puis aux autres qui l'ont acquitté (39e-42a). Aux premiers, il rappelle leur responsabilité (30c-d) et compare son sort au leur (38d-39b). Et il leur fait cette prédiction : l'activité qui était celle de Socrate ira en s'amplifiant et en se radicalisant Aux seconds, il rappelle que le signe divin, qui ne lui a jamais causé aucun tort, ne s'est pas manifesté à lui aujourd'hui (39e-40c). Et après avoir rappelé deux conceptions de la mort (40c-41c), il s'en remet à la Providence et leur demande à eux qui ne l'ont pas condamné de prendre soin de ses fils (41c-42a). Wilamowitz estimait que ce discours était fictif. On peut, en tout cas, penser que, à la différence des deux précédents, ce discours n'est pas officiel et s'apparente plutôt à une discussion informelle.

287. Étant donné l'espérance de vie des Athéniens à l'époque, Socrate pouvait être considéré comme un vieil homme par ses concitoyens.

288. Cf. n. 286.

289. Cf. *Gorgias* 522d, et Xénophon, *Mémorables* IV, 4, 4.

290. Même expression dans l'*Euthyphron* 8c.

291. Pour une expression similaire, cf. *Gorgias* 479c.

292. Cf. 38d.

293. Attention à *ponērian*, qui pourrait expliciter une idée exprimée plus haut en 38c. On retrouve une idée similaire dans le *Gorgias* (522e1-3) et dans la *République* VI 486b1.

294. L'allitération *thâtton... thanátou theî* semble indiquer qu'il s'agit d'un proverbe.

295. Cf. Xénophon, *Apologie*, 30. Socrate fait ainsi référence aux prophéties que profèrent Patrocle (*Iliade*, XVI, 852 sq.) et Hector (*Iliade*, XXII, 358 sq.) au moment de mourir. L'âme, qui est sur le point de quitter le corps qu'elle s'employait à mouvoir, révèle alors sa véritable nature. C'est là un thème qui connaîtra une fortune considérable. On notera la fréquence des allusions à la mythologie grecque dans l'*Apologie*, cf. l'Introduction p. 53.

296. On trouve ici l'expression *tò didónai élegkhon*. Comme le fait remarquer L.-A. Dorion (*Revue philosophique de Louvain* 88, 1990, p. 341), l'expression ne peut avoir ici une signification dialectique, mais conserve son sens ancien de preuve, laquelle révèle la véritable valeur d'un homme.

297. Certains ont pris appui sur ce membre de phrase pour soutenir que l'*Apologie* était le premier dialogue écrit par Platon.

298. Les juges devaient remplir certaines formalités avant d'être libérés de leur tâche. Socrate sera amené sur-le-champ dans la prison où il doit mourir. Dans le *Phédon* (59d), on apprend que la prison n'était pas éloignée du Tribunal (cf. carte II), d'où les amis de Socrate pouvaient voir ou savoir quand la prison était ouverte.

299. En effet, Socrate ne s'adresse plus qu'à ceux qui l'ont acquitté par leur vote et qui, ainsi, ont exprimé un jugement juste, en accord avec la justice qui doit caractériser le juge, cf. le début.

300. Je sous-entends le substantif *phōnē* qui régirait *mantikē*.

301. En grec, on trouve *tò daimónion*. On a pensé qu'il pouvait s'agir d'une interpolation. On ne retrouve, en effet, l'expression *tò daimónion* que deux fois dans tout le corpus platonicien en *Euthyphron* 3b, et en *Théétète* 151a, mais chaque fois avec le verbe *gignesthai*.

302. Pour des exemples, cf. *Euthydème* 272e, et *Phèdre* 242b.

303. Il s'agit de la conception la plus familière non seulement chez Homère, mais probablement aussi parmi les juges. Cf. sur cette conception le *Phédon* (69e) et Aristote (*Éthique à Nicomaque* 1115a27).

304. Il doit s'agir là de la tradition transmise par certains groupes prônant une religion à mystères, cf. le *Phédon*. (63c, 70c) ; cf. aussi la *République* I 330d, et même le *Criton* 54b.

305. Pour une autre occurrence du terme *metoikēsis*, cf. *Phédon* 117c. Il semble qu'il ne s'agit que du passage de l'âme de ce monde vers l'Hadès et que la métensomatose ne soit pas évoquée ici.

306. Sur le bonheur proverbial du grand roi, le roi de Perse, cf. *Gorgias* 470e, *Euthydème* 274a, et Aristote, *Réfutations sophistiques* 173a26.

307. On pourrait dire en français : « les compter sur les doigts d'une main », cf. *Banquet* 179c.

308. Avec le verbe *apodēmêsai*, on retrouve le vocabulaire du *Phédon* (61e, 67b) et les doctrines de la survie de l'âme dans l'Hadès, à tout le moins.

309. Cf. plus haut en 40c.

310. Ces trois juges, tous fils de Zeus, sont mentionnés dans le mythe raconté par Socrate à la fin du *Gorgias* (523e-524a). Minos est un roi de Crète, qui entretient des liens particuliers avec Zeus (*Odyssée*, XIX, v. 178) et qui continue d'exercer son pouvoir dans le monde des morts (*Odyssée*, XI, v. 568). C'est le fils de Zeus et d'Europe, qui épouse Pasiphaé, une fille de Zeus. Rhadamante est tout comme Minos le fils de Zeus et d'Europe. Il est présenté comme un roi et un juge (Pindare, *Olympiques* II, 75 sq.). Il est toujours considéré comme juste (Pindare, *Pythiques* II, 73 sq.), d'où sa fonction de juge chez les morts. Fils de Zeus, Éaque est le roi d'Égine qui continue d'être juge dans l'Hadès (*Iliade*, XXI, v. 189). Triptolème est le fils de Kéléos d'Éleusis (Apollodore I, 5,2 ; Pausanias I, 14, 2). Déméter l'initie aux mystères d'Éleusis.

311. Nulle part ailleurs, que ce soit dans le corpus platonicien ou dans la tradition grecque, Triptolème n'est présenté comme un juge ; voilà pourquoi je traduis ainsi. Le rapport avec Éleusis est plus que douteux dans ce contexte.

312. Les héros de la guerre de Troie, notamment. La plupart des noms que cite Socrate par la suite peuvent être considérés comme des demi-dieux.

313. Orphée et Musée, son disciple, sont mentionnés ensemble dans le *Protagoras* 316d et dans la *République* II 364e. Cf. aussi Aristophane, *Grenouilles*, v. 1032 sq.

314. Le même ordre se retrouve dans la *République* II 363a, 377d, X 612b, et le *Timée* 21d. L'ordre inverse se retrouve dans l'*Ion* 531a, 531b; dans le *Protagoras* 316d, le *Banquet* 209d, le *Cratyle* 402b et la *République* X 600d.

315. Palamède n'apparaît pas dans l'*Iliade* ou dans l'*Odyssée*. Tout comme Ajax, Palamède est victime des machinations d'Ulysse. Ulysse cache de l'or dans la tente de Palamède et écrit une lettre qui le compromet. Accusé de trahison par Ulysse, Palamède est lapidé. Eschyle, Sophocle et Euripide écrivirent des tragédies ayant pour titre *Palamède* Gorgias composa une *Apologie de Palamède*. Xénophon met aussi dans la bouche de Socrate le nom de Palamède (*Apologie*, 26)

316. Ajax, guerrier valeureux, se suicide parce que les armes d'Achille ont été attribuées non à lui, mais à Ulysse (*Odyssée*, XI, v. 545 sq.).

317. Télamon, roi de Salamine, est le père d'Ajax et le frère de Pélée; c'est un descendant d'Éaque.

318. Ajax et Télamon sont victimes d'un jugement injuste.

319. C'est-à-dire Agamemnon; allusion à l'*Iliade*.

320. Allusion à l'*Odyssée*. Ulysse est responsable de l'injustice commise à l'égard d'Ajax et de Palamède.

321. Sisyphe, le fils d'Éole, est décrit par Homère comme subissant un châtiment dans l'Hadès (*Odyssée*, XI, v. 593 sq.).

322. On notera que les femmes ne sont pas mentionnées ici-bas; elles n'interviennent que dans l'Hadès.

323. Puisque l'âme s'y trouve séparée du corps.

324. L'expression *tòn loipòn khrónon* n'est pas forcément incompatible avec l'idée de la métensomatose, qui implique que, après un certain temps passé dans l'Hadès, l'âme s'incarne dans un autre corps. Mais la métensomatose n'est jamais évoquée dans l'*Apologie*.

325. Cf. 40c.

326. Pour la même expression, cf. *Phédon* 63c.

327. On trouve un écho de la même doctrine au livre X de la *République* (613a).

328. Certitude exprimée au livre X des *Lois*.

329. Ce que laisserait entendre Xénophon.

330. Cf. 40b.

331. Cf. 30c.

332 Cf. les trois mentionnés en 34d.

BIBLIOGRAPHIE
DE
L'*APOLOGIE DE SOCRATE*

La bibliographie analytique qui suit, classée par ordre chronologique, commence vers 1950 ; elle comporte cependant quelques exceptions pour des travaux importants.

Comme elle est très loin d'être exhaustive, on se reportera à titre de complément pour la seconde moitié du XXe siècle à H. Cherniss (« Plato 1950-1957 », *Lustrum* 4 et 5, 1959 et 1960), à Luc Brisson (« Platon 1958-1975 », *Lustrum* 20, 1977) et à Luc Brisson en collaboration avec Hélène Ioannidi (« Platon 1975-1980 », *Lustrum* 25, 1983, p. 31-320, avec des « *Corrigenda* à Platon 1975-1980 », *Lustrum* 26, 1984, p. 205-206 ; « Platon 1980-1985 », *Lustrum* 30, 1988, p. 11-294, avec des « *Corrigenda* à Platon 1980-1985 », *Lustrum* 31, 1989, p. 270-271 ; « Platon 1985-1990 », *Lustrum* 35, 1993 [1994]). On consultera aussi la longue bibliographie qui se trouve à la fin de Th. C. Brickhouse and N. Smith, *Socrates on Trial*, Oxford, Clarendon Press, 1989, p. 272-310.

Éditions et traductions

Grec ancien

Plato, *Euthyphro, Apology of Socrates and Crito*, edited with notes by John Burnet [1924], New York, AMS Press, 1977, VIII + 220 p.

Platonis Opera T. I tetralogias I-II continens [insunt *Euthyphro, Apologia, Crito, Phaedo, Cratylus, Theaetetus, Sophista, Politicus*], recognoverunt brevique adnotatione critica instruxerunt W.A. Duke, W.F. Hicken, W.S.M. Nicoll, D.B. Robinson et J.C.G. Strachan, Oxford, Clarendon Press, 1995, XXXII + 572 p. Index testimoniorum.

Allemand

Die grossen Dialoge, aus dem Griech., übertr. von Rudolf Rufener, Einf., Erl. & Literaturhinweise von Thomas A. Szlezák,

Zürich, Artemis & Winkler Verlag, 1991, 649 p. [*Apologia, Crito, Protagoras, Gorgias, Phaedo, Symposium, Phaedrus*].

Anglais

Plato, *Apology of Socrates*, an interpretation, with a new translation by Thomas G. West, Ithaca [NY], London, Cornell University Press, 1979. Reprise dans *Plato and Aristophanes*, Ithaca, Cornell University Press, 1984.

The Dialogues of Plato I : *Euthyphro, Apology, Crito, Meno, Gorgias, Menexenus*, translated with an analysis by R. E. Allen, New Haven and London, Yale University Press, 1984.

Espagnol

Platón Diálogos I : *Apología, Critón, Eutifrón, Ion, Lisis, Cármides, Hipias Menor, Hipias Mayor, Laques, Protágoras*, intr. por Emilio Llledó Íñigo, trad. por J. Calonge Ruiz [*Apologie, Criton, Euthyphron* et les deux *Hippias*], Biblioteca Clásica Gredos 37, Madrid, ed. Gredos, 1981.

Français

Apologie de Socrate, Criton, Phédon, traduction nouvelle, introduction, notices et notes de Bernard Piettre et de Renée Piettre, Livre de Poche nº 5615, 1992. Index de quelques notions grecques, lexique des noms propres, orientations bibliographiques.

Apologie de Socrate, Criton, introduction, traduction, commentaires et dossier par Anissa Castel-Bouchouchi, Paris, Press-Pocket coll. « Les classiques », 1994, 143 p. Courte bibliographie, cartes et plans.

Italien

Platone, *Tutti gli scritti*, a cura di Giovanni Reale, trad. a cura di Giovanni Reale, Roberto Radice, Claudio Mazzarelli, I classici del pensiero Sez. I, Milano, Rusconi, 1991. Prefazione, Introduzione, Notizie di Giovanni Reale. Gli Scritti di Platone sono tradotti, presentati e annotati da Giovanni Reale, *Apologia di Socrate, Critone* [1962].

Portugais

Eutifron, Apologia de Sócrates, Críton, traduçao, introduçao e notas de José Trindade Santos [1983], S. Universitária — Clássicos de Filosofia, Lisbonne, Impresa Nacional — Casa de Moeda, 1994, 143 p.

Platão, *Apologia de Sócrates, Críton*, introd., vers. do grego e notas de Manuel de Oliveria Pulquério, Textos Clássicos 20, Centro de Estudos Clássicos e Humanísticos da Universidade de Coimbra, Coimbra, 1984.

Études d'ensemble

Hackforth, R.M., *The Composition of Plato's Apology*, Cambridge, Cambridge University Press, 1933.

Havelock, E.A., « Why was Socrates tried ? », *Studies in honour of Gilbert Norwood*, ed. by M.E. White, *Phoenix* supp. vol. I, Toronto, Toronto University Press, 1952, p. 95-109.

Nussbaum, G., « Some problems in Plato's *Apology* », *Orpheus* 8, 1961, p. 53-64.

Pucci, P., « *Sophia* nell' *Apologia* platonica », *Maia* 13, 1961, p. 317-329.

Anastaplo, G., « Human being and citizen. A beginning to the study of Plato's *Apology of Socrates* », *Ancients and Moderns : Essays on the Tradition of political Philosophy in Honor of Leo Strauss*, ed. by Joseph Cropsey, New York, Basic Books, 1964, p. 16-49 ; repris dans Anastaplo, G., *Human Being and Citizen. Essays on Virtue, Freedom and the common Good*, Chicago, The Swallow Press Inc., 1978, p. 8-29.

Coulter, J.A., « The relation of the *Apology of Socrates* to Gorgias' *Defense of Palamedes* and Plato's critique of Gorgianic rhetoric », *Harvard Studies in Classical Philology* 68, 1964, p. 269-303.

Sesonske, A., « To make the weaker argument defeat the stronger », *Journal of the History of Philosophy* 6, 1968, p. 217-231.

Havelock, E.A., « The Socratic self as it is parodied in Aristophanes' *Clouds* », *Yale Classical Studies* 22, 1972, p. 1-18.

James, G.G., « Socrates on civil disobedience and rebellion », *The Southern Journal of Philosophy* 11, 1973, p. 119-127.

Erbse, H., « Zur Entstehungszeit von Platons *Apologie des Sokrates* », *Rheinisches Museum* 118, 1975, p. 22-47.

Allen, Reginald E., « Irony and rhetoric in Plato's *Apology* », *Paideia* 5, 1976, p. 32-42.

Strauss, L., « On Plato's *Apology of Socrates* and *Crito* », *Essays in Honor of Jacob Klein*, Annapolis [MD], St John's College Press, 1976, p. 155-170 ; *Studies in platonic Philosophy*, with an introduction by Thomas L. Pangle, foreword by Joseph Copsey, Chicago, Chicago University Press, 1983, p. 38-66.

Bonfante, L., Raditsa, L., « Socrates' defense and his audience », *Bulletin of the American Society of Papyrologists* 15, 1978, p. 17-23.

Brann, E., « The offense of Socrates. A re-reading of Plato's *Apology* », *Interpretation* VII, 2, 1978, p. 1-21.

Lang, M.L., *Socrates in the Agora, Excavation of the athenian Agora*, Picture book n° 17, American School of Classical Studies at Athens, Princeton [NJ], 1978.

Noussan-Lettry, L., *Cuestiones de hermenéutica histórico-filosófica* I, Mendoza Univ. nac. de Cuyo, Fac. de Filos. & Letras, 1978.

Voitländer, H.-D., *Der Philosoph und die Vielen*, Wiesbaden, Franz Steiner, 1980.

Alt, K., « Diesseits und Jenseits in Platons Mythen von der Seele » I, *Hermes* 110, 1982, p. 278-299.

Seeskin, K.R., « Is the *Apology of Socrates* a parody ? » *Philosophy and Literature* 6, 1982, p. 94-105.

Sánchez, H. D., « Is the *Apology* counter-rhetoric ? », *Diálogos* 18, 1983, n° 42, p. 83-90.

Voitländer, H.-D., « Heraklitische Prägung der Sokratesgestalt in Platons *Apologie* », *Antike und Abendland* 30, 1984, p. 16-37.

Nadler, S., « Probability and truth in the *Apology* », *Philosophy and Literature* 9, 1985, p. 198-201. Critique de Seeskin, 1982.

O'Connel, R.J., « God, gods and moral cosmos in Socrates' *Apology* », *International Philosophical Quarterly* 25, 1985, p. 31-50.

Teloh, H., *Socratic Education in Plato's early Dialogues*, Notre Dame [Ind.], University of Notre Dame Press, 1986.

Döring, K., « Der Sokrates der platonischen *Apologie* und die Frage nach dem historischen Sokrates », *Würzburger Jahrbücher für die Altertumswissenschaft* 13, 1987, p. 75-94.

Schmidt, W.T., « Socratic piety », *Plato, Time, and Education. Essays in Honor of Robert S. Brumbaugh*, ed. by Brian P. Hendley, Albany, SUNY, 1987, p. 3-24.

Seeskin, K., *Dialogue and Discovery. A Study in socratic Method*, Albany, SUNY, 1987.

Bels, J., « Socrate et la mort individuelle. Sur la modification socratique de la perception traditionnelle de la mort dans la pensée grecque », *Revue des Sciences philosophiques et théologiques* 72, 1988, p. 437-442.

Brickhouse, T.C., Smith, N.C., *Socrates on Trial*, Oxford, Clarendon Press, 1988.

Stone, I. F., *The Trial of Socrates*, Boston [Mass.], Little Brown & Co., 1988 ; *Le Procès de Socrate,* trad. française par Ghislain Sartoris, Paris, Odile Jacob, 1990. Cf. Irwin, 1989.

Woodruff, P., « Expert knowledge in the *Apology* and *Laches* : with a general need to know », *Proceedings of the Boston Area Colloquium in Ancient Philosophy* III, ed. by John J. Cleary, Lanham [MD], University Press of America, 1988, p. 79-115.

Bodéüs, R., « Notes sur l'impiété de Socrate », *Kernos* 2, 1989, 27-35.

Irwin, T. H., « Socrates and athenian democracy », *Philosophy and Public Affairs* 18, 1989, p. 184-205. Critique de I. F. Stone, 1988.

Meincke, W., « Wie sollen wir leben ? Einkurzmodell der Oberstufe zu Platons *Apologie* und *Gorgias* », *Der altspraliche Unterricht* 32, 6, 1989, p. 52-63.

Motte, A., « La catégorie platonicienne du démonique », *Anges et Démons* [Actes du Colloque de Liège et de Louvain-la-Neuve], éd. par Julien Ries, avec la collaboration de Henri Limet, *Homo religiosus* n° 14, Louvain-la-Neuve, Centre d'Histoire des religions ; 1989, p. 205-221.

Cambiano, G., « *Daimonion* e *diabolè* nel ritratto platonico di Socrate », *L'Autunno del Diavolo* [Diavolos, dialogos, daimon, Convegno di Torino 17-21 ottobre 1988] vol. I, a cura di Eugenio Corsini e Eugenio Corsa, Milano, Bompiani, 1990, p. 15-22.

Dorion, L.-A., « La subversion de l'*elenchos* juridique dans l'*Apologie de Socrate* », *Revue philosophique de Louvain* 88, 1990, p. 311-344.

Lewis, T. J., « Parody and the argument from probability in the *Apology* », *Philosophy and Literature* 14, 1990, p. 359-366.

O'Neal, W. J., « Socratic piety in Plato's *Apology* » [avec rés. en grec moderne], *Platon 52*, 1990, 123-127.

Rossetti, L., « Sulla dimensione retorica del dialogare socratico », *Méthexis* 3, 1990, p. 15-32.

Stalley, R., « The responsibility of Socrates », *Polis and Politics. Essays in greek Moral and political Philosophy*, ed. by Andros Loizou and Harry Lesser, Aldershot, Avebury, 1990, p. 89-100.

Bodéüs, R., « Socrate et les dieux. Ignorances et certitudes d'une position philosophique », *The Philosophy of Socrates*, International Center for greek philosophy and culture [II International Conference on greek Philosophy, Samos, 1991], ed. by K.G. Boudouris, Athens, 1991, p. 39-44.

Brickhouse, T.C., Smith, N., « The Socratic doctrine of "persuade or obey" », *The Philosophy of Socrates*, International Center for greek philosophy and culture [II International Conference on greek Philosophy, Samos, 1991], ed. by K.G. Boudouris, Athens, 1991, p. 45-62.

Brickhouse, T.C., Smith, N., « Socrates' elenctic mission », *Oxford Studies in Ancient Philosophy* 9, 1991, p. 131-159.

Graham, D.W., « Socrates and the infaillibility of the crafts », *The Philosophy of Socrates*, International Center for greek philosophy and culture [II International conference on greek Philosophy, Samos, 1991], ed. by K.G. Boudouris, Athens, 1991, p. 148-155.

Graves, B.M. et *alii*, « Hemlock poisoning, twentieth Century scientific light shed on the death of Socrates », *The Philosophy of Socrates*, International Center for greek philosophy and culture [II International conference on greek Philosophy, Samos, 1991], ed. by K.G. Boudouris, Athens, 1991, p. 156-168.

Iwata, Y., « The philosophical implication of the *daimonion* of Socrates », *The Philosophy of Socrates*, International Center for greek philosophy and culture [II International conference on greek Philosophy, Samos, 1991], ed. by K.G. Boudouris, Athens, 1991, p. 195-199.

Rossetti, L., « *Logoi sokratikoi* anteriori al 399 », *Logos e logoi*, a cura di Livio Rossetti & Ornella Bellini, Quaderni dell'Istituto di Filosofia dell'Università di Perugia, Facoltà di Magistero n° 9, Napoli, ed. Scientifiche Italiane, 1991, p. 21-40.

Vlastos, G., *Socrate. Ironie et philosophie morale* [1991], traduit de l'anglais par Catherine Dalimier, Paris, Aubier, 1994.

Yonezawa, S., « Socrates' two concepts of the polis » [*Apology, Crito*], *History of Political Thought* 12, 1991, p. 565-576.

Brickhouse, T.C., Smith, N., « The formal charges against Socrates », *Essays on the Philosophy of Socrates*, ed. by Hugh

H. Benson, New York, Oxford, Oxford University Press, 1992, p. 14-34.

Brickhouse, T.C., Smith, N., « Socrates' elenctic psychology », *Synthese* 92, 1992, p. 63-82.

Graham, D.W., « Socrates and Plato », *Phronesis* 37, 1992, p. 141-165.

Irwin, T.H., « Socrates the Epicurean », *Essays on the Philosophy of Socrates*, ed. by Hugh H. Benson, New York, Oxford, Oxford University Press, 1992, p. 198-219.

Seeskin, K., « Poverty and sincerity in the *Apology*. A Reply to Lewis », *Philosophy and Literature* 16, 1992, p. 765-789.

Irwin, T.H., « "Say what you believe" », *Apeiron* 26, 3-4, 1993. *Virtue, Love and Form. Essays in Memory of Gregory Vlastos*, ed. by Terence Irwin & Martha C. Nussbaum, p. 1-16.

Santas, G., « Socratic goods and socratic happiness », *Apeiron* 26, 3-4, 1993. *Virtue, Love and Form. Essays in Memory of Gregory Vlastos*, ed. by Terence Irwin & Martha C. Nussbaum, p. 37-52.

Van der Waerdt, P., « Socratic justice and self-sufficiency. The Story of the delphic oracle in Xenophon's *Apology of Socrates* », Oxford Studies in Ancient Philosophy 11, 1993, p. 1-48.

Vonessen, F., « Das *Daimonion* des Sokrates in platonischer Sicht », *Sokrates. Gestalt und Idee. Sokrates-Studien* I, Zug / Schweiz (Die Graue Edition Prof. Dr. Alfred Schmid-Stiftung)-Heitersheim, Walter Verlagsauslieferung, 1993, p. 71-95.

Sharples, R.W., « Plato on democracy and expertise », *Greece and Rome* 41, 1994, p. 49-56.

Strycker, E. de, *Plato's* Apology of Socrates. *A literary and philosophical Study with a running Commentary*, ed. and completed from the papers of the late E. de Strycker, by S.R. Slings, *Mnemosyne. Supplements* 137, 1994, 525 p.

Vlastos, G., *Socratic Studies*, ed. by Myles Burnyeat, Cambridge, University Press, 1994. [Recueil des articles sur Socrate non repris dans le livre de 1991.]

Études sur des passages

Plusieurs

Pucci, P. « Notes critiques sur l'*Apologie* de Platon », *Revue de Philologie* 37, 1963, p. 255-257.

Renehan, R., *Studies in greek Texts*, Göttingen, Vandenhoeck & Ruprecht, 1976. [19b, 22d, 25c].

Gronewald, M., « Platonkonjekturen nach der Brinkmannschen Regel », *Rheinisches Museum* 119, 1976, p. 11-13 [19e, 32a].

Munding, H., « Sophia und Meinungsbildung. *Zu Apol.* 21b-23b, 22a6-8 », *Der altsprachliche Unterricht* XII, 2, 1969, p. 43-56.

Olievieri, F.J., « Lo demónico en Sócrates », *Anales de Historia Antigua y Medieval* 21-22, 1980-1981, p. 242-257 [31c7-d6, 40a2-c3, 41d3-6].

Préambule

Krüger, G., « Das Prooemium von Platons *Apologie* », *Der altsprachliche Unterricht* IX, 5, 1966, p. 29-34.

20e-21a

Strycker, E. de, « The Oracle given to Chaerephon about Socrates (Plato, *Apology* 20e-21a) », *Studies in greek Philosophy and its Continuation offered to Prof. C.J. de Vogel*, ed. by J. Mansfeld and L.N. de Rijk, *Philosophical Texts and Studies* 23, Assen, van Gorcum, 1975, p. 39-49.

Daniel, J., Polansky, R., « The Tale of the delphic Oracle in Plato's *Apology* », *The Ancient World* 2, 1979, p. 83-85.

Montuori, M., « Nota sull'oracolo a Cherefonte », *Quadernati Urbinati di Cultura Classica* 1982, n° 39, p. 113-118.

Montuori, M., « The Oracle given to Chaerephon on the Wisdom of Socrates : an Invention by Plato », *Kernos* 3, 1990, p. 251-259.

22a6-8

Voitländer, H.-D., « Zu Platons *Apologie* 22a6-8 », *Hermes* 91, 1963, 120-123.

22c

Argyle, A.W., « *Khresmologoi* and *manteis* », *Classical Review* 20, 1970, p. 139.

23c-d

O'Sullivan, J.N., « On Plato, *Apology* 23c-d », *American Journal of Philology* 97, 1976, p. 114-116.

23c

Buttrey, T.V., « Plato's *Apology* 23c and the anger of the catechized », *Liverpool Classical Monthly* 6, 1981, p. 51-53.

24a6-b1

Meridor, R., Ullman, L., « Plato's *Apology* 24a6-b 1 », *American Journal of Philology* 99, 1978, p. 36.

24b4 sq.

Hathaway, R.F., « Law and the moral paradox in Plato's *Apology* », *Journal of the History of Philosophy* 8, 1970, p. 127-142.

26d

Ferguson, J., « An athenian remainder sale », *Classical Philology* 65, 1970, p. 173.

26e6-28a1

Clay, D., « Socrates' mulishness and heroism », *Phronesis* 17, 1972, p. 53-60.

27b4-5

Renehan, R., « A note on Plato, *Apology* 27b4-5 », *Classical Philology* 88, 1993, 318-319.

28e

Calder, M.W. III, « Socrates at Amphipolis (*Ap.* 28e) », *Phronesis* 6, 1961, p. 83-85.

29c6-d5

Mulgan, R.G., « Socrates and authority », *Greece and Rome* 19, 1972, p. 208-212.
Panagiotou, S., « Socrates' defiance in the *Apology* », *Apeiron* 20, 1987, 39-61.

29d3-4

De Filippo, J. G., « Plato, *Apology* 29d3-4 : a note on the grammar of obedience », *Classical Quarterly* 40, 1990, p. 546-547.

30a-b

Burnyeat, M., « Virtues in action », *The Philosophy of Socrates. A Collection for Critical Essays*, ed. by G. Vlastos, Modern Studies in Philosophy, Garden City [NY], Doubleday & Anchor, 1971 / London, MacMillan, 1972, p. 209-234.

30b

Taylor, J.H., « Virtue and wealth according to Socrate (*Apol.* 30b) », *The Classical Bulletin* 49, p. 49-52.

34d3-7

Meridor, R., « Two notes on greek prose », *Mnemosyne* 35, 1982, p. 339.

35a7-b2

Raubitschek, A.E., « Prokrisis (*Apologie* 35a7-b2) », *Politeia und Res Publica. Beiträge zum Verständnis von Politik, Recht und Staat in der Antike*, dem Andenken Rudof Starks gewidmet, hrsg. von Peter Steinmetz, Wiesbaden, Steiner, 1969, *Mélanges R. Stark*, 1969, p. 89-90.

35e-38b

Piérart, M., « Le second discours de Socrate à ses juges. Platon, *Apologie* 35e-38b », *Les Études classiques* 40, 1972, p. 288-293.

36a

Epp, R.H., « Richterzahl und Stimmenverhältnisse im Sokratesprozeß », *Gymnasium* 71, 1964, p. 40-42.

40c3-e2

Calef, S.W., « Why is annihilation a great gain for Socrates ? The argument of *Apology* 40c3-e2 », *Ancient Philosophy* 12, 1992, p. 285-297.

40c4-41e7

Roochnik, D. L., « *Apology* 40c4-41 e7, Is death really a gain ? », *The Classical Journal* 80, 1985, p. 212-220.

41a sq.

Brenk, F.E., « Interesting bedfellows an the end of the *Apology* », *Classical Bulletin*, 1975, p. 44-46.

SUPPLÉMENT BIBLIOGRAPHIQUE
1997-2004

Éditions et traductions

Allemand

Werke I 2. *Apologie*, Übersetzung und Kommentar von E. Heitsch, Göttingen, Vandenhoeck & Ruprecht, 2002, 216 p.

Anglais

Complete Works, ed. by J.M. Cooper, associate ed. D.S. Hutchinson, Indianapolis [IN], Hackett Pub., 1997. *Euthyphro*, *Apology*, *Crito*, *Phaedo*, transl. by G.M.A. Grube.
Defence of Socrates : Euthyphro ; Crito, transl., introd. and notes by D. Gallop, World's classics, Oxford / New York, Oxford University Press, 1997. XL-119 p.
Apology of Socrates, transl., introd., and comment. by M.C. Stokes, Warminster, Aris and Phillips, 1997, VII-200 p.

Italien

Apologia di Socrate ; Critone, trad. di M. Valgimigli [1929], introd. di A.M. Ioppolo, Roma / Bari, Laterza, 1996, XLIX-131 (Economica Laterza, 88).

Études d'ensemble

Kato, S., « The *Apology*. The beginning of Plato's own philosophie » [1991], *Selected Papers*, s.l., s. ed., 1996, p. 1-9.

Yonezawa, S., « Socrates in the *Apology* and in the *Crito* », *Philosophical Inquiry* 12, 1995, p. 1-20.

Méron, É., « Apologie de Palamède, *Apologie de Socrate*, Apologie pour Gorgias », *Platon* 47-48, 1995-1996, p. 21-46. [Résumé en grec moderne.]

McPherran, M.L., *The Religion of Socrates*, University Park, Pennsylvania State University Press, 1996.

Bosch Veciana, A., « La pobresa de Sócrates en els tres discursos de l'*Apologia* de Plató », *Fe i Teologia en la Història. Estudis en honor del Prof. Dr. Evangelista Vilanova*, a cura de J. Busquets i M. Martinell, Facultat de Teologia de Catalunya / Istituto per le scienze religiose (Bolonya), Barcelona, Publicacions de l'Abadia de Montserrat, 1997, p. 223-232.

Brancacci, A., « Socrate e il tema semantico della coscienza », *Lezioni Socratiche*, a cura di G. Giannantoni e M. Narcy, *Elenchos* 26, Napoli, Bibliopolis, 1997, p. 279-301.

Brancacci, A., « Il sapere di Socrate nell'*Apologia* », *Lezioni Socratiche*, a cura di G. Giannantoni e M. Narcy, *Elenchos* 26, Napoli, Bibliopolis, 1997, p. 303-327.

Burnyeat, M., « The impiety of Socrates », *Ancient Philosophy* 17, 1997, p. 1-12.

Irwin, T.H., « Common sense and Socratic méthode », *Method in Ancient Philosophy*, ed. by J. Gentzler, Oxford / New York, Clarendon Press / Oxford University Press, 1997, p. 29-66.

Joyal, M.A., « "The divine sign did not oppose me" : a problem in Plato's *Apology* », *Studies in Plato and the Platonic Tradition. Essays presented to John Whittaker*, ed. by M.A. Joyal, Aldershot [Hampshire], Ashgate, 1997, p. 43-58.

Kamada, M., « Socrates' moral conviction and its basis in Plato's *Apology of Socrates* », *Journal of Classical Studies* 45, 1997, p. 50-60. [En japonais, résumé en anglais p. 169-171.]

Cunsolo, C., « Considerazioni in margine al rapporto tra l'*Apologia di Socrate* platonica e la Difesa di Palamede Gorgiana », *Elenchos* 19, 1998, p. 83-112.

Dumont, J.-N., *Premières Leçons sur l'*Apologie de Socrate *de Platon*, Paris, PUF, 1998, 118 p. (Bibliothèque major, 2).

Howland, J., *The Paradox of Political Philosophy. Socrates' Philosophical Trial*, Lanham [Ma], Rowman & Littlefield Pub., 1998, X-342 p.

Blyth, D., « Socrates' trial and conviction of the jurors in Plato's *Apology* », *Philosophy and Rhetoric* 33, 2000, p. 1-22.

Brickhouse, T.C., Smith, N.D., « Making things good and making good things in Socratic philosophy, Plato : *Euthydemus, Lysis, Charmide* », *Proceedings of the V*th *Symposium Platonicum :*

Selected Papers, ed. by T.M. Robinson and L. Brisson, Sankt Augustin, Academia Verl., 2000, p. 76-87.

Buddensiek, F., « Why Socrates was sentenced to death : some thoughts on double standard behaviour », *Double Standards in the Ancient and Medieval World*, ed. by K. Pollmann, Göttingen, Duehrkohp und Radicke, 2000, p. 95-106.

Christiansen, M., « "Caring about the soul" in Plato's *Apology* », *Hermathena* 169, 2000, p. 23-56.

Lallot, J., « Aspects contrastés : l'*Apologie de Socrate* en grec ancien et en grec moderne », *Études sur l'aspect verbal chez Platon*, textes éd. par B. Jacquinod, avec la coll. de J. Lallot, O. Mortier-Waldschmidt et G. Wakker, Centre Jean Palerne [CNRS GDR 1038], Saint-Étienne, Publications de l'université de Saint-Étienne, 2000, p. 247-265.

Morrison, D., « On the alleged historical reliability of Plato's *Apology* », Archiv für Geschichte der Philosophie 82 (2), 2000, p. 235-265.

Patzer, A., « Die Platonische *Apologie* als philosophisches Meisterwerk », *Meisterwerke der antiken Literatur : von Homer bis Boethius*, hrsg. von M. Hose, München, Beck, 2000, 2000, p. 54-75.

Race, W.H., « The limitations of rationalism : Sophocles' Oedipus and Plato's Socrates », *Syllecta classica* 11, 2000, p. 89-105.

Smith, N.D., Woodruf, P.B. (ed.), *Reason and Religion in Socratic Philosophy*, Oxford / New York, Oxford University Press, 2000.

Tamayo, L., « Un error de lógica en la *Apología* de Sócrates », *Nova Tellus* 18, 2000, p. 13-27. [Résumé en anglais.]

Cavallero, P.A., « *Apokrinómenos* (Platón, *Apol.* 33b) », *Méthexis* 14, 2001, p. 127-133.

Gregorio, F., « Vérité du tribunal et/ou tribunal de la vérité : le rôle de la langue juridique dans la fiction platonicienne. L'exemple de l'*Apologie de Socrate* », *Lettres et lois. Le droit au miroir de la littérature*, dir. F. Ost, L. Van Eynde, P. Gérard, M. van de Kerchove, Publications des Facultés universitaires Saint-Louis, Bruxelles, 2001, p. 39-59.

Morris, T.F., « Plato's *Apology* ; on how Socrates differs from the Sophists », *AncW* 32, 2001, p. 85-98.

Opsomer, J., « *Aporía, euporía* et les mots étymologiquement apparentés : *Hippias mineur, Alcibiade I, Apologie, Euthyphron, Criton, Hippias majeur, Lysis, Charmide, Lachès, Protagoras, Gorgias, Ménon, Ion, Ménéxène, Euthydème, Cratyle* », *Aporia dans la philosophie grecque, des origines à Aristote*, Travaux du Centre d'études aristotéliciennes de l'université de Liège, coll. Aristote. Traductions et études, édités par A. Motte et Chr. Rutten, avec la collaboration de L. Bauloye et A. Lefka, Louvain-la-Neuve, Peeters, 2001, p. 37-60.

Barrett, J., « Plato's *Apology* : philosophy, rhetoric, and the world of myth », *Classical World* 95, 2001-2002, p. 3-30.

Nails, D., *The People of Plato. A Prosopography of Plato and other Socratics*, Indianapolis / Cambridge, Hackett Publishing Company, 2002, XLVIII-414 p.

Burnyeat, M.F., « *Apology* 30b2-4. Socrates, money and the grammar of *gignesthai* », *Journal of Hellenic Sudies* 123, 2003, p. 1-25.

Danzig, G., « Apologizing for Socrates : Plato and Xenophon on Socrates' behaviour in court », *Transsactions of the American Philological Association* 133, 2003, p. 281-321.

McPherran, M.L., « Socrates, Crito, and their debt to Asclepius », *Ancient Philosophy* 23, 2003, p. 71-92.

Roskam, G., « § 1. Platon, *Hippias mineur, Alcibiade, Apologie, Euthyphron, Criton, Hippias majeur, Lysis, Charmide, Lachès* », *Philosophie de la Forme. Eidos, Idea, Morphé dans la philosophie grecque des origines à Aristote. Actes du colloque interuniversitaire de Liège*, Travaux du Centre d'études aristotéliciennes de l'université de Liège, édités par A. Motte, Chr. Rutten et P. Somville, avec la coll. de L. Bauloye, A. Lefka et A. Stevens, Louvain-la-Neuve, Paris, Dudley [Ma], 2003, p. 67-76.

Metcalf, R., « The elenctic speech of the Laws in Plato's *Crito* », *Ancient Philosophy* 24, 2004, p. 37-65.

Études sur des passages

19c4-5

Karfík, F., « Hippias der Weise und Anaxagoras der Naturforscher : zur Frage der kosmologischen Naturforschung in Platons kleineren sokratischen Schriften », *Acta Universitatis Carolinae. Graecolatina Pragensia*, 16-17, 1998, p. 29-49. [Résumé en français et en tchèque.]

20d-e

Ruggiero, R., « Socrate e i professori a contratto : Alberto di Bamberga, Augusto Guzzo e l'*Apologia* di Manara Valgimigli », *Res Publica Litterarum* 20, 1997, p. 195-202.

22c5 et 22d7

Karfík, F., « *Kaì tâlla.* Zu Platon, *Apol.* 22c5 and 22d7 », *Rheinisches Museum* 143 (2), 2000, p. 221.

24c-28a

Steinberger, P.J., « Was Socrates guilty as charged ? *Apol.* 24c-28a », *Ancient Philosophy* 17, 1997, p. 13-29.

28a-29b

Morris, T.F., « Why Socrates is all there in the present ? : *Apol.* 28a-29b », *Ancient World* 28, 1997, p. 55-65.

28b5-9 et 28d6-10

Gerson, L.P., « Socrates' absolutist prohibition of wrongdoing », *Apeiron* 30, 1997, p. 1-11.

30c-d

De Nicola, F., « La "fortuna" della pericope parafrastica di Plat. *Apol.* 30c-d », *Rivista di Filologia e di Istruzione Classica* 126 (3), 1998, p. 268-278.

32a1-3 et 32d1-3

Gocer, A., « Socrates on personal survival and politiques », *Ancient Philosophy* 17, 1997, p. 283-289.

38a8-b10

Ungefehr-Kortus, G., « Die Geldstrafe in Platons *Apologie* (*Apol.* 38a8-b10) : kaì égō... axíokhreōi », *Rheinisches Museum* 146, 2003, p. 279-290.

38a

Moutsopoulos, É.A., « Rhétorique et sophistique artistiques selon Platon », *Parnassos* 37, 1995, p. 5-12.

CRITON

INTRODUCTION

Le soleil se lève, probablement sur un jour de juin 399. [1]

1. La détermination de l'année 399 se fonde sur un témoignage de Diogène Laërce : « Il mourut la première année de la xcv^e olympiade (400-399 av. J.-C.) à l'âge de soixante-dix ans (ce qui correspond à l'*Apologie* 17d et au *Criton* 52e). Voilà ce que dit aussi Démétrius de Phalère (350-vers 297 av. J.-C.) : « Mais certains estiment qu'il avait soixante ans à sa mort. » La détermination du mois de juin se fonde sur ce passage du *Phédon* : « [Phédon] Dans son cas, Échécrate, c'est le sort qui s'en est mêlé. Le sort a voulu en effet que, la veille du jugement, la poupe du navire que les Athéniens envoient à Délos ait été couronnée [Échécrate] Mais de quel navire parles-tu ? [Phédon] Il s'agit du navire sur lequel, à ce que racontent les Athéniens, Thésée avait transporté autrefois les fameux "deux fois sept", garçons et filles qu'il conduirait en Crète [cf. n. 8, p. 230, pour plus de détails]. Il les sauva, et se sauva lui-même. Or, selon la légende, on avait fait ce vœu à Apollon : si, cette fois, les jeunes gens étaient sauvés, on enverrait tous les ans un pèlerinage à Délos, celui-là même que, chaque année depuis lors, et encore maintenant, les Athéniens n'ont jamais cessé d'envoyer vers le dieu. Dès que ce pèlerinage commence, c'est pour eux une loi que, tout le temps qu'il dure, la cité restera pure, donc qu'aucun condamné ne sera exécuté au nom du peuple jusqu'à ce que le navire touche à Délos et en revienne. Mais cela peut parfois prendre beaucoup de temps, lorsque le sort fait les vents contraires et retient les navigateurs [ce qui est le cas, comme on l'apprendra bientôt en 43c-d]. Le pèlerinage commence dès que le prêtre d'Apollon a couronné la poupe du navire ; or le sort a voulu, je le répète, que cela se passât juste la veille du jugement. Voilà pourquoi Socrate est resté si longtemps en prison, tout le temps qui s'écoula entre son procès et sa mort. » (*Phédon* 58a-c, trad. M. Dixsaut). C'est en 426-425 que les nouvelles Délies furent instituées par les Athéniens (Thucydide, III, 104). Elles

On se trouve dans la prison[1] située non loin du tribunal et où Socrate a été amené immédiatement
après son procès. Criton, assis sur le bord du lit,
regarde dormir paisiblement son ami d'enfance,
Socrate, à qui il est venu annoncer la nouvelle de sa
mort prochaine.

Il est très difficile d'évaluer la date de composition du *Criton*. Certains ont pensé que le *Criton*
était le premier dialogue de Platon, antérieur à
l'*Apologie* écrite six ans plus tard. Mais je pense,
sans pouvoir le prouver, que la composition de

---

correspondaient aux anniversaires d'Artémis et d'Apollon qui
tombaient le 6 et le 7 Thargélion (mois athénien qui allait de la
mi-mai à la mi-juin). La traversée du bateau à trente rames d'un
type suranné sur lequel étaient embarqués les jeunes gens ne
demandait que quatre jours, mais il fallait compter avec les
vents. On peut donc penser que le départ se faisait au tout début
du mois Thargélion ou à la fin du mois précédent, le mois Myni-
chion. À cela, il fallait ajouter la durée des célébrations et le
retour qui, en 399, fut ralenti par les vents. Par suite, l'information donnée par Xénophon (*Mémorables* IV, 8, 2) suivant
laquelle Socrate dut attendre trente jours en prison avant de
boire la ciguë paraît vraisemblable ; cela dit, Diogène Laërce (II,
42) parle de quelques jours *(ou pollás hēméras)* seulement.
Socrate aurait donc bu la ciguë vers le milieu du mois de juin
399 ; mais tous les témoignages évoqués donnent prise à la critique et à la discussion.
1. Il est très difficile de savoir où se situait cette prison. Une
fois de plus, il faut s'en remettre au témoignage de Platon dans le
Phédon : « [Phédon] [...] chaque jour, et surtout les jours qui pré-
cédèrent celui-là, nous avions, moi et les autres, l'habitude
d'aller voir Socrate ; nous nous rassemblions dès l'aube dans le
Tribunal, celui justement où avait eu lieu son procès, qui se
trouvait tout près de la prison. Donc, chaque matin, nous atten-
dions là, en parlant entre nous, que la prison fût ouverte (elle
n'ouvrait pas de très bonne heure). Dès son ouverture, nous
entrions auprès de Socrate et passions la plus grande partie de la
journée avec lui. » (*Phédon* 59d, trad. M. Dixsaut). Si le Tribunal
est l'Éliée (cf. p. 14), on peut penser que les restes d'un bâtiment
situé une centaine de mètres au sud-ouest, assez prêt donc pour
que les amis de Socrate voient la porte s'ouvrir, sont bien ceux
de la prison où se trouvait Socrate (cf. carte II) ; mais sur ce
point aussi, la discussion reste vive.

l'*Apologie* et celle du *Criton* sont pratiquement contemporaines[1].

A. Criton et Critobule

Dans l'*Apologie* (33d-e), Socrate dit de Criton qu'il est du même âge et qu'il vient du même dème que lui, ce qui semble indiquer qu'ils sont amis depuis l'enfance. Cela signifie donc que Criton est né vers 470 et qu'il est du dème d'Alopékè. D'une épouse issue de la plus grande noblesse (Platon, *Euthydème* 306e), Criton eut des fils dont Diogène Laërce prétend connaître le nom : Critobule (*Apologie* 31d-e), Hermogène, Épigène et Ctésippe. On peut avoir des doutes concernant les trois derniers[2].

Platon et la tradition relative à Socrate présentent Criton comme un homme riche (*Apologie* 33e et *Criton* 44b), qui se déclare prêt non seulement à aider ses amis financièrement (Diogène Laërce, II, 20, 31, 105, 121), mais aussi à donner de l'argent à Archédèmos pour se protéger contre les attaques des sycophantes (Xénophon, *Mémorables* II, 9, *passim*). Dans l'*Euthydème* (291e), on dit qu'il pratique l'art de l'agriculture. Cette information est corroborée par Xénophon (*Mémorables* II, 9, 2 & 4) qui le décrit comme un propriétaire terrien cultivant du blé, des olives et des vignes. Son domaine devait se trouver sur le dème d'Alopékè; pourtant, comme depuis la réforme de Clisthène, le territoire de chaque dème était distribué au hasard entre trois régions distinctes d'un point de vue géographique — la côte, l'intérieur et la ville — on

---

1. Tout comme dans l'*Apologie*, l'existence de l'Hadès y est présentée comme une évidence, et aucune allusion n'est faite à un jugement des âmes du genre de celui décrit à la fin du *Gorgias*. Cela dit, la prosopopée des Lois constitue l'ébauche d'une réflexion proprement politique absente de l'*Apologie*.

2. Sur tout cela, cf. J.K. Davies, *Athenian propertied Families (600-300 B.C.)*, Oxford, Clarendon Press, 1971, n° 8823, p. 336-337.

ne peut savoir si ce domaine se situait sur la côte ou
à l'intérieur.

Dans l'*Apologie* (33d-e), Socrate nous apprend lui-
même que Criton, accompagné de son fils Critobule,
assiste à son procès. Un peu plus loin (38d), Criton
est nommé parmi ceux qui s'offrent à payer l'amende
qui pourrait lui être infligée. Pour Socrate, Criton était
un vieil ami d'enfance, un riche et honnête Athénien
qui lui était resté attaché durant toute sa vie et s'était
intéressé personnellement à la philosophie; il aurait
confié son fils Cristobule à Socrate pour qu'il profite
de ses discussions (*Banquet* IV 24).

Avec son fils Critobule, Criton (*Phédon* 59b-c)
assiste à la mort de Socrate. Et c'est lui qui s'occupe
de tous les problèmes matériels. Criton demande à ses
serviteurs de ramener à la maison Xanthippe, l'épouse
de Socrate, et l'un de ses enfants (*Ibid.* 60a-b). Il
interrompt l'entretien philosophique, auquel d'ailleurs
il ne participe pas, en demandant à Socrate de moins
parler, comme le recommande le gardien de la prison,
afin qu'il ne s'échauffe pas et ne contrarie ainsi
l'action de la ciguë (*Ibid.* 63d-e). Comme Criton a
évoqué l'organisation des funérailles, Socrate lui rappelle que le cadavre de Socrate n'est pas Socrate (*Ibid.*
115e-116a). Quand Socrate se retire pour prendre un
dernier bain, et dans le but d'éviter que les femmes
se chargent de ce soin, c'est encore Criton qui
l'accompagne (*Ibid.* 116a-b). Assistant à la dernière
rencontre de Socrate avec sa femme et ses enfants, il
entend les ultimes recommandations que leur adresse
son ami (*Ibid.* 116b); on peut d'ailleurs imaginer que
c'est Criton qui s'occupera d'eux après la mort de
Socrate. C'est Criton qui propose à Socrate de diffé-
rer de quelques instants le moment de sa mort, en
buvant la ciguë plus tard (*Ibid.* 116d-117a); Socrate
en profite pour lui rappeler quelques principes. Criton
ne peut réprimer ses larmes et s'éloigne (*Ibid.* 117d).
C'est à lui que Socrate fait sa dernière et énigmatique
recommandation : « Criton, à Asclépios, nous sommes
redevables d'un coq. » (*Ibid.* 117d). Enfin, c'est Cri-

ton qui ferme la bouche et les yeux de son ami d'enfance. Tous ces soins apportés à la personne physique de Socrate sont autant de preuves de son intimité avec lui[1].

Criton a pour fils Critobule[2] que Xénophon décrit comme nouvellement marié en 422 (*Banquet* II, 3). Sa femme étant encore une très jeune fille lors de son mariage (*Économique* II, 3), cela implique que, tout comme son père, Criton, Critobule se maria avant l'âge de vingt-cinq ans; dans cette hypothèse, il serait né entre 445 et 440[3]. Dans l'*Économique* où il fait de Critobule l'interlocuteur principal de Socrate tout au long des six premiers livres, Xénophon nous informe que la fortune de Critobule s'élevait à 500 mines[4].

Xénophon fait inviter par Callias[5] le groupe comprenant Socrate, Critobule, Hermogène, Antisthène et Charmide, qui seront les interlocuteurs du *Banquet*, dont l'action se situe en 422[6]. Au sortir de

1. Après avoir donné quelques renseignements biographiques le concernant, Diogène Laërce (II, 121) nous informe que Criton avait écrit dix-sept dialogues qui avaient été réunis en un seul volume (*en eni bibliōi*); l'expression pourrait signifier que ces dix-sept dialogues se trouvaient sur un seul rouleau de papyrus et donc qu'ils n'étaient pas très longs. Puis, il nous donne les titres de ces dialogues. Ces dialogues sont très probablement des faux, s'ils ont existé. Mais ils doivent répondre à des intentions dont on peut trouver la source soit dans le caractère de Criton, soit dans les dialogues platoniciens où il intervient. Pour une liste, cf. s.v. Criton d'Alopékè, *DPhA* II, 1994, p. 522-526 [Luc Brisson].

2. Cf. s.v. Critobule d'Alopékè, *DPhA* II, 1994, p. 520-521 [Luc Brisson].

3. Selon J.K. Davies, *op. cit.*, cette information ne contredit pas le fait qu'il ait été le contemporain et l'amant de Clinias de Skambonidai (Platon, *Euthydème* 271 b et 275a-b; Xénophon, *Mémorables* I, 3, 8-10; *Banquet*, IV, 12 sq.), car Clinias pourrait bien être né dès 440 ou peu après.

4. Sur cette somme, cf. n. 2, p. 43 de l'Introduction à l'*Apologie*. Cette information jointe au catalogue des liturgies auxquelles il était ou pouvait être astreint (*Économique* II, 5 sq.) implique comme une quasi-certitude que ce Critobule est le même que celui qui fut victorieux comme chorège pour la tribu Antiochide au concours de dithyrambes pour les hommes lors des Dionysies au début du IVe siècle (*IG* II, 1611, cf. J.K. Davies, *op. cit.*, p.336-337).

5. Sur Callias d'Alopékè, cf. *DPhA* II, 1994, p. 163-167.

6. Au livre V du *Banquet*, Xénophon décrit une scène plaisante.

l'entretien de Socrate avec Euthydème et Dionyso-
dore, relaté dans l'*Euthydème* et qu'on peut placer vers
416, Criton explique à Socrate qu'il désirerait pousser
à la philosophie son fils Critobule, dont il nous a dit,
avant de relater le dialogue (271b), qu'il était à peu
près du même âge que Clinias, mais plus mûr. Mais
les éducateurs qui enseignent la philosophie lui
semblent extravagants. Socrate lui conseille alors de
considérer dans la philosophie, non les individus qui
s'y adonnent, mais l'objet même de leur recherche
(304b-307c).

B. Criton comme représentant de l'opinion du grand nombre

Puisque Criton, qui appartient au même dème et a
pratiquement le même âge, semble s'occuper des problèmes matériels de son ami d'enfance, il est tout
naturel qu'il tente d'organiser son évasion.

Lorsque commence le *Criton*, le temps presse. Dès
que Socrate, qui dormait paisiblement sous ses yeux,
se réveille (*Criton* 43a-c), Criton, invoquant le témoignage de passagers, lui annonce l'arrivée du bateau de
Délos qui signifie l'imminence de sa mort (*Ibid.*
43c-44a). Pour sa part, Socrate confirme et précise les
dires de son ami, en invoquant un rêve qu'il vient de
faire (*Ibid.* 44a-b). C'est alors que Criton fait sa proposition à Socrate.

Pour convaincre Socrate de s'évader (*Ibid.*
44b-46a), Criton évoque en particulier le grand
nombre (*hoi polloi*) [1], de l'opinion duquel il faut se

Une contestation au sujet de leur beauté respective s'étant élevée
entre Socrate et Critobule, il a été décidé que le différend serait
tranché après épuisement des explications de chacun. Au cours du
débat, Socrate décrit avec humour sa propre laideur et suggère que
la beauté physique n'a que peu d'importance et que seule importe la
beauté morale.

1. Pour une revue d'ensemble des passages où Platon évoque en
mauvaise part le grand nombre, cf. Hans Dieter Voitländer, *Der
Philosoph und die Vielen*, Wiesbaden, Franz Steiner, 1980. Pour
avoir une idée de la morale du « grand nombre », cf. A.W. Adkins,
Merit and Responsability. A Study in Greek Values, Oxford, Claren-

soucier et dont il faut redouter le pouvoir. Ses arguments développent trois thèmes : la mort de Socrate lui causera, à lui Criton, un malheur (*sumphorá*) irréparable ; la perspective de son évasion ne doit pas plonger Socrate dans la crainte (*phóbos*) de ce qui pourrait arriver à ceux qui l'auraient aidé ; enfin, un refus de Socrate ne serait même pas conforme à la justice (*ou dikaion*). Le malheur qui s'abattrait sur Criton serait multiple : il perdrait un ami irremplaçable (*Ibid.* 44b), et, surtout, l'opinion publique lui ferait la réputation d'un homme pour qui l'argent compte plus que l'amitié (*Ibid.* 44b-d). Socrate ne doit surtout pas être retenu d'agir par la crainte de ce qui pourrait arriver à ses amis. Les sycophantes[1] qui pourraient s'attaquer à ceux qui auront rendu son évasion possible s'achètent facilement (*Ibid.* 44e-45a). Criton a assez de fortune pour faire face à tous les problèmes, et des amis étrangers sont même prêts à apporter leur concours (*Ibid.* 44e-45a) ; de toute façon, Socrate sera bien reçu partout où il décidera de se rendre (*Ibid.* 45b-c). Enfin, Criton passe à l'argument qui devrait par-dessus tout faire réfléchir Socrate. En refusant de s'évader, Socrate adopte une attitude qui n'est pas conforme à la justice : il n'assure pas sa propre survie (*Ibid.* 45c) ; il ne se préoccupe pas du sort de ses fils (*Ibid.* 45c-d), et il ne prend pas en considération la honte que l'opinion publique fera tomber sur les gens qui forment son entourage, en les accusant de lâcheté.

C'est alors que Socrate prend la parole, faisant valoir qu'il n'est pas convenable de suivre l'opinion de n'importe qui. Qu'il s'agisse des soins concernant le corps (47a-e) ou des soins concernant l'âme (47e-48a), il faut s'en remettre à l'opinion d'un expert (*phrónimos* 47a ; *ho epistátēs kaì epaíōn* 47b) plutôt qu'à celle du grand nombre (*Ibid.* 46b-48a). Après

---

don Press, 1960 ; et K.J. Dover, *Greek popular Morality. In the Time of Plato and Aristotle*, Berkeley and Los Angeles, University of California Press, 1974.

1. Pour une définition de ce terme, cf. n. 22, p. 231 à la traduction du *Criton*.

avoir rappelé les principes qui ont toujours guidé son
action, Socrate laisse la parole aux Lois; celles-ci
développent une argumentation rationnelle qui mène
à cette conclusion (*Ibid.* 48a-53a) : Socrate doit rester
en prison et boire la ciguë.

C. LES PRINCIPES QUI FONDENT LA DÉLIBÉRATION RATIONNELLE DE SOCRATE

Dans le domaine moral, qu'il assimile par là à celui
des diverses techniques, Socrate s'en remet à l'argumentation rationnelle pour juger en dernier recours de
la vérité. Cette position, que l'on retrouve dans plusieurs dialogues socratiques [1], est clairement formulée
dans le *Criton* : « Je suis homme, vois-tu (et pas seulement aujourd'hui pour la première fois, mais de tout
temps), à ne donner son assentiment à aucune règle
de conduite (*tôi logôi*) qui, quand j'y applique mon raisonnement (*logizoménôi*), ne se soit révélée à moi être
la meilleure. » (*Ibid.* 46b). Cette tâche rationnelle
trouve son origine, on l'a vu, dans une tâche définie
par une divinité [2].

C'est bien en y appliquant des règles rationnelles
que Socrate développe l'argumentation suivante, qu'il
considère comme l'*arkhê*, le « point de départ » de sa
délibération, son fondement. « [So.] [I] Il ne faut en
aucune façon commettre l'injustice (*oudamôs deî adikeîn*). [Cr.] Non, assurément. [So.] [II] Il s'ensuit que
même à l'injustice il ne faut en aucune façon répondre
par l'injustice (*antadikeîn*), comme se l'imaginent les
gens (*hoi polloî*), dès lors que l'on admet qu'il ne faut
jamais commettre l'injustice. [Cr.] C'est évident. [So.]
[III] Autre question, Criton : doit-on faire du tort à
quelqu'un (*kakourgeîn*), oui ou non? [Cr.] Certes non,
Socrate. [So.] [IV] Mais quoi! Rendre le mal pour le
mal (*antikakourgeîn*), comme le recommande le grand

---

1. Sur ce point, cf. G. Vlastos, *Socrate. Ironie et philosophie
morale* [1991], traduit de l'anglais par Catherine Dalimier, Paris,
Aubier, 1994.
2. Cf. l'Introduction à l'*Apologie*, p. 52-56.

nombre, est-ce un acte juste ou un acte injuste ? [Cr.]
Ce n'est jamais un acte juste. [So.] [V] Car faire du
tort à quelqu'un, cela revient à commettre un acte
injuste (*tò gàr kakôs poieîn anthrṓpous toû adikeîn oudèn
diaphérei*), je suppose. » (*Ibid.* 49b-c). Comme le fait
remarquer Gregory Vlastos, sur ces cinq principes, les
principes II et IV sont ceux qui devaient le plus cho-
quer les lecteurs de Platon.

   Socrate insiste sur le principe I qu'il prend la peine
de formuler trois fois de suite dans un même paragraphe : « [So.] Avons-nous admis [1] qu'il ne faut
d'aucune manière commettre l'injustice de son plein
gré ? Ou disons-nous qu'il y a lieu de commettre
l'injustice d'une certaine manière, mais pas d'une
autre ? [2] Ou est-ce que commettre l'injustice n'est
jamais chose avantageuse ou convenable, comme
nous en sommes tombés d'accord plusieurs fois antérieurement ? Tous ces principes sur lesquels nous
étions tombés d'accord jusqu'ici se sont-ils dissous en
si peu de jours ? Est-ce que pendant si longtemps, Criton, étant donné l'âge qui est le nôtre, nous avons pu
nous entretenir ensemble sérieusement sans nous
apercevoir que nous nous comportions tout comme
des enfants ? Quoi, n'en va-t-il pas bien plutôt exactement comme nous l'avons dit, indépendamment du
fait que les gens (*hoi polloí*) acceptent ces principes ou
les rejettent ? Qu'il faille nous attendre à être plus mal
traités ou mieux, il n'en reste pas moins que [3]
commettre l'injustice est, en toutes circonstances,
chose mauvaise et blâmable pour celui qui commet
l'injustice. Admettons-nous ce principe, oui ou non ?
[Cr.] Nous l'admettons. » (*Ibid.* 49a-b). Ces trois
reformulations ne reprennent pourtant pas tel quel ce
qui a été dit, et elles ne sont pas équivalentes.

   Dans le premier cas, la formulation générale de la
première prémisse, (1. « il ne faut d'aucune manière
commettre l'injustice de son plein gré » se trouve pré-
cisée par l'expression « de son plein gré » (*hekóntas
adikeîn*)[1]. Dans le second cas, la raison qui fonde cette

---

1. Sur la notion de responsabilité, cf. l'*Apologie* 25d-26a.

obligation, « commettre l'injustice n'est en aucune
façon avantageux ou convenable » (*oudamôs tó ge adi-*
keîn oúte agathòn oúte kalón), se trouve enfin clairement exprimée. L'adjectif *kalón* est normalement
employé pour exprimer ce qui est moralement correct
comme tel. En revanche, le second adjectif, *agathón,* a
un champ d'application beaucoup plus large, car il
désigne tout avantage susceptible de procurer le bonheur (*eudaimonia*) qui constitue la fin de l'homme. Et
enfin, la troisième proposition lève une ambiguïté qui
subsistait jusque-là, car il est précisé que seul celui qui
commet l'injustice est impliqué dans ce processus de
dévalorisation ; à la limite, s'il adopte la position d'un
Socrate par exemple, celui qui subit l'injustice n'est
pas affecté par le tort qu'on lui fait : « Commettre
l'injustice est, en toutes circonstances, chose mauvaise
et blâmable pour celui qui commet l'injustice (*tó ge*
adikeîn tôi adikoûnti kaì kakòn kaì aiskhròn tugkhánei
òn pantì trópôi). » Il est beaucoup de cas où commettre
une injustice peut rapporter gros à celui qui commet
cette injustice : par exemple, éliminer physiquement
un adversaire peut permettre d'accéder au pouvoir ;
mentir par omission peut permettre d'enlever un marché et de s'assurer des profits considérables, etc. En
disant qu'il n'est en aucune façon ni bon ni beau de
commettre l'injustice, y compris pour celui qui pourrait en être le bénéficiaire, Socrate ne laisse aucun
doute sur la suprématie qu'il accorde à la justice
considérée du point de vue du sujet.

De la proposition I, qui est d'une portée générale,
Socrate déduit la proposition II, qui n'est qu'un cas
particulier et qui s'applique à la situation qui est la
sienne. Cela dit, Socrate cherche à renforcer cette
interdiction dans le cas des Lois en faisant intervenir
deux considérations. a. Il y a une inégalité de droit
entre Socrate et les Lois qui s'apparente à celle qui
existe entre le père et le fils, entre le maître et
l'esclave : « Quoi, tu serais égal en droit (*ex isou tò*
dikaion) à ton père et à ton maître, si par hasard tu en
avais un, et cela te permettrait de lui faire subir ce

qu'il t'aurait fait subir en retour, de lui rendre injure pour injure, coup pour coup, etc. » (*Ibid.* 50e). Cela renforce l'interdiction. b. Les Lois évoquent même la possibilité pour Socrate de les persuader si elles ne se conduisent pas comme il faut : « Et nous affirmons que, s'il n'obéit pas, il est coupable à trois titres : parce qu'il se révolte contre nous qui l'avons mis au monde, parce que nous l'avons élevé, et enfin parce que, ayant convenu de nous obéir, il ne nous obéit pas sans même chercher à nous faire changer d'avis, s'il arrive que nous ne nous conduisions pas comme il faut, et donc que, même si nous lui proposons cette alternative au lieu de prescrire brutalement de faire ce que nous prescrivons de faire, même si nous lui laissons le choix entre les deux possibilités suivantes, nous convaincre ou nous obéir, il ne se résout ni à l'une ni à l'autre. » (*Ibid.* 51e-52a). Ce passage semble envisager que les Lois peuvent être plus ou moins bonnes, indépendamment de ceux qui sont chargés de les appliquer.

Criton, qui reflétait en cela le sentiment de la majorité de ses concitoyens, devait estimer que ces principes privaient leur code moral d'éléments essentiels. Socrate semble en être conscient, qui, après avoir exposé ces principes, se concentre ensuite sur deux d'entre eux : « Par conséquent, il ne faut ni [II] répondre à l'injustice par l'injustice ni [IV] faire de mal à qui que ce soit, pas même à celui qui vous en aurait fait. Et ne va pas, Criton, me donner ton accord sur ce point en allant contre l'opinion (*parà dóxan*) qui est la tienne. Je sais bien en effet que fort peu de gens partagent cette opinion, et qu'il continuera d'en être ainsi. Or, suivant qu'ils partagent cette opinion ou qu'ils ne la partagent pas, il ne leur est pas possible de prendre un parti en commun (*ouk ésti koinè boulé*), et ceux qui prennent un parti ou l'autre éprouvent forcément du mépris (*kataphroneîn*) les uns pour les autres en constatant le résultat de leurs délibérations. » (*Ibid.* 49c-d). Cette déclaration entraîne des conséquences importantes. Socrate ne dit pas qu'il ne peut discuter

avec quelqu'un qui ne partage pas les principes II et
IV. Il le fait avec Polos, Calliclès, Thrasymaque et
d'autres. Mais il soutient que ce désaccord rend
impossible une prise de décision commune, et que
cette impossibilité entraîne forcément le mépris : ce
que l'on peut vérifier en considérant les discussions de
Socrate avec Polos, Calliclès et Thrasymaque entre
autres.

De la proposition III qui est d'une portée générale,
Socrate déduit la proposition IV, qui est d'une portée
particulière et qui s'applique aussi à son cas. Enfin, la
proposition V déclare qu'il n'y a aucune différence
entre commettre n'importe quel mal envers une personne et commettre une injustice envers cette personne. On ne trouve rien qui justifie cette identité
dans le corpus platonicien. Tout ce que l'on peut dire,
c'est que cette prémisse semble exprimer une intuition
fortement enracinée, suivant laquelle la bonté est incapable de causer un tort intentionnel à autrui, car cette
bonté est intrinsèquement bienfaisante. Une telle
façon de comprendre la bonté comme bienfaisante
rend impensable l'idée de l'homme juste qui fait du
tort à quelqu'un, ami ou ennemi, et conduit Socrate,
semble-t-il, à proposer l'idée révolutionnaire d'une
divinité bonne[1].

D. L'APPLICATION DE CES PRINCIPES AU CAS DE SOCRATE

Une fois ces principes accordés, Socrate va considérer ce qui s'ensuit dans le cas de la délibération qu'il
mène avec Criton : doit-il, oui ou non, s'enfuir de la
prison ? (*Ibid.* 49e-50a). Ce faisant, il applique une
règle générale à un cas particulier qui se trouve être le
sien. L'argumentation qui conduit à une conclusion
négative présente la structure suivante[2] :

1. Comme dans la *République* II 379b.
2. J'admets l'analyse de David Bostock, « The interpretation of
Plato's *Crito* », *Phronesis* 35, 1989, p. 1-20, mais non ses conclusions.

(i. La règle[1] suivant laquelle un verdict doit être appliqué constitue le fondement de tout le système des lois. Par suite (ii., quiconque cherche à violer cette règle cherche à détruire tout le système des lois. Mais (iii., Socrate commettrait une mauvaise action en cherchant à violer cette règle. Aussi (iv., serait-ce une mauvaise chose pour Socrate de chercher à violer cette règle. Donc (v., ce serait une mauvaise chose pour Socrate de chercher à s'évader.

Reprenons cette argumentation dans le détail. Le principe, qui veut que (i. la règle suivant laquelle un verdict doit être appliqué constitue le fondement de tout le système des lois, se trouve ainsi formulé : « [So.] Crois-tu vraiment qu'un État arrive à subsister et à ne pas chavirer, lorsque les jugements rendus y restent sans force, et que les particuliers peuvent réellement en saper l'autorité et en assurer la ruine ? » (*Ibid.* 50b). De ce principe, Socrate tire la conséquence suivant laquelle (ii. quiconque cherche à violer cette loi cherche à détruire tout le système des lois : « [Lois] Dis-moi, Socrate, qu'as-tu l'intention de faire ? Ce que tu entreprends de faire, est-ce autre chose que de tramer notre perte à nous, les Lois et l'État, autant qu'il est en ton pouvoir ? » (*Ibid.* 50a-b). Le passage de (i. à (ii. consiste en une application d'une règle générale à un cas spécifique. Et pour comprendre la suite, il convient d'en accepter le principe, ne fût-ce que provisoirement.

Admettre ces deux premières étapes permet de passer à la troisième : (iii. Socrate commettrait une mauvaise action en cherchant à violer cette règle ; et cela dans tous les cas, même si les Lois se comportent mal envers lui (*Ibid.* 51e). Comme on l'a vu plus haut, les Lois ne tolèrent que deux comportements à leur égard : l'obéissance ou la persuasion. Cela dit, il faut bien admettre, indépendamment des interprétations

---

1. Cette règle, non formulée, est antérieure aux lois elles-mêmes ; c'est elle qui justifie l'existence des tribunaux et celle des « forces de l'ordre ».

proposées, que Socrate a refusé d'obéir à la loi en
deux occasions. Dans l'*Apologie*, il déclare solennelle-
ment : « Citoyens, j'ai pour vous la considération et
l'affection les plus grandes, mais j'obéirai au dieu plutôt qu'à vous ; jusqu'à mon dernier souffle et tant que
j'en serai capable, je continuerai de philosopher, c'est-
à-dire de vous adresser des recommandations et de
faire la leçon à celui d'entre vous que, en toute occasion, je rencontrerai. » (*Apologie* 29d). Dans ce cas
précis, Socrate fait passer l'injonction du dieu avant
celle d'une loi, même hypothétique, sans donner
d'explication[1]. Par ailleurs, un peu plus loin, il refuse
d'obéir à un ordre des Trente en justifiant ainsi son
refus : « Ma préoccupation première est de ne
commettre aucun acte injuste ou impie. » (*Apologie*,
32d). Mais, pourquoi définir comme injuste un ordre
associé ou identifié à une loi qui restait une loi, en
dépit de l'usage que voulait en faire les Trente ? On
pourrait sortir de l'impasse en distinguant entre les
Lois, les corps constitués et les individus qui les
appliquent. Cette distinction est formulée, mais à la
fin du dialogue seulement (*Criton* 54b-c).

Puis les Lois expliquent à Socrate qu'il commettrait
une mauvaise action s'il cherchait à saper leur autorité ; elles invoquent l'accord[2] qu'il leur aurait donné
et rappellent au préalable ce principe : « [So.] Ou plutôt je vais t'interroger. Lorsqu'on est convenu avec
quelqu'un d'une chose, à condition qu'elle soit juste,
faut-il la faire ou peut-on le décevoir ? [Cr.] Il faut la
faire. » (*Ibid.* 49e). Les Lois invoquent trois preuves
de la fermeté de cet accord : a. Socrate s'est absenté
d'Athènes moins souvent que n'importe quel autre
citoyen (*Ibid.* 52a-c) ; b. il s'est abstenu de proposer

---

1. Certains ont voulu interpréter la position de Socrate comme
le refus du marché qu'auraient pu lui proposer les juges (cf. *Apol.*
38a), et non comme un choix entre les Lois et le dieu. Cf.
Th.C. Brickhouse and N.D. Smith, *Socrates on Trial*, 1989,
p. 142 sq.
2. Les termes grecs pour désigner cet accord sont *homologia*
(52d, e, 54c) et *sunthêkê* (52d, 54c).

l'exil comme peine de substitution lors de son procès (*Ibid.* 52c-d) ; et c., alors qu'il est âgé de soixante-dix ans, il n'a jamais préféré les lois de Lacédémone ou celles de la Crète à celles d'Athènes (*Ibid.* 52d-53a). On se trouve donc sur le terrain de la morale, ce qui rend par ailleurs difficile de parler ici de contrat social pour définir un accord qu'invoquent les Lois, et qui en définitive se réduit au fait de rester (*emménein*) sur place.

Après avoir démontré pourquoi l'évasion de Socrate constituerait une injustice à leur égard, les Lois passent à la quatrième étape : (iv. ce serait une mauvaise chose pour Socrate que de chercher à les détruire. Cela engendrerait un mal pour son âme, et, qui plus est, l'évasion projetée n'apporterait ni à Socrate ni à ceux qui l'entourent les avantages escomptés (*Ibid.* 53a-54b). Socrate ferait courir des risques à ses « fidèles » qui auraient assuré cette évasion (*Ibid.* 53a-b). Il serait mal reçu par les autres cités où il aurait décidé de s'établir, pour peu qu'elles possèdent ces bonnes lois : il apparaîtrait, dès lors, que Socrate est un corrupteur de lois et de jeunes gens (*Ibid.* 53b-c). Socrate serait donc obligé de choisir des cités avec de mauvaises lois ; mais la vie vaudrait-elle d'être vécue dans ce genre de cité, dans la mesure où Socrate se contredirait et montrerait que ce qu'il a dit sur la justice n'était que du vent (*Ibid.* 53c-54a) ? Même ses enfants n'y trouveraient pas leur compte. S'il les emmenait avec lui en Thessalie, ils seraient corrompus ; en revanche, même s'il doit mourir, ses amis s'en occuperont à Athènes (*Criton* 54a-b). Bien plus, se conduire injustement envers les lois d'Athènes indisposerait les lois de l'Hadès : « [...] les lois en vigueur dans l'Hadès et qui sont nos sœurs ne te feront pas bon accueil [...]. » (*Ibid.* 54c). On en revient à l'idée que l'injustice représente un dommage pour l'âme de celui qui la commet et qui sera puni dans une autre vie. Donc, la conclusion suivante s'impose : chercher à s'évader serait une mauvaise chose pour Socrate (v. Il restera donc en prison.

E. La souveraineté de la vertu[1]

En restant en prison, Socrate ne commet pas d'injustice et demeure vertueux, mais il met sa vie en péril. La vertu n'entre-t-elle pas alors en conflit avec le bonheur? En effet, pour presque tous les moralistes de l'Antiquité classique, le bonheur est l'objet du désir de tous les êtres humains et la fin ultime de tous leurs actes rationnels; il semble d'ailleurs qu'il en ait été de même pour Socrate si l'on en croit le *Banquet* (205a) et le *Gorgias* (499e). Quel type de rapport Socrate établit-il donc entre vertu et bonheur?

Pour Socrate, la vertu doit être le principe suprême de tous les choix pratiques. Trois passages en apportent la preuve. Dans l'*Apologie*, Socrate déclare qu'il répondrait ainsi à celui qui lui reprocherait une conduite susceptible de mettre sa vie en péril : « Mon bon, ce n'est pas parler comme il faut que d'imaginer, comme tu le fais, qu'un homme qui vaut quelque chose, si peu que ce soit, doive, lorsqu'il pose une action, mettre dans la balance (*hupologízesthai*) ses chances de vie et de mort, au lieu de se demander seulement si l'action qu'il pose est juste ou injuste, s'il se conduit en homme de bien ou comme un méchant. » (*Apologie* 28b). Le même principe est de nouveau énoncé quelques lignes plus bas : « Voici, en effet, la vérité sur la question, Athéniens. Quelle que soit la place dans le rang qu'on occupe – qu'on ait choisi soi-même cette place comme la plus honorable ou qu'on y ait été placé par son chef –, le devoir impose, à mon avis du moins, d'y demeurer quel que soit le risque encouru, sans mettre dans la balance (*hupologízesthai*) ni la mort ni rien d'autre, en faisant tout passer avant le déshonneur. » (*Apologie* 28d). Et, dans le *Criton*, le même principe encore se trouve appliqué à la question de l'évasion : « Pour nous, en revanche, puisque

---

1. Je suis d'assez près G. Vlastos, dans *Socrate. Ironie et Philosophie morale*, *op. cit.*, p. 277-320, sans pourtant admettre tout ce qu'il avance.

c'est ce à quoi nous amène la discussion, il ne reste qu'une seule question à examiner, celle que j'évoquais à l'instant : poserons-nous un acte juste, toi en versant de l'argent à ceux qui me feront sortir d'ici pour les en remercier, moi en partant d'ici et eux en me laissant partir ; ou plutôt ne commettrons-nous pas, en réalité, un acte injuste en agissant ainsi ? Et s'il apparaît que nous commettons un acte injuste en agissant ainsi, nous n'avons pas à balancer (*hupologizesthai*) en nous demandant si, en restant ici tranquille et en n'entreprenant rien, il me faudra mourir ou s'il vaut mieux subir n'importe quelle autre peine plutôt que de commettre l'injustice ? » (*Criton* 48c-d). Dans chacun de ces trois textes, Socrate, confronté à la nécessité de choisir entre des biens concurrents, choisit toujours le même, la vertu qui assure la perfection de l'âme.

Dans la mesure où, par ailleurs, il recherche le bonheur, toute la question est de savoir s'il y a pour lui identité entre vertu et bonheur — auquel cas les malheurs matériels qui touchent le corps ne seraient d'aucune conséquence pour lui — ou s'il estime que la vertu suffit au bonheur, sans pourtant s'identifier à lui.

Tout comme Gregory Vlastos, j'aurais tendance à adopter cette seconde position, comme y invitent les trois passages de l'*Apologie* qui suivent. Dans le premier texte qui est d'une importance capitale, Socrate soutient non pas que ces accusateurs ne peuvent lui faire aucun tort, mais que le tort réel qu'ils sont susceptibles de lui causer en le faisant condamner à mort est moins important que le tort qu'ils se font à eux-mêmes en obtenant cette condamnation et en commettant de ce fait une injustice qui lésera leur âme : « Sachez-le bien, en effet, si vous me condamnez à mort, ce n'est pas à moi, si je suis bien l'homme que je dis être, que vous ferez le plus de tort, mais à vous-mêmes. Ni Mélétos ni Anytos ne sauraient me faire de tort à moi. Comment le pourraient-ils d'ailleurs, puisqu'il n'est pas permis, j'imagine, que celui qui vaut le mieux éprouve un dommage de la part de celui qui vaut moins ? Oh ! sans doute, est-il possible à

un accusateur de me faire condamner à mort, à l'exil
ou à la privation de mes droits civiques. Sans doute,
cet accusateur, ou un autre, s'imagine-t-il, je suppose,
que ce sont là de terribles épreuves, mais je ne partage
pas cet avis. Je considère au contraire qu'il est plus
grave de faire ce qu'il fait maintenant, quand il tente
d'obtenir injustement la condamnation à mort d'un
homme. » (*Apologie* 30c-d). Socrate ne considère pas
que les biens non moraux (argent, réputation, pres-
tige) n'ont pas de valeur, mais il enseigne que la valeur
de ces biens est inférieure à ce qu'il y a de plus précieux dans la vie, la perfection de l'âme : « Ma seule
affaire est d'aller et de venir pour vous persuader,
jeunes et vieux, de n'avoir point pour votre corps et
pour votre fortune de souci supérieur ou égal à celui
que vous devez avoir concernant la façon de rendre
votre âme la meilleure possible, et de vous dire : "Ce
n'est pas des richesses que vient la vertu, mais c'est de
la vertu que viennent les richesses et tous les autres
biens, pour les particuliers comme pour l'État." »
(*Ibid.* 30a-b). Sans la vertu, rien d'autre ne peut être
un bien. D'où ce reproche qu'il adresse à la plupart de
ses concitoyens : « [...] je continuerai de philosopher,
c'est-à-dire de vous adresser des recommandations et
de faire la leçon à celui d'entre vous que, en toute
occasion, je rencontrerai, en lui tenant les propos que
j'ai coutume de tenir : "Ô le meilleur des hommes, toi
qui es un Athénien, citoyen de la cité la plus importante et la plus renommée dans les domaines de la
sagesse et de la puissance, n'as-tu pas honte de te soucier de la façon d'augmenter le plus possible richesses,
réputation et honneurs, alors que tu n'as aucun souci
de la pensée, de la vérité et de l'amélioration de ton
âme, et que tu n'y songes même pas ?" » (*Ibid.*). La
vertu doit donc être désirée pour elle-même, car elle
procure le vrai bonheur, mais, en dépit de son importance primordiale, ce n'est pas le seul objet qui puisse
donner le bonheur. L'âme vertueuse qui est la partie
la plus importante de l'être humain anime un corps
dont il faut bien tenir compte, même si sa valeur est

moindre que celle de l'âme. Entre le bonheur et la vertu, il n'y a pas identité, mais relation privilégiée si et seulement si l'âme est la partie la plus importante de l'être humain.

F. LES LOIS ET L'EXPERT EN MORALE

L'argumentation rationnelle qui conduit Socrate à la conclusion qu'il doit affronter la mort plutôt que de commettre l'injustice et de n'avoir pas une âme vertueuse se fonde sur cette conviction : « [...] la vertu et la justice sont ce qu'il y a de plus estimable pour l'homme. » (*Criton* 53c). Or, ce principe s'oppose à l'opinion du grand nombre (*hoi polloi, Criton* 44b-c, 44d, 45d-46a). Mais Socrate refuse l'appel à l'opinion du grand nombre par Criton (44c), et il en démontre l'invalidité (46c) face à l'opinion de l'expert, que ce soit dans le domaine du corps ou dans celui de l'âme. En ce qui concerne les problèmes moraux, on doit prêter attention non à l'opinion du grand nombre, mais à celle de l'expert : « Par conséquent, mon cher, il est évident que nous devons prendre en considération non pas les jugements du grand nombre, mais les jugements de celui qui s'y connaît en fait de justice et d'injustice, lui qui est unique et qui est la vérité même[1]. » (*Criton* 48a). Cela dit, Socrate établit un parallèle entre le savoir moral et divers savoirs spécialisés[2], comme la médecine, l'élevage, etc. Mais quel

1. Sur le sens à donner à cette allusion à la vérité, cf. David Bostock, « The interpretation of Plato's *Crito* », *Phronesis* 35, 1989, p. 19-20.
2. Il faut toutefois rester très prudent sur ce point. Le fait que l'hypothèse de l'existence d'un expert en morale est explicitement rejetée dans certains dialogues n'implique pas qu'elle n'est pas retenue, fût-ce implicitement, dans d'autres dialogues. Dans l'*Euthyphron* et dans le *Lachès*, l'hypothèse de l'existence d'un expert en morale semble être admise. Certes, ces deux dialogues montrent chacun à sa façon que le savoir moral n'est pas parfaitement assimilable au savoir technique, mais aucun de ces deux dialogues ne renonce explicitement à l'hypothèse d'un savoir moral infaillible, qui assurerait à coup sûr la rectitude de l'action et du comportement.

est dans le domaine moral, cet expert dont le statut est fondé sur la vérité elle-même ?

Dans le *Criton*, il semble bien que la réponse soit la suivante. Les Lois en personne sont ces experts qui s'y connaissent en matière de justice et d'injustice, et dont il faut prendre l'opinion en considération. Trois raisons militent en ce sens. 1. Il serait paradoxal que Socrate se présentât comme cet expert, dans la mesure où dans l'*Apologie* et dans beaucoup d'autres dialogues il prétend sans ambages qu'il ne dispose d'aucun savoir. 2. En outre, il serait particulièrement ironique de jouer ce double jeu consistant à dire « Il faut consulter un expert », en pensant : « Je vais me débrouiller tout seul, car l'expert c'est moi ». 3. Enfin, le *Criton* se termine sur un passage qui ne laisse aucun doute sur le fait que Socrate entend les Lois lui parler (*Criton* 54c-d).

Le *Criton* présente donc une double originalité. Il s'agit du seul dialogue de Platon où un expert en matière de morale se trouve explicitement identifié, alors que la possibilité même de son existence est nettement rejetée dans le *Protagoras* (319b-320b) et dans le *Ménon* (89e-96c). Il s'agit aussi du seul dialogue où un argument moral sérieux est mis dans la bouche non de l'un des interlocuteurs, mais dans celle d'une abstraction personnifiée, les Lois d'Athènes. Comme il est possible, dans certains cas, de les convaincre qu'elles se trompent, les Lois ne peuvent être considérées comme des experts infaillibles dans le domaine de la moralité. Il n'en reste pas moins qu'elles sont les dépositaires de la sagesse traditionnelle à laquelle il faut se référer dans un cas comme celui qui est abordé dans le *Criton* et que, à ce titre, elles peuvent être considérées comme des experts. En outre, les Lois prennent soin de se dissocier des êtres humains qui les appliquent : « Mais en l'état actuel des choses si tu t'en vas, tu t'en iras condamné injustement, non par nous, les Lois, mais par les hommes. » (*Criton* 54b-c). De ce fait, les Lois dégagent leur responsabilité dans de nombreux cas discutables, et notamment dans celui de Socrate.

Deux éléments viennent par ailleurs rehausser le statut des Lois. Leur sainteté est fortement affirmée dans cette phrase : « Posséderais-tu un savoir qui te ferait oublier que, en regard d'une mère et d'un père et de la totalité des ancêtres, la patrie est chose plus honorable (*timiôteron*), plus vénérable (*semnôteron*), plus digne d'une sainte crainte (*hagiôteron*) et placée à un rang plus élevé (*en meízoni moírāi*), tant aux yeux des dieux qu'à ceux des hommes sensés ; qu'il faut donc vénérer (*sébesthai*) sa patrie, lui obéir et lui donner des marques de soumission plus qu'à un père [...]. » (*Criton* 51a-b). La proximité du mot *hósios* avec *semnós* et *sébesthai* et la référence explicite aux dieux confirment le sens fondamentalement religieux de la vénération mêlée de crainte qu'exprime *hágios* : la sainteté attribuée aux Lois n'est donc pas d'ordre éthique, social ou politique, mais bien d'ordre religieux[1]. Ce que confirme la fin du *Criton* où l'on apprend que les lois en vigueur dans l'Hadès sont parentes avec les lois d'Athènes.

On peut se demander si, dans le *Criton*, Platon ne réalise pas une opération de retour au « religieux » identique à celle qu'il opère dans l'*Apologie*. En donnant pour origine absolue à la démarche socratique la réponse de l'oracle, Platon enracine la pratique de la philosophie dans la religion. De même, en rapportant aux Lois, ces êtres vénérables qui semblent inférieurs aux dieux, sans en être très éloignés, l'argumentation rationnelle qui fonde la délibération sur l'opportunité pour Socrate de s'évader, Platon se trouve enraciner la morale de Socrate dans une tradition religieuse qui le précède et le dépasse. Car, tout compte fait, les Lois ne font qu'appliquer la méthode argumentative de Socrate qu'elles fondent sur les prémisses qu'il a lui-même mises en avant et qui s'opposent à celles aux

---

1. Comme l'a démontré André Motte, dans « *Hághios* chez Platon », *Mélanges de philologie, d'histoire et d'archéologie grecques offerts à Jules Labarbe*, éd. par Jean Servais, Tony Hackens et Brigitte Servais-Soyes, supplément à *L'Antiquité Classique*, Liège / Louvain-la-Neuve, 1987, p. 135-152.

quelles le grand nombre (*hoi polloi*) — qui devrait être l'agent de transmission de cette tradition — fait référence. Platon masque donc l'originalité de la démarche de Socrate en rapportant son origine à des êtres mythiques que sont les Lois; mais, ce faisant, il donne à cette démarche une caution en quelque sorte divine.

Finalement, deux problèmes subsistent, auxquels Platon tentera dans d'autres dialogues de trouver une solution. Pour décider si une conduite est juste ou injuste, il faut commencer par définir ce qu'est la justice, ce que Socrate ne fait pas ici. Par ailleurs, une distinction nette doit être opérée entre ce qui est bon sur le plan moral et ce qui est bon sur le plan légal. Platon d'abord dans la *République* puis dans les *Lois* s'emploiera à trouver des solutions à ces problèmes. Dans le *Criton*, il nous décrit un Socrate fortement attaché au contexte athénien, qu'il critique sans pouvoir présenter de solution alternative. C'est à Platon qu'il reviendra de couper définitivement les liens entre la réflexion politique et la pratique politique de la cité où elle se déploie, seule façon de donner à la réflexion politique une dimension véritablement universelle.

Luc BRISSON.

à l'égard de son entourage (45d-e)
d. Il faut avoir pris une décision (45e-46a)

LE REFUS DE SOCRATE

I. Qui doit-on consulter?
le principe (46b-c)
son application (46c-48a)
non pas le grand nombre (46c-47a)
mais l'expert (47a-48a)
pour le corps (47a-e)
pour l'âme (47e-48a)

II. L'intervention des Lois
prémisses (48a-49e)
conséquences (49e-50a)
A. S'évader constituerait une injustice (50a-53a)
Les Lois exige le respect comme les parents
(50a-51c)
Socrate leur a donné son accord (51d-53a)
peu d'absence (52a-c)
refus de l'exil (52c-d)
il ne préfère pas d'autres lois (51d-53a)
B. S'évader n'apporterait pas les avantages
escomptés (53a-54b)
en cette vie (53a-54c)
risques pour l'entourage (53a)
conséquences néfastes pour Socrate
culpabilité démontrée (53b-c)
vie dissolue(53c-54a)
le sort des enfants (54b)
dans l'Hadès (54c)

Conclusion (54c)

REMARQUES PRÉLIMINAIRES

1. *Le texte*

Le texte traduit est celui nouvellement établi par E.A. Duke, W.F. Hicken, W.S.M. Nicoll, D.B. Robinson et J.C.G. Strachan pour les *Platonis Opera*, tomus I, Oxford Classical Texts, 1995. Je ne m'en suis pas écarté.

Je ne me suis considéré comme tenu par aucune ponctuation.

Par ailleurs, je tiens à signaler que, pour la division en pages et en paragraphes, je me suis directement référé à l'édition standard réalisée par Henri Estienne à Genève en 1578. Les lignes sont celles de l'édition de l'OCT.

2. *La traduction*

Cette traduction se veut claire, précise et simple. J'ai cherché à respecter, dans la mesure du possible, l'ordre des mots en grec; l'élégance y perd, mais l'importance relative de tel ou tel membre de phrase dans l'original est mieux mise en évidence. Enfin, j'ai tenu le plus grand compte des particules, que j'ai voulu traduire dans la plupart des cas; ainsi se trouve préservée au mieux l'articulation du récit et de l'argumentation.

3. *Les notes*

Les notes répondent à quatre objectifs. 1. Donner au lecteur les moyens de situer les moments de l'argument, qui ne sont pas toujours évoqués dans l'ordre, ordre qu'on reconstituera à partir de l'Introduction, à laquelle renvoient constamment les notes. 2. Établir le réseau le plus serré possible de renvois aux œuvres authentiques de Platon, et à celles d'Aristote qui peuvent faire allusion au *Criton*. 3. Apporter des précisions qui permettront de comprendre un vocabulaire philosophique, politique, social, technique et économique spécifique à la Grèce ancienne. Et 4. enfin, indiquer les principales difficultés textuelles.

Les références spécifiques à la littérature secondaire, dont on trouvera cependant trace dans les diverses bibliographies, ont été réduites au strict minimum.

4. *L'Introduction*

En France, les dialogues de Platon ont été traditionnellement répartis en deux groupes : les dialogues de jeunesse ressortissaient aux études classiques, et les autres à la philosophie. Or, au cours de ces dernières décennies, un courant s'est affirmé et amplifié qui considérait que les dialogues de jeunesse pouvaient intéresser la philosophie, et tout particulièrement l'éthique. Le travail réalisé par Gregory Vlastos en ce domaine, qui est maintenant disponible dans une excellente traduction française par Catherine Dalimier, *Socrate. Ironie et philosophie morale*, Paris, Aubier, 1994, reste emblématique et fondateur, puisqu'il a été à l'origine de tout un courant d'interprétation. C'est l'importance du *Criton* pour l'éthique et la réflexion politique que, dans l'Introduction, j'ai voulu mettre en évidence.

CRITON

ou Sur le devoir;
genre éthique[1]

SOCRATE

[43a] Que viens-tu faire à cette heure[2], Criton ? Il est encore très tôt, ne vois-tu pas ?

CRITON

Oui, il est encore très tôt.

SOCRATE

Quelle heure est-il au juste ?

CRITON

Le jour va se lever.

SOCRATE

Je m'étonne que le gardien de la prison[3] ait répondu quand tu as frappé[4].

CRITON

Nous nous connaissons bien lui et moi, Socrate, en raison de mes fréquentes visites, et notamment parce que je me suis montré généreux envers lui[5].

SOCRATE

Viens-tu d'arriver ou es-tu là depuis longtemps ?

CRITON

Je suis là depuis un bon bout de temps déjà.

SOCRATE

Comment expliquer alors que tu ne m'aies pas réveillé tout de suite et que tu sois resté assis sur le bord de mon lit en silence ? **[43b]**

CRITON

Non, par Zeus, je ne t'ai pas réveillé, Socrate. Je n'aurais pas supporté, moi, de rester si longtemps éveillé avec un tel chagrin, si depuis un long moment je n'avais été le témoin étonné de ton sommeil paisible. Et c'est bien exprès que je me suis retenu de te réveiller, pour te laisser goûter un moment agréable. Au reste, bien souvent au cours de toute ton existence, j'ai pu, dans le passé, admirer ton heureuse humeur[6], mais jamais autant que dans le malheur qui te frappe maintenant et dont tu supportes le poids avec une telle aisance et une telle douceur.

SOCRATE

Le fait est, Criton, que, à mon âge, il ne serait pas raisonnable de m'irriter parce que je dois déjà mourir[7]. **[43c]**

CRITON

Il en est d'autres, Socrate, qui, au même âge que toi, sont soumis à de semblables épreuves, et leur âge ne les dispense en rien de s'insurger contre le sort qui les frappe.

SOCRATE

C'est exact. – Mais enfin qu'es-tu venu faire ici de si bonne heure ?

CRITON

T'apporter, Socrate, une nouvelle pénible et accablante non pas pour toi, je le vois bien, mais pour moi et pour tous tes amis ; oui, pénible et accablante, et aucune autre, me semble-t-il, ne pourrait me plonger dans un accablement plus grand.

SOCRATE

Quelle est cette nouvelle ? Il s'agit, n'est-ce pas, du retour de Délos du bateau, à l'arrivée duquel **[43d]** je dois mourir[8] ?

CRITON

Il n'est pas encore arrivé, mais, à mon avis, il sera là aujourd'hui même, si j'en crois ce que racontent les gens qui viennent de Sounion et qui en ont débarqué là-bas[9]. Suivant leurs témoignages, il devrait rentrer au port aujourd'hui. Et, Socrate, c'est demain que tu seras forcé de mettre un terme à ta vie.

SOCRATE

Eh bien, Criton, à la bonne fortune[10]. Et, si c'est ce qui plaît aux dieux, qu'il en soit ainsi. Pourtant, je ne crois pas qu'il arrive aujourd'hui même. **[44a]**

CRITON

Et sur quoi te fondes-tu ?

SOCRATE

Je m'en vais te le dire. Je dois en effet mourir le lendemain du jour où le bateau sera arrivé.

CRITON

C'est ce que disent en tout cas ceux de qui dépend la chose[11].

SOCRATE

Pour ma part, en tout cas, je suis persuadé que le bateau arrivera non pas aujourd'hui, mais demain. Je le conjecture sur la foi d'un songe[12] que j'ai eu tout à l'heure, cette nuit même. Et, pour cette raison, tu risques d'être bien tombé en ne me réveillant pas.

CRITON

Quel était donc ce songe?

SOCRATE

J'ai cru voir venir à moi une femme belle et gra-
cieuse, vêtue de blanc, qui m'interpella par mon nom
et qui **[44b]** me dit : « Socrate, dans trois jours, tu
arriveras dans la Phthie fertile[13]. »

CRITON

L'étrange songe, Socrate!

SOCRATE

Mais non, Criton, c'est un songe parfaitement
clair[14] à mon avis du moins.

CRITON

Bien trop clair, me semble-t-il. Mais, divin
Socrate[15], une dernière fois, suis mon conseil et assure
ton salut[16]. Car, vois-tu, si tu meurs, plusieurs malheurs s'abattront sur moi : non seulement je serai
privé d'un ami tel que jamais je n'en trouverai de
pareil[17], mais, de plus, beaucoup de gens qui nous
connaissent mal, toi et moi, estimeront que **[44c]**
j'aurais pu te sauver si j'avais consenti à payer ce qu'il
fallait et que j'ai négligé de le faire. Est-il pourtant rien
de plus honteux que d'avoir la réputation de paraître
attacher plus d'importance à l'argent qu'à ses amis?
Les gens[18] ne croiront jamais en effet que c'est toi qui
as refusé de t'échapper d'ici, alors que nous le dési-
rions ardemment.

SOCRATE

Mais, pourquoi, excellent Criton, nous soucier à ce
point de l'opinion des gens? Les meilleurs, ceux dont
il faut faire le plus de cas, ne douteront pas que les
choses se sont passées comme elles se sont réellement
passées.

CRITON

Mais, Socrate, tu ne vois que trop bien **[44d]** qu'il faut aussi se soucier de l'opinion des gens. La situation dans laquelle tu te trouves présentement montre assez que les gens sont capables de faire du mal – non pas le moindre, mais le pire en fait – quand, auprès d'eux, on a été calomnié[19].

SOCRATE

Ah, Criton, si seulement les gens étaient capables des pires des maux, de sorte qu'ils fussent capables des biens les plus grands, ce serait parfait[20]. En fait, ils sont incapables de l'un et de l'autre, car, impuissants à rendre quelqu'un sensé ou insensé, ils font n'importe quoi[21].

CRITON

Mettons donc qu'il en soit ainsi. Mais dis-moi, Socrate. N'est-ce pas **[44e]** le souci de ce qui pourrait nous arriver à moi et à tes autres amis qui t'empêche de partir d'ici ? Tu crains que les sycophantes[22] ne nous suscitent des tracas en nous accusant de t'avoir fait échapper, qu'ils arrivent à nous déposséder de tous nos biens ou, à tout le moins, qu'ils nous fassent perdre beaucoup d'argent, et peut-être même qu'ils parviennent à nous faire condamner à quelque autre peine encore. Si telle est ta crainte, **[45a]** envoie-la promener. Car, pour te sauver, j'estime qu'il est de notre devoir de courir ce risque, et même de risquer pire s'il le faut. Allons, laisse-toi convaincre, et ne dis pas non.

SOCRATE

C'est ce souci qui me retient, Criton, et bien d'autres choses encore.

CRITON

Ne crains rien de tel pourtant, car c'est pour une somme d'argent qui n'est même pas considérable que des gens sont disposés à te sauver la vie en te faisant échapper d'ici. Et puis, ces sycophantes, ne vois-tu pas qu'on les achète à bon marché, et qu'il n'y aura vraiment pas à débourser beaucoup d'argent pour les acheter. Or, tu peux disposer **[45b]** de ma fortune et je crois qu'elle y suffira. Au reste, si par égard pour moi tu te fais scrupule de dépenser mon argent, il y a ici des étrangers qui sont tout prêts à cette dépense. L'un d'eux a même apporté avec lui la somme nécessaire à la réalisation de ce plan : c'est Simmias de Thèbes. Cébès[23] y est tout prêt aussi, sans parler d'autres en grand nombre[24]. Par suite, je te le répète, écarte cette crainte qui t'empêche de réaliser ton salut et ne te préoccupe pas non plus de cette difficulté que tu évoquais devant le Tribunal, à savoir que tu ne saurais comment vivre si tu partais en exil[25]. En effet, partout où tu pourras te rendre à l'étranger, on te fera **[45c]** bon accueil. En Thessalie[26] notamment, si tu veux t'y rendre, j'ai des hôtes qui auront pour toi beaucoup d'égards et qui assureront ta sécurité, en veillant à ce que personne là-bas ne te fasse de tort.

Il y a plus, Socrate. J'estime que ce que tu entreprends de faire n'est même pas conforme à la justice, quand tu te trahis toi-même, alors que tu peux assurer ton salut, et quand tu mets tous tes soins à mettre en œuvre contre toi ce que souhaiteraient tant réaliser et ce qu'ont tant souhaité réaliser ceux qui sont décidés à te perdre. Est-ce tout ? J'estime encore que ce sont tes propres fils[27] que tu trahis, eux que, en partant, tu abandonnes **[45d]**, alors que tu pourrais les élever et assurer leur éducation jusqu'au bout ; non, pour ce qui te concerne, tu ne t'inquiètes pas de ce qui pourra leur arriver. Et leur sort, tout porte à le croire, ce sera d'être exposé à ce genre de malheurs auxquels on est exposé quand on est orphelin. Or, de deux choses l'une : ou bien il faut éviter de faire des enfants ou bien il faut peiner ensemble[28] pour les élever et pour assurer leur éducation. Or, tu me donnes l'impression, toi, de choisir le parti qui donne le moins de peine, tandis que le parti qu'il faut prendre, c'est le parti que prendrait un homme de bien et un homme courageux,

surtout lorsqu'on fait profession de n'avoir souci dans
toute sa vie que de la vertu[29] !

Pour ma part, je ressens, pour toi comme pour
[45e] nous qui formons ton entourage, de la honte à
la pensée qu'on impute à une certaine lâcheté de notre
part la conduite de toute l'affaire, ta comparution
devant le tribunal alors que tu pouvais ne pas y
comparaître[30], le cours même qu'a pris le procès[31] et,
enfin, le dénouement de l'action qui fut dérisoire, si je
puis dire ; bref, à la pensée qu'on estime que par indi-
gnité et par manque de courage nous nous sommes
dérobés **[46a]**, nous qui pas plus que toi-même
n'avons su te sauver, alors que cela était possible et
qu'on pouvait y parvenir si nous avions été bons à
quelque chose, si peu que ce fût. Une telle conduite,
songes-y bien Socrate, ne risque-t-elle pas d'être
tenue à la fois pour indigne et déshonorante pour toi
comme pour nous ?

Allons délibère, ou plutôt non, ce n'est pas le
moment de délibérer, il faut avoir pris une décision. Il
ne reste qu'un parti. Car la nuit prochaine, il faut que
toute l'opération soit menée à son terme. Si nous tar-
dons encore, c'est impossible, il n'y a plus rien à faire.
Allons, Socrate, de toute façon, suis mon conseil et ne
dis pas non[32].

SOCRATE[33]

Mon **[46b]** cher Criton[34], si tes instances s'accor-
daient avec le devoir, elles mériteraient une grande
considération. Si ce n'est pas le cas, elles sont d'autant
plus fâcheuses qu'elles sont plus pressantes. Il nous
faut donc examiner la question de savoir si nous
devons nous conduire ainsi, oui ou non.

Je suis homme, vois-tu (et pas seulement
aujourd'hui pour la première fois, mais de tout
temps), à ne donner son assentiment à aucune règle
de conduite[35] qui, quand j'y applique mon raisonnement, ne se soit révélée à moi être la meilleure. Or, les
règles que j'ai jusqu'ici mises en avant je ne puis les
jeter maintenant par-dessus bord, sous prétexte qu'il

m'est arrivé quelque chose d'imprévu. Non, ces règles
n'ont à mes yeux pratiquement pas changé. Et ces
règles qu'aujourd'hui je vénère et je respecte **[46c]**, ce
sont exactement celles dont l'autorité s'imposait à moi
auparavant. Si nous n'avons pas de meilleures règles
que celles-là à alléguer à présent, sache bien que je ne
céderai pas, quand bien même la puissance du grand
nombre tenterait plus encore qu'à présent de nous terrifier, comme on le fait en menaçant les enfants du
croque-mitaine[36], en nous mettant devant les yeux
incarcérations, condamnations à mort et confiscations
des biens[37]. Voyons donc, comment conduirons-nous
cet examen de la meilleure façon possible ?

Et pourquoi, pour commencer, ne pas revenir à
l'argument que tu allègues concernant les jugements
que portent les gens. Avions-nous, oui ou non, raison
de dire que, en toute occasion, il y a des jugements
dont il faut tenir compte **[46d]** et d'autres dont il ne
faut pas tenir compte[38] ? Ou bien avions-nous raison
de dire cela avant que je ne sois condamné à mort,
alors que maintenant il est devenu évident que ce
n'était qu'une façon de parler[39], un simple jeu, des
paroles en l'air ? Pour ma part en tout cas, j'ai envie,
Criton, d'examiner en ta compagnie si, en fonction de
la situation où je me trouve, cet argument s'est profondément modifié ou s'il est resté le même, si nous
allons lui donner son congé ou lui apporter notre
assentiment.

Voici à peu près ce qu'on affirme, si je ne me
trompe, et c'est la position que sur ce point tiennent
en toutes circonstances les gens qui s'imaginent ne
pas parler pour ne rien dire. On affirme donc, comme
je viens tout juste de le faire, que, parmi les jugements
que portent les gens, **[46e]** il faut faire grand cas des
uns, mais pas des autres. Par les dieux, dis-moi, Criton, crois-tu qu'on a raison d'affirmer cela ? Il est
évident, en effet, pour autant qu'un être humain soit
en mesure de le prévoir[40], qu'il est hors de question
que tu meures demain **[47a]** ; aussi l'imminence de ce
malheur ne saurait-elle te faire perdre ton bon sens[41].

En ce cas, considère la question suivante. À ton avis,
n'est-ce pas parler comme il convient que de dire
ceci : parmi les jugements que portent les êtres
humains, tous ne sont pas dignes de considération, les
uns le sont et les autres non ; et parmi tous les êtres
humains qui formulent ces jugements, les uns sont
dignes de considération, les autres non ? Qu'en dis-
tu ? On a raison de parler ainsi, n'est-ce pas ?

CRITON

On a raison.

SOCRATE

Ce sont les jugements utiles qui méritent considération, et non ceux qui sont dommageables, n'est-ce
pas ?

CRITON

Oui.

SOCRATE

Les jugements utiles sont ceux que portent les gens
sensés, tandis que les jugements dommageables
viennent des insensés ?

CRITON

Comment le nier ?

SOCRATE

Poursuivons donc. Où veut-on en venir en disant
cela ? Celui qui s'entraîne **[47b]** et dont c'est l'occupa-
tion, fait-il cas de la louange, du blâme ou du jugement, que lui adresse le premier venu ou bien seulement de l'avis d'une seule et unique personne, qui se
trouve être un médecin[42] ou un entraîneur[43] ?

CRITON

D'une seule et unique personne.

SOCRATE

Les blâmes qu'il doit redouter et les éloges qu'il doit
rechercher, ce sont les éloges et les blâmes d'une seule
et unique personne et non pas de tout un chacun,
n'est-ce pas ?

CRITON

Évidemment.

SOCRATE

Par conséquent, pour savoir comment faire ce qu'il
a à faire, s'entraîner, manger et boire, il prendra l'avis
d'un seul individu[44], celui qui s'occupe de lui et qui
s'y connaît[45], et non pas celui du grand nombre en
bloc.

CRITON

C'est clair.

SOCRATE

Bien. S'il désobéit à cette unique personne et s'il
dédaigne **[47c]** son jugement et ses louanges, et s'il
fait plus de cas des avis du grand nombre qui n'y
connaît rien, il en résultera un mal, sans aucun doute ?

CRITON

Je ne vois pas comment il en irait autrement.

SOCRATE

Quel genre de mal ? Sur quoi portera-t-il ? Et où
sera lésé celui qui désobéit ?

CRITON

En son corps, évidemment, car c'est à son corps
qu'il fera subir un dommage.

SOCRATE

Tu as raison. Et il en va ainsi, Criton, pour tout le
reste, sans qu'il soit besoin de se lancer dans une énumération, et notamment pour le juste et l'injuste, le

laid et le beau, le bien et le mal, dont nous sommes en train de délibérer. Est-ce le jugement des gens que nous devons **[47d]** suivre et que nous devons redouter, ou est-ce le jugement d'un seul individu qui s'y connaît, s'il en est un, le seul qui doive nous faire honte et que nous devons redouter plus que tous les autres en bloc ? J'entends l'individu dont nous ne pourrons pas ne pas suivre les conseils, sans corrompre et abîmer ce qui, tu le sais [46], s'améliore par la justice et se détériore par l'injustice. Ou bien, ne sont-ce là que paroles vaines ?

CRITON

Je pense comme toi, Socrate.

SOCRATE

Poursuivons donc. Si ce qui s'améliore par un régime sain, et qui se détériore par un régime malsain, cette chose nous l'endommageons en ne donnant pas notre assentiment à l'opinion de ceux qui s'y connaissent, est-ce que la vie vaudra d'être vécue [47], **[47e]** une fois que cette chose sera corrompue ? Or, cette chose c'est le corps, n'est-ce pas ?

CRITON

Oui

SOCRATE

Eh bien, la vie vaut-elle d'être vécue avec un corps en loques et en ruines ?

CRITON

Non, assurément.

SOCRATE

Mais la vie vaut-elle d'être vécue quand, ce qui en nous est ruiné, c'est ce que l'injustice abîme et ce à quoi la justice profite ? Ou bien allons-nous attribuer au corps plus de valeur qu'à cette partie de nous-mêmes, quelle qu'elle soit **[48a]**[48], que concernent l'injustice et la justice?

CRITON

Non certes.

SOCRATE

N'est-elle pas au contraire plus précieuse?

CRITON

Beaucoup plus assurément.

SOCRATE

Par conséquent, mon cher, il est évident que nous devons prendre en considération non pas ce que diront les gens, mais ce que dira celui qui s'y connaît en fait de justice et d'injustice, lui qui est unique et qui est la vérité elle-même[49].

S'il en est bien ainsi, tu nous as engagés, dans un premier temps, sur une mauvaise voie, en nous invitant à prendre en considération l'opinion des gens sur ce qui est juste, sur ce qui est comme il faut, sur ce qui est avantageux et leurs contraires. Il n'en reste pas moins vrai, pourra-t-on rétorquer, que les gens sont à même de nous faire **[48b]** périr[50].

CRITON

Cela aussi est clair. C'est bien ce qu'on pourra rétorquer, Socrate.

SOCRATE

Tu as raison[51]. Et pourtant, homme admirable, le principe que nous venons d'alléguer[52] me paraît, pour ma part, rester aussi vrai qu'il l'était auparavant. Et celui-ci encore, à savoir que l'important n'est pas de vivre, mais de vivre dans le bien[53]. Ce principe tient-il toujours pour nous, oui ou non?

CRITON

Il tient.

SOCRATE

Et soutenir que vivre dans le bien, comme il faut et
dans la justice[54], c'est la même chose, ce principe
tient-il oui ou non ?

CRITON

Il tient.

SOCRATE

C'est donc à partir de ces principes sur lesquels
nous sommes tombés d'accord qu'il faut examiner la
question de savoir s'il est juste ou non que je tente de
partir d'ici sans l'autorisation des Athéniens. **[48c]** Si
cet acte apparaît juste, il nous faut l'entreprendre,
sinon, il faut laisser tomber. Quant aux considérations
alléguées par toi, dépense d'argent, réputation, éducation des enfants, j'ai bien peur en vérité, Criton, que
ce soient là des considérations qui ne sont bonnes que
pour ceux qui, à la légère, condamnent des gens à
mort et qui les feraient revenir à la vie, s'ils en étaient
capables, le tout sans aucune réflexion[55], je veux parler du grand nombre.

Pour nous, en revanche, puisque c'est ce à quoi
nous amène la discussion, il ne reste qu'une seule
question à examiner, celle que j'évoquais à l'instant :
poserons-nous un acte juste, toi en versant de l'argent
à ceux qui me feront sortir d'ici **[48d]** pour les en
remercier, moi en partant d'ici et eux en me laissant
partir ? ou plutôt ne commettrons-nous pas, en réalité,
un acte injuste en agissant ainsi ? Et s'il apparaît que
nous commettons un acte injuste en agissant ainsi,
avons-nous encore à balancer en nous demandant si,
en restant ici tranquille et en n'entreprenant rien, il me
faudra mourir ou subir n'importe quelle autre peine
plutôt que de commettre l'injustice[56] ?

CRITON

Ce que tu dis, Socrate, paraît juste, vois donc ce
que nous devons faire.

SOCRATE

Examinons ensemble ce qu'il en est, mon bon; et si
tu as quelque objection à soulever, ne te gêne pas, j'en
tiendrai compte. Sinon, **[48e]** renonce, bienheureux
Criton, à me tenir sans cesse les mêmes propos, à
savoir que je dois partir d'ici, même si les Athéniens
ne sont pas d'accord. Je tiens beaucoup, vois-tu, à agir
comme je vais le faire, avec ton approbation et non
contre ton gré [57]. Eh bien, en ce qui concerne le point
de départ de notre examen [58], vois s'il te satisfait et
essaie de répondre à mes questions **[49a]** en fonction
de ce que tu penses vraiment [59].

CRITON

Oui, je vais essayer.

SOCRATE

Nous avons admis qu'il ne faut jamais commettre
l'injustice de son plein gré. Est-ce que, dans certains
cas, on peut le faire et dans d'autres non? Ou est-ce
que commettre l'injustice n'est jamais chose avantageuse ou convenable, comme nous en sommes tombés d'accord plusieurs fois antérieurement? Tous ces
principes sur lesquels nous étions tombés d'accord
jusqu'ici se sont-ils dissous [60] en si peu de jours?
Est-ce que, pendant si longtemps, Criton, étant donné
l'âge qui est le nôtre [61], nous avons pu nous entretenir
ensemble sérieusement **[49b]** sans nous apercevoir
que nous nous comportions tout comme des
enfants [62]? Quoi, n'en va-t-il pas bien plutôt exactement comme nous l'avons dit, indépendamment du
fait que les gens acceptent ces principes ou les
rejettent? Qu'il faille nous attendre à être plus mal
traités ou mieux, il n'en reste pas moins que

commettre l'injustice est, en toutes circonstances, chose mauvaise et blâmable pour celui qui commet l'injustice. Admettons-nous ce principe, oui ou non?

CRITON

Nous l'admettons.

SOCRATE

Par conséquent, il ne faut jamais commettre l'injustice.

CRITON

Non, assurément.

SOCRATE

Il s'ensuit que même à l'injustice il ne faut en aucune façon répondre par l'injustice, comme se l'imaginent les gens [63], dès lors que l'on admet qu'il ne faut jamais commettre l'injustice. **[49c]**

CRITON

C'est évident.

SOCRATE

Autre question, Criton : doit-on faire du tort à quelqu'un, oui ou non?

CRITON

Certes non, Socrate.

SOCRATE

Mais quoi! Rendre le mal pour le mal, comme le recommande le grand nombre, est-ce un acte juste ou un acte injuste?

CRITON

Ce n'est d'aucune manière un acte juste.

SOCRATE

Car faire du tort à quelqu'un, cela revient à commettre un acte injuste, je suppose.

CRITON

Tu dis vrai.

SOCRATE

Par conséquent, il ne faut pas répondre à l'injustice par l'injustice et faire de tort à qui que soit, quel que soit le mal subi. Et ne va pas, Criton, me donner ton accord sur ce point en allant contre **[49d]** l'opinion qui est la tienne[64]. Je sais bien, en effet, que fort peu de gens partagent cette opinion, et qu'il continuera d'en être ainsi[65]. Or, suivant qu'ils partagent cette opinion ou qu'ils ne la partagent pas, les gens prennent tel ou tel parti, et ceux qui prennent un parti ou l'autre éprouvent forcément du mépris les uns pour les autres en constatant le résultat de leurs délibérations. Examine donc avec beaucoup d'attention si toi aussi, tu partages mon sentiment, si tu t'accordes avec moi et si, au point de départ de toute délibération, nous posons comme principe qu'il n'est jamais bien d'agir injustement, de répondre à l'injustice par l'injustice et de rendre le mal pour le mal; ou si tu t'écartes de ce principe[66] et t'en dissocies. Telle est, en effet, **[49e]** depuis longtemps mon opinion et telle elle reste encore maintenant. Mais si toi, tu es d'un autre avis, dis-le et explique-toi. Si, au contraire, tu persévères dans cette voie, écoute ce qui s'ensuit.

CRITON

Oui, je persévère dans cette voie et je partage ton avis. Eh bien, parle.

SOCRATE

En ce cas, je vais t'expliquer ce qui s'ensuit. Ou plutôt je vais t'interroger. Lorsqu'on est convenus avec quelqu'un d'une chose, à condition qu'elle soit juste[67], faut-il la faire ou peut-on le décevoir?

CRITON

Il faut la faire.

SOCRATE

Cela posé, fais attention maintenant à ce qui en
découle. Si nous partons d'ici sans avoir obtenu
l'assentiment de la cité, **[50a]** faisons-nous du tort à
des gens, et précisément à des gens à qui il faudrait le
moins en faire, oui ou non ? Et persévérons-nous dans
la voie dont nous sommes convenus qu'elle était celle
de la justice, oui ou non ?

CRITON

Je ne puis répondre à ta question, Socrate, car je ne
la comprends pas.

SOCRATE

Eh bien, considère la chose sous le jour que voici[68].
Suppose que, au moment où nous allons nous évader[69] d'ici – peu importe le nom qu'il faille donner à
cet acte –, viennent se dresser devant nous les Lois et
l'État et qu'ils nous posent cette question :

[LOIS]

Dis-moi[70], Socrate, qu'as-tu l'intention de faire ? Ce
que tu entreprends de faire, est-ce autre chose que de
tramer notre perte à nous, les Lois **[50b]** et l'État[71],
autant qu'il est en ton pouvoir[72] ? Crois-tu vraiment
qu'un État arrive à subsister et à ne pas chavirer[73],
lorsque les jugements rendus y restent sans force, et
que les particuliers se permettent d'en saper l'autorité
et d'en tramer la perte ?

SOCRATE

À cela, et à d'autres propos du même genre, que
répondrons-nous, Criton ? Combien de raisons ne
pourraient être avancées — par un orateur[74] entre

autres — pour plaider contre l'abolition de cette loi qui prescrit que la chose jugée a une autorité souve-raine[75]. Allons-nous rétorquer aux Lois : « La cité a commis contre nous une injustice et le jugement qu'elle a posé va contre le bon droit. » **[50c]** Est-ce là ce que nous dirons, ou quoi ?

CRITON

C'est cela même, par Zeus, Socrate.

SOCRATE

Mais supposons qu'alors les Lois répliquent :

[LOIS]

Socrate, est-ce là ce qui était convenu entre nous et toi ? n'est-ce pas plutôt que tu tiendrais pour valables les jugements de la cité, quels qu'ils fussent ?

SOCRATE

Et si nous nous étonnions d'entendre ces paroles, elles pourraient bien nous dire :

[LOIS]

Socrate, ne t'étonne pas de notre langage, réponds-nous plutôt, puisque c'est ton habitude de procéder par questions et par réponses[76]. Allons donc, que nous reproches-tu à nous **[50d]** et à la cité pour entre-prendre de nous détruire ? N'est-ce pas à nous, en premier lieu, que tu dois ta naissance[77], n'est-ce pas nous qui avons marié ta mère et ton père et leur avons permis de t'engendrer ? Dis-nous donc si tu blâmes celles d'entre nous qui règlent les mariages ? Les tiens-tu pour mal faites ?

SOCRATE

Je n'ai contre elles aucun blâme à soulever, répon-drais-je.

[LOIS]

Et aux lois qui règlent les soins de l'enfant venu au monde, et son éducation, cette éducation qui fut la tienne à toi aussi ? Étaient-elles mauvaises les lois qui s'y rapportent, elles qui prescrivaient à ton père de faire de la gymnastique et de la musique la base de ton éducation[78]?

SOCRATE

Elles étaient bonnes, **[50e]** répondrais-je.

[LOIS]

Bien, et une fois que tu as été mis au monde, que tu as été élevé et que tu as été éduqué, tu aurais le culot de prétendre que vous n'êtes pas toi, aussi bien que tes parents, à la fois nos rejetons et nos esclaves ! Et s'il en va bien ainsi, t'imagines-tu qu'il y ait entre toi et nous égalité de droits, t'imagines-tu que ce que nous pouvons entreprendre de te faire, tu puisses, toi, en toute justice entreprendre de nous le faire en retour ? Quoi, tu serais égal en droit à ton père et à ton maître, si par hasard tu en avais un[79], et cela te permettrait de lui faire subir en retour ce qu'il t'aurait fait subir, de lui rendre injure pour injure, coup pour coup **[51a]** etc. À l'égard de la cité et à l'égard des Lois, en revanche, cela te serait permis, de sorte que, si nous entreprenons de te faire périr parce que nous estimons que cela est juste, tu pourrais, toi, entreprendre, dans la mesure de tes moyens, de nous faire périr, nous, les Lois, et ta cité, et, en agissant de la sorte, tu pourrais dire que ce que tu fais est juste, toi qui as de la vertu un souci véritable[80] ! Posséderais-tu un savoir[81] qui te ferait oublier que, en regard d'une mère et d'un père et de la totalité des ancêtres, la patrie est chose plus honorable, plus vénérable, plus digne d'une sainte crainte et placée à un rang plus élevé[82], **[51b]** tant aux yeux des dieux qu'à ceux des hommes sensés ; qu'il faut donc vénérer sa patrie, lui obéir et lui donner des marques de soumission plus qu'à un père, en l'amenant à changer d'idée ou en faisant ce qu'elle ordonne et en supportant sans se révolter le traitement qu'elle prescrit de subir, que ce soit d'être frappé, d'être enchaîné, d'aller au combat pour y être blessé ou pour y trouver la mort ; oui, cela il faut le faire, car c'est en cela que réside la justice[83] ; et on ne doit ni se dérober, ni reculer, ni abandonner son poste, mais il faut, au combat, au tribunal, partout, ou bien faire ce qu'ordonne la **[51c]** cité, c'est-à-dire la patrie, ou bien l'amener à changer d'idée en lui montrant en quoi consiste la justice[84]. N'est-ce pas au contraire une chose impie que de faire violence à une mère, à un père, et l'impiété serait-elle moindre lorsqu'il s'agit de la patrie ?

SOCRATE

Que répliquerons-nous à ce discours, Criton ? Les Lois ont-elles tort ou ont-elles raison ?

CRITON

Pour ma part, je crois qu'elles ont raison.

[LOIS]

Considère donc, Socrate, pourraient-elles ajouter, si nous n'avons pas raison de dire qu'il est injuste d'entreprendre de nous traiter comme tu projettes de le faire. Nous qui t'avons mis au monde, nourri, instruit, nous qui vous avons, toi et tous **[51d]** les autres citoyens, fait bénéficier de la bonne organisation que nous étions en mesure d'assurer, nous proclamons pourtant, qu'il est possible à tout Athénien qui le souhaite, après qu'il a été mis en possession de ses droits civiques[85] et qu'il a fait l'expérience de la vie publique et pris connaissance de nous, les Lois, de quitter la cité, à supposer que nous ne lui plaisons pas, en emportant ce qui est à lui, et aller là où il le souhaite. Aucune de nous, les Lois, n'y fait obstacle, aucune non plus n'interdit à qui de vous le souhaite de se rendre dans une colonie[86], si nous, les Lois et la cité, ne lui plaisons pas, ou même de partir pour s'établir à l'étranger, là où il le souhaite, en emportant ce qu'il possède.

Mais si quelqu'un **[51e]** de vous reste ici, expérience faite de la façon dont nous rendons la justice et dont nous administrons la cité, celui-là, nous déclarons que désormais il est vraiment d'accord avec nous pour faire ce que nous pourrions lui ordonner de faire. Et nous affirmons que, s'il n'obéit pas, il est coupable à trois titres : parce qu'il se révolte contre nous qui l'avons mis au monde, parce que nous l'avons élevé, et enfin parce que, ayant convenu de nous obéir, il ne nous obéit pas sans même chercher à nous faire changer d'avis, s'il arrive que nous ne nous conduisions pas comme il faut, et donc que, même si nous lui proposons cette alternative **[52a]** au lieu de prescrire brutalement de faire ce que nous prescrivons de faire, même si nous lui laissons le choix entre les deux possibilités suivantes : nous convaincre ou nous obéir, il ne se résout ni à l'une ni à l'autre. Voilà donc à quels griefs tu t'exposes, Socrate, si tu réalises le projet que tu médites, oui toi plus que tout autre Athénien, oui toi tout particulièrement.

Socrate

Et si alors je leur demandais : Pourquoi donc dire cela ? Sans doute auraient-elles bien raison de me faire remarquer que, parmi les Athéniens, je suis celui qui me trouve avoir pris cet engagement[87] à un degré tout particulier. Elles me pourraient en effet me dire :

[Lois]

Socrate, des preuves sérieuses peuvent être invoquées **[52b]** qui montrent que nous te plaisions, nous et la cité. En effet, si la cité ne t'avait pas tellement plu, tu n'y serais pas resté plus longtemps que tous les autres Athéniens, sans jamais en sortir ni pour aller à une fête[88], sinon une fois à l'Isthme[89], ni pour aller dans aucun pays étranger, sauf dans le cadre d'une expédition militaire[90], ni pour entreprendre un voyage[91], comme le font les autres gens ; tu n'as même pas conçu le désir de prendre connaissance d'une autre cité et d'autres lois, pleinement satisfait que tu étais de nous et de la cité qui est la nôtre. Ta prédilection à notre égard **[52c]** était si grande, ton accord pour vivre dans la cité en conformité avec nous était si fort, que, entre autres choses, c'est dans cette cité que tu as fait tes enfants, prouvant par là à quel point cette cité te plaisait. Il y a plus. Pendant ton procès, tu pouvais, si tu le souhaitais, proposer l'exil comme peine de substitution ; ainsi, ce que précisément aujourd'hui tu projettes de faire contre son assentiment, tu l'aurais alors fait avec l'assentiment de la cité. Mais alors tu te donnais le beau rôle de celui qui affronte la mort sans en concevoir aucune irritation, et tu déclarais préférer la mort à l'exil, tandis qu'aujourd'hui, sans rougir de ces propos et sans montrer aucune considération pour nous, les Lois, tu projettes de nous détruire, **[52d]** en entreprenant de faire ce que précisément ferait l'esclave le plus vil[92], puisque tu projettes de t'enfuir en violant les contrats et les engagements que tu as pris envers nous de vivre comme citoyen. Cela posé, réponds-nous sur ce premier point : disons-nous, oui ou non, la vérité, lorsque nous déclarons que tu t'es engagé à vivre sous notre autorité non pas en paroles, mais dans les faits ?

SOCRATE

Que répondre à cela, Criton ? Est-il possible de n'en point convenir ?

CRITON

Force est d'en convenir, Socrate.

SOCRATE

Sur ce, les Lois diraient :

[LOIS]

Dans ces conditions, tu transgresses les contrats et les engagements que tu as pris avec nous, des accords et des engagements **[52e]** que tu as conclus sans y avoir été contraint, sans avoir été trompé par une ruse ni avoir été forcé de prendre une décision précipitée, puisque, effectivement, tu as eu pour y réfléchir

soixante-dix ans[93], pendant lesquels il t'était permis
de t'en aller, si nous ne te plaisions pas et si nos
accords ne te paraissaient pas justifiés. Or, tu n'as
donné ta préférence ni à Lacédémone ni à la Crète,
dont tu vantes la Constitution[94] chaque fois que
l'occasion s'en présente ni à aucune autre cité,
grecque ou barbare [53a] : bien au contraire, tu t'es
abstenu de t'en éloigner plus encore que les boiteux,
les aveugles et les autres infirmes, tant il était évident
que la cité et nous, les Lois, nous te plaisions, à toi
plus qu'à tous les autres Athéniens. Car comment une
cité plairait-elle à qui n'aimerait pas ses lois ? Et voilà
que maintenant tu ne vas pas respecter les termes de
notre accord ! Cela, Socrate tu t'en garderas, si tu te
laisses convaincre par nous ; et ainsi tu éviteras de
devenir la risée de tous en quittant la cité.

   Considère, en effet, maintenant ceci. Une fois que
tu auras transgressé ces engagements et que tu auras
commis une faute sur un point ou sur un autre, quel
avantage apporteras-tu à toi-même ou [53b] à tes
amis ? Que ces gens qui sont tes amis courent bien eux
aussi le risque d'être exilés, d'être privés de leur droit
de cité ou de perdre leurs biens[95], la chose est assez
claire. Et toi-même, à supposer que tu te rendes dans
l'une des villes les plus proches, Thèbes ou Mégare[96],
deux villes qui ont de bonnes lois, tu y arriveras,
Socrate, en ennemi de leur Constitution, et tous ceux
qui là-bas ont souci de leur cité te regarderont avec
soupçon en te considérant comme un corrupteur des
lois. Quant à tes juges, tu les confirmeras dans leur
opinion[97], en faisant qu'ils estimeront que c'est à bon
droit [53c] qu'ils ont rendu leur jugement. En effet,
quiconque est un corrupteur des lois a, je suppose, de
fortes chances de passer pour un corrupteur de jeunes
gens et d'esprits faibles. Faudra-t-il donc que tu évites
les cités qui ont de bonnes lois et les hommes qui sont
attachés au bon ordre ? Et si tu te conduis ainsi, ta vie
vaudra-t-elle d'être vécue ? Peut-être approcheras-tu
ces gens-là et auras-tu le front de discuter avec eux.
De quoi, Socrate ? De ce qui faisait ici l'objet de tes

discussions, à savoir que la vertu et la justice sont ce qu'il y a de plus estimable pour l'homme, et qu'il en va de même pour les coutumes et pour les lois. Et ne crois-tu pas que le comportement de **[53d]** ce Socrate paraîtrait indécent? Qui pourrait en douter?

Mais peut-être te détourneras-tu de ces cités-là pour te rendre en Thessalie, chez les hôtes de Criton? C'est là en effet, que le dérèglement et le désordre sont à leur comble[98]. Et peut-être y prendrait-on plaisir à t'entendre raconter de quelle façon bouffonne tu t'es évadé de prison, revêtu d'un déguisement[99], d'une peau de bête[100] ou d'un autre travestissement[101] habituellement utilisé par les esclaves qui s'enfuient, bref en ayant modifié l'aspect qui est le tien. Que vieux déjà, alors qu'il te reste vraisemblablement peu de temps à vivre, **[53e]** tu aies l'audace de t'accrocher avec une telle avidité à la vie, en transgressant les lois les plus importantes, est-ce là quelque chose dont personne ne parlera? Peut-être, à la rigueur, si tu n'offenses personne? Autrement, Socrate, il te faudra entendre raconter beaucoup d'indignités sur ton compte. Ce sera donc en flattant tout le monde et en te conduisant comme un esclave[102] que tu vivras dès lors. Et en faisant quoi, sinon en festinant en Thessalie, comme si tu étais allé là-bas invité à un banquet[103]. Et ces propos que tu nous tenais sur la justice et sur les autres vertus, où **[54a]** seront-ils?

Mais, diras-tu, c'est pour tes enfants que tu souhaites vivre, pour les élever et pour assurer leur éducation.

Quoi? Tu comptes les amener en Thessalie pour les élever et pour assurer leur éducation, en faisant d'eux des étrangers, pour qu'ils te doivent aussi cet avantage[104]! Ou bien ce n'est pas ton intention. Élevés ici sans que tu sois auprès d'eux, estimes-tu qu'ils seront mieux élevés et mieux éduqués, parce que tu seras en vie? Ce seront, en effet, tes amis qui prendront soin d'eux. Est-ce qu'ils en prendront soin si c'est pour aller en Thessalie que tu pars, tandis que, si c'est pour aller dans l'Hadès, ils n'en prendront pas

soin? Si vraiment tu peux compter sur ceux qui se
prétendent tes amis **[54b]**, tu dois croire qu'ils prendront soin de tes enfants.

Allons, Socrate, fais nous confiance à nous, les Lois
qui t'avons élevé, ne mets ni tes enfants, ni ta vie, ni
quoi que ce soit d'autre au-dessus de la justice[105], afin
de pouvoir, à ton arrivée dans l'Hadès, alléguer tout
cela pour ta défense devant ceux qui là-bas gou-
vernent[106]. En ce monde-ci en effet, une conduite de
ce genre ne se révélera être ni plus avantageuse, ni
plus juste, ni plus pieuse, pas plus pour toi que pour
aucun de tes amis, et, une fois que tu seras arrivé là-
bas, cela ne te réussira pas mieux. Mais en l'état actuel
des choses si tu t'en vas, tu t'en iras condamné injustement, non pas par nous, les Lois, **[54c]** mais par les
hommes[107], tandis que, si tu t'évades en répondant de
façon aussi répréhensible à l'injustice par l'injustice et
au mal par le mal, en transgressant les engagements et
les contrats que tu avais toi-même pris envers nous, et
en faisant du tort à ceux à qui tu dois le moins en
faire, à toi-même, à tes amis, à ta cité et à nous, tu sus-
citeras contre toi notre courroux durant cette vie, et
là-bas, les lois en vigueur dans l'Hadès et qui sont nos
sœurs[108] ne te feront pas bon accueil, en apprenant
que, pour ta part, tu as entrepris de nous détruire
nous aussi[109]. Non, ne te laisse pas convaincre par
Criton de faire ce qu'il propose, laisse-toi plutôt
convaincre **[54d]** par nous.

SOCRATE

Voilà, sache-le bien, mon cher ami Criton, ce que
moi je crois entendre, à l'instar des Corybantes[110] qui
croient entendre des flûtes; et, en moi, le son de ces
paroles bourdonne[111] et m'empêche d'en entendre
d'autres. Sache-le bien toutefois, pour autant que j'en
puisse juger, tout ce que tu pourras alléguer là contre
sera peine perdue. Pourtant, si tu t'imagines pouvoir
prendre l'avantage, parle.

CRITON

Non, Socrate, je n'ai rien à dire.

SOCRATE

Qu'il en soit ainsi, Criton, **[54e]** et faisons comme je dis, puisque c'est de ce côté-là que nous conduit le dieu[112].

NOTES

à la traduction du *Criton*

1. Lorsqu'il fit réaliser une édition annotée de Platon, qui rajeunissait l'édition faite à Alexandrie au IIIᵉ siècle av. J.-C., T. Pomponius Atticus, un ami de Cicéron, adopta le classement tétralogique (par groupe de quatre, sur le modèle du classement adopté par les tragédies) peut-être proposé par Dercyllide, classement qui se retrouve par ailleurs dans le catalogue de Thrasylle qui comprend neuf groupes de quatre dialogues. Aussi bien dans celui-ci que dans les manuscrits médiévaux, dont les plus anciens remontent à la fin du IXᵉ siècle apr. J.-C., on trouve, pour chaque dialogue, un titre et deux sous-titres. Le titre correspond en général au nom de l'interlocuteur principal. Le premier sous-titre indique le sujet (*skopós*) et le second le caractère (l'orientation philosophique générale) du dialogue. Suivant Diogène Laërce (III 50, 58), le *Criton* faisait partie, avec l'*Euthyphron*, l'*Apologie* et le *Phédon,* de la première tétralogie qui raconte la fin de Socrate; il comportait comme premier sous-titre : Sur le devoir (*perì praktéou*, littéralement « Sur ce qu'il faut faire »), probablement parce que son titre était suffisamment explicite, et il était tout naturellement classé sous l'étiquette « éthique ».

2. La scène se situe en prison un mois à peu près après la condamnation de Socrate. Le jour n'est pas encore levé et Criton est assis depuis un certain temps sur le bord du lit de Socrate, qui dort encore. Dans le *Phédon* (59d), on apprend que, les jours précédents, ses amis se réunissaient tous les matins dans le *dikastérion*, qui n'était pas loin de la prison (cf. carte II), et qu'ils discutaient jusqu'à ce que les portes de la prison soient ouvertes, pas très tôt. Ce jour-là, Criton est venu longtemps avant l'heure habituelle, car il a entendu dire que le bateau sacré revenant de Délos a doublé le cap Sounion. Il sera donc au Pirée le lendemain, qui sera le jour où Socrate devra mourir. Rongé par le chagrin, Criton ne peut pas dormir; il a réussi à « convaincre » le gardien de le laisser entrer. Après un moment Socrate se réveille, et aperçoit son ami.

3. Il doit s'agir du portier (*thurōrós*) qui intervient au début du *Phédon* et qui ne devait pas être de faction la nuit, alors que la porte de la prison était censée être close; ce doit aussi être le même per-

sonnage que le serviteur des Onze dont la gentillesse est notée par Platon dans le *Phédon* (116d).

4. En grec, on trouve le verbe *hupakoûsai* qui donne une note très concrète à la chose. Le portier a répondu quand il a entendu quelqu'un frapper à la porte : cf. *Phédon* 59e ; Xénophon, *Banquet*, I, 11

5. Il est difficile de savoir si Criton a donné au portier une somme d'argent en échange du service qu'il lui a rendu, ce que laisserait entendre la suite, ou s'ils sont tout simplement en bons termes.

6. L'impression de bonne humeur donnée par Socrate est indiquée dans l'*Apologie* 41c et dans le *Phédon* 58e.

7. Socrate a soixante-dix ans ; en ce qui concerne cette idée suivant laquelle Socrate ne va pas à cet âge s'insurger contre la mort, cf. l'*Apologie* 38c

8. Ce bateau conduisait chaque année à Délos une délégation de jeunes filles et de jeunes garçons pour accomplir un vœu fait par Thésée, vainqueur du Minotaure. Je rappelle l'essentiel du mythe. Athènes, pour obtenir la paix de Minos, avait accepté d'envoyer en Crète, tous les neuf ans, sept jeunes garçons et sept jeunes filles que dévorait le Minotaure au fond du labyrinthe. Thésée s'offrit à faire partie du troisième tribut. Mais, arrivé à Cnossos, il obtint d'Ariane le fil qui le guida dans le labyrinthe, tua le Minotaure et sauva ainsi ses compagnons et lui-même ; par ce haut fait, il affranchit à jamais Athènes de sa dette en humains. Entre le départ et le retour du bateau, aucune exécution capitale ne devait avoir lieu (*Phédon* 58a). Pour plus de précisions sur les Délies, cf. n. 1, p. 175-176.

9. Les vents contraires auraient empêché le bateau de doubler le cap de Sounion (cf. *Phédon* 58b8). Il aurait donc fait relâche dans une petite anse sur la côte est de l'isthme qui relie le cap Sounion à la terre ferme (cf. la carte I).

10. Formule que l'on retrouve dans les documents officiels (Thucydide, IV, 118, 11). Cf. aussi *Banquet* 177e.

11. Il s'agit des Onze (cf. *Apologie*, n. 272, p. 156) et *Phédon* 59e, 85b.

12 Les songes jouent un rôle très important dans la vie de Socrate, cf. *Apologie* 33c et *Phédon* 60e.

13. Dans l'*Iliade* (IX, 363), paroles adressées à Agamemnon par Achille qui menace de rentrer chez lui. La Phthie est la contrée de Thessalie d'où vient Achille. Il y a peut-être là un jeu de mots, Phthie (cf. carte I) devenant un nom emblématique de la mort (le verbe *phthisthai* signifiant « mourir ») ; cf. G. Nagy, *The Best of the Acheans*, Baltimore, John Hopkins University Press, 1979, p. 184-185.

14. C'est l'expression appropriée, lorsqu'on parle d'un rêve dont la signification est tellement évidente qu'il ne nécessite pas d'interprétation. Cf. *Odyssée*, IV, v. 841, Hérodote, VII, 47, Eschyle, *Perses*, 179.

15. Souvent chez Homère, la formule *daimónie* introduit un reproche, une remontrance.

16. Les arguments de Criton (*Criton* 44b-46a) sont fondés sur 1. l'opinion publique, celle de la plupart des gens, du grand nombre et 2. sur le pouvoir qui est le leur.

17. *Phédon* 117c.

18. En grec, on trouve *hoi polloí* (44b, 44c, 44d, 45b, 46c, 47b, 47c, 48a, 48c, 49b). Ce pluriel signifie « les plusieurs » et désigne chez Platon le grand nombre, l'opinion publique qui s'oppose au petit nombre des « experts » en quelque domaine que ce soit, cf. p. 193-196. On retrouve l'assimilation entre le domaine de l'éthique et celui de la technique qui joue un rôle essentiel dans les dialogues socratiques. Les questions relevant de l'éthique doivent être traitées, comme celles relevant de n'importe quel art, par celui qui possède le savoir correspondant.

19. Allusion aux accusations anciennes mentionnées par Socrate dans l'*Apologie*, cf. l'Introduction de l'*Apologie*, p. 26-37.

20. Comme cela est expliqué dans l'*Hippias mineur*; si l'action n'a d'autre fondement légitime que le savoir, une faute, qui ne serait pas une erreur, supposerait le savoir corrélatif de ce qu'il était correct de faire.

21. Comme il ne peut rendre personne sensé ou insensé, ce qui pour l'être humain constitue le seul bien et le seul mal, le grand nombre est incapable de faire du bien ou du mal. Son action est donc dépourvue de sens, car elle ne répond à aucun critère. On en trouve un exemple plus bas.

22. Il n'existait à Athènes aucune magistrature chargée, comme le ministère public dans nos sociétés, de rechercher les délits et les crimes. Le soin de la répression étant laissé à l'initiative individuelle, il se forma une classe d'accusateurs de profession, les sycophantes (*République* I 340d) qui ont laissé un fâcheux renom. Pour une bonne description de ce phénomène, relire le premier discours de Démosthène, *Contre Aristogiton*.

23. Simmias et Cébès de Thèbes sont présentés comme des membres de l'entourage de Philolaos (cf. *Phédon* 61d). Ils sont assez jeunes (*Phédon* 89a, *neaniskoi*). Xénophon les classe parmi les disciples de Socrate (Xénophon, *Mémorables* I, 2, 48). Ce sont les interlocuteurs principaux de Socrate dans le *Phédon*. Simmias est nommé par Platon dans le *Phèdre* (242b), où il est présenté comme surpassant Phèdre en ce qui concerne le goût pour les discours. Cébès n'est pas facile à convaincre (*Phédon* 63a, 77a). Cf. Cébès de Thèbes, *DPhA* II, 1994, p. 246-248.

24. Par exemple Échécrate de Phlionte et son groupe (*Phédon* 57a sq).

25. Sans doute, une allusion à l'*Apologie* 37c-d.

26. Cela dit, il est tout à fait vraisemblable que Criton fasse ici allusion à Ménon, l'interlocuteur principal du dialogue qui porte ce nom. Si tel est bien le cas, on ne peut pas dire que Criton soit très habile en faisant cette proposition à Socrate, étant donné la mauvaise réputation de la Thessalie (*Criton* 53d; Xénophon, *Mémorables* I, 2, 24).

27. Socrate fait allusion à ses fils dans l'*Apologie* 34c-d. On notera que le sort de Xanthippe, son épouse, n'est jamais évoqué.

28. Je n'arrive pas à comprendre le sens de ce verbe surcomposé *sundiatalaipōreîn*, dont c'est la seule occurrence dans le corpus platonicien et qui est très rare dans l'ensemble de la littérature grecque postérieure.

29. Une allusion ironique à la déclaration de Socrate dans l'*Apologie* 29e.

30. Indice supplémentaire qui confirme qu'Anytos et les autres accusateurs eussent été satisfaits d'un départ de Socrate avant le procès. Si Socrate s'était résolu rapidement à prendre ce parti, avant même le dénouement de l'instruction (*anákrisis*), l'accusation eût probablement été abandonnée.

31. Allusion probable au fait que Socrate a refusé d'apitoyer les juges (*Apologie* 34b-c et 38d-e) et que la peine de substitution qu'il a proposée — être nourri au prytanée — a pu être perçue comme une provocation.

32. Même expression qu'en 45a.

33. La réponse de Socrate comprend deux parties. 1. Socrate commence par répondre à l'argument qui met en avant l'opinion publique, en rappelant que ce n'est pas l'opinion du grand nombre qui compte, mais celle de l'homme qui connaît les vrais critères, celle de l'expert (46c-48a). 2. Puis il passe à l'argument qui s'appuie sur le pouvoir du grand nombre, en évoquant une autre doctrine bien connue : ce qui compte ce n'est pas de vivre, mais de vivre bien. Or, vivre bien c'est vivre dans la justice, ce qui implique qu'il ne faut rien faire de mal, même pour répliquer à un mal qui vous est fait (48a-50a).

34. La position inhabituelle de l'expression au vocatif, en début de phrase, fait apparaître que Socrate veut réprimander Criton.

35. Dans ce contexte, je me suis permis de traduire par « règle de conduite » le terme *lógos* qui, de façon plus habituelle, désigne la « proposition » et donc la « maxime » dans le domaine de la morale.

36. Dans un passage de la *République* (II 381e), Platon fait allusion aux mères qui effraient les petits enfants en évoquant des personnages similaires à celui du croque-mitaine. En Grèce ancienne, ces personnages ont notamment pour nom : Empousa, Gélo, Lamia, Mormo et Mormolycée. Empousa est un spectre qui fait partie de l'entourage d'Hécate ; elle appartient au monde infernal et répand la terreur, et, la nuit, elle peut prendre toutes sortes de formes et apparaît surtout aux femmes et aux enfants pour les terrifier. Gélo est l'âme en peine d'une fille de Lesbos, qui, morte jeune, revient enlever les enfants. Lamia est un monstre féminin, qui passe pour voler et dévorer les enfants, et à qui on attribue maints aventures. Mormo est aussi un monstre féminin, qu'on accuse de mordre les enfants et de les rendre boiteux ; elle est parfois identifiée à Gélo ou encore à Lamia. Enfin, Mormolycée, c'est-à-dire la Louve-Mormo est un autre monstre féminin, dont on menace les enfants, et qui passe pour être la nourrice de l'Achéron ; elle se trouve donc ainsi en rapport avec le monde des morts et des fantômes. C'est d'ailleurs dans ce contexte que, dans le *Phédon* (77e), Socrate évoque Mormolycée. On trouve une autre occurrence de *mormolúttésthai* dans le *Gorgias* 473d.

37. Pour un inventaire complet des peines encourues, cf. n. 178, p. 148 de l'*Apologie*.

38. Cf. *supra*, 46b.

39. Pour cette traduction, cf. le parallèle dans le *Lachès* 196c.

40. Pour cette expression, cf. la *Lettre* VII 350e.

41. Remarque ironique, car Socrate qui doit mourir le lendemain fait montre de plus de bon sens que Criton qui n'a pas cette crainte.

42. Comme l'entraînement implique un régime et une hygiène de vie, le médecin est invité à donner son avis, cf. *Protagoras* 312b-c, *Gorgias* 464b.

43. En grec, on trouve *paidotríbēs*. Le *paidotríbēs* dirigeait méthodiquement dans la palestre l'entraînement des jeunes gens.

44. Il s'agit du médecin et de l'entraîneur, ce qui confirme ce qui a été dit dans les notes 42 et 43. On en revient toujours au même point. Celui qui doit diriger dans un domaine technique ou en éthique, c'est l'expert, celui qui sait à quoi s'en tenir, cf. *Protagoras* 312d.

45. Sur cette notion d'expert dans le domaine de la morale, cf. l'Introduction, p. 193-196.

46. Imparfait « philosophique ». Il s'agit vraisemblablement non plus du corps qui a servi d'amorce à l'argumentation, mais de l'âme, dont, cependant, le nom n'est pas prononcé. Socrate reprend ce qu'il a déjà dit au cours de son procès (*Apologie* 29d-30b), et sur ce qu'il répétera le jour de sa mort (*Phédon* 82d, 107c et 115b).

47. Sur cette expression, cf. *Apologie* 38a, et *Banquet* 216a.

48. Ce datif indiquant le rapport est difficile à traduire. De toute façon, on touche ici à un point de doctrine essentiel. En ce monde, l'homme est composé d'un corps et d'une âme, et son âme est un bien plus précieux que le corps. Toute l'argumentation découle de là.

49. Sur les interprétations qui subordonnent l'expert à la vérité même, cf. n. 1, p. 193.

50. C'est le point de départ de la seconde partie de l'argumentation, qui porte sur le pouvoir du grand nombre. Alors que la conclusion de la première partie de l'argumentation était la suivante : il faut tenir compte du jugement de celui qui sait et non de celui du grand nombre, la seconde établira que, même si le grand nombre peut nous faire périr, il faut rechercher non pas la vie en soi, mais la vie bonne.

51. J'ai fait de *alēthê légeis* le début de la réplique de Socrate et non la fin de celle de Criton, comme le croient certains éditeurs.

52. Cf. 47a.

53. L'expression la plus frappante de ce principe se trouve dans le *Gorgias* en 512d.

54. On remarquera l'équivalence qui découle de ces deux postulats. 1. Il faut rechercher non pas la vie en soi, mais la vie bonne ou, ce qui revient au même, la vie belle (j'ai traduit « comme il faut » pour dissiper toute ambiguïté). 2. Et vivre dans le bien, c'est vivre dans la justice.

55. Cf. la référence aux *Nuées*, v. 580.

56. Comme le dit Calliclès dans le *Gorgias* (481c), cette règle retourne notre vie sens dessus dessous.

57. C'est un autre postulat de la méthode socratique. À la différence de la poésie et de la rhétorique qui « charment » et « ensorcellent » et qui donc influent sur leurs destinataires contre leur gré, pour Socrate la discussion a pour but de parvenir par la persuasion à un accord donné (*homónoia*) de plein gré. Sur la nécessité de faire intervenir la persuasion dans un procès, cf. l'*Apologie* 35c.

58. L'expression *tês sképseōs tēn arkhēn* constitue un élément essentiel de la dialectique, et semble familier à Criton. Toute discussion rationnelle a pour point de départ des postulats. Et le postulat sur lequel se fonde toute cette discussion est le suivant : il ne faut jamais commettre l'injustice de son plein gré, quelles que soient les conséquences (cf. la suite en 49a).

59. Règle essentielle à la discussion pour parvenir à un accord véritable. Cf. *Criton* 48d, *Ménon* 83d, et *République* I 346a.

60. Sur le verbe *ekkhein*, cf. *République* VIII 553b.

61. Ils ont tous les deux aux alentours de soixante-dix ans, cf. *Apologie* 17d et 33d. Il reste très difficile de maintenir le *gérontes* qui se trouve dans les manuscrits.

62. L'opposition *gérontes / paîs* est transformée en l'opposition *spoudê / paidia*. Sur cette dernière opposition, cf. Luc Brisson, *Platon, les mots et les mythes* [1982], Paris, La Découverte, 1994², p. 94-95.

63. Cf. le début de la *République*, où s'opposent ces deux thèses, celle du grand nombre : « La justice consiste à faire du bien à ses amis et du tort à ses ennemis » (I 332b-335b) et celle de Socrate : « L'homme juste ne doit faire de tort à personne » (I 335b-336a).

64. Cf. 49a.

65. Socrate a parfaitement conscience de tenir une position paradoxale, c'est-à-dire une position qui va contre l'opinion commune exprimée dans cette maxime attribuée à Rhadamante : « Être traité comme on traite les autres, c'est justice. » (Aristote, *Éthique à Nicomaque* V 8, 1131b 23-27).

66. Cf 48e.

67. Je traduis ainsi le participe présent. Peut-être une réminiscence de *République* I 331c : on ne peut, en effet, rendre ses armes à un ami qui, devenu fou, les réclame.

68. On passe maintenant au dialogue entre Socrate et les Lois d'Athènes (50a-54d). Les Lois sont considérées sous les traits de figures augustes de sexe masculin ; en grec en effet, *nómos* est masculin, d'où la comparaison avec le rapport privilégié au père. Cette prosopopée permet à Socrate de faire intervenir l'émotion ; elle remplit de ce fait une fonction semblable à celle que remplissent ailleurs les mythes. Et elle était appelée par l'idiome qui disait *ho nómos dialégetai* (cf. Eschine, *Contre Timarque* [I], 18). L'argument que développe cette prosopopée repose sur une conception de la Loi comme « accord » (*homología*), comme « contrat » (*sunthêkê*) entre l'individu et la Cité dans son ensemble (*tò koinòn tês póleōs*) — c'est-à-dire l'État dans un langage moderne. Une telle façon de voir

se retrouve dans le premier discours *Contre Aristogiton* [XXV] de Démosthène (XXV, 16). Étant donné la définition minimale de la nature de cet « accord » donnée peu après, il ne faut pas commettre d'anachronisme et penser au « contrat social ».

69.   Le verbe utilisé ici (*apodidráskein*) s'applique proprement à la fuite d'un esclave, cf. 52d, 53d, et *Protagoras* 310c, ou à la désertion d'un soldat. Voilà pourquoi Socrate fait la réserve qui suit immédiatement. Pour des occurrences de ce terme appliquées à l'évasion d'une prison, cf. Démosthène, *Contre Aristogiton* [XXV], 56.

70.   En grec, on trouve le datif singulier *moi*.

71.   Je considère, comme J. Burnet, que *súmpasan tền pólin* est un synonyme de *tò koinón tễs póleōs*.

72.   Cf. 45d.

73.   L'image se retrouve dans la *République* III 389d, et implique que l'État est assimilé à un navire.

74.   Il semble qu'il s'agissait là d'une pratique institutionnelle, consistant à désigner un orateur pour défendre une loi que l'on voulait abroger. À Athènes en effet, il y avait cinq orateurs publics (Démosthène, *Contre Timocrate* [XXIV], 23) chargés de défendre les lois anciennes contre les innovations : ils étaient appelés *sundikoi* (Démosthène, *Contre la loi de Leptine* [XX], 22) ou *sunếgoroi* (Démosthène, *Contre Timocrate* [XXIV], 36).

75.   C'est le postulat dont découle tout le reste. Le caractère souverain des lois avait été affirmé dans la loi sur l'amnistie citée par Andocide, *Sur les Mystères* [I], 87.

76.   Sur cette méthode, cf. *Protagoras* 336c, *Phédon* 75d, *République* VII 534d.

77.   Comme le fait remarquer J. Burnet, on a ici comme en 45d la suite *génesis*, *trophế* et *paideía* qui représentent l'inventaire des sujets traditionnellement traités dans un éloge. Le paradoxe est qu'ici ce n'est pas l'éloge de Socrate qui est fait, mais celui des Lois qui ont permis tous ces actes fondamentaux.

78.   Traditionnellement en Grèce ancienne, l'éducation avait pour base la musique et la gymnastique.

79.   Socrate est l'esclave des Lois, pas d'un autre individu, puisque c'est un citoyen, donc un homme libre.

80.   Référence ironique à Socrate, qui justifie son action (*Apologie* 29e) par le souci de la vertu. Dans le contre-interrogatoire qu'il fait subir à Mélétos, Socrate se moque de lui en jouant sur ce mot.

81.   Ironie, qui reprend consciemment ou non des arguments lancés par Aristophane contre Socrate dans les *Nuées*. Pour toute la suite du passage, je m'inspire de l'introduction et surtout de l'interprétation proposée par André Motte, « *Hágios* chez Platon », *Mélanges de philologie, d'histoire et d'archéologie grecques offerts à Jules Labarde*, éd. par Jean Servais, Tony Hackens et Brigitte Servais-Soyes, Supplément à *L'Antiquité Classique*, Liège / Louvain-la-Neuve, 1984, p. 135-152.

82.   L'expression *en meizoni moirāi* est un ionisme, cf. Hérodote, II, 172, 2; *Lois* XI 923b.

83. Définition de la justice comme obéissance aux lois. L'argumentation est donc circulaire. Dans la *République*, Socrate va tenter de sortir de ce cercle.

84. Il est surprenant de penser que les Lois peuvent ne pas se conformer à la justice. Peut-être faut-il penser à une distinction entre les Lois qui sont toujours justes et ceux qui les appliquent et qui peuvent se conduire injustement en fonction des circonstances.

85. Il s'agit ici de la « docimasie » par laquelle, à dix-huit ans avant les deux années de service militaire, l'éphèbe est investi de ses droits civiques. Cf. Eschine, *Contre Timarque* [I], 18.

86. En grec, on trouve *apoikia*, qu'il faut distinquer de *metoikia*. Dans le second cas, la cité d'accueil n'a pas de rapport politique particulier avec la cité de départ.

87. En grec ancien, on trouve les termes *homología* (52a, 52d, 52e, 54c) et *sunthếkē* (52c, 54c). Le terme *sunthếkē* désigne la « convention », le « traité », alors que le terme *homología* désigne l'« assentiment », l'« accord » et, par extension, l'« engagement », l'« arrangement », la « convention ».

88. En grec ancien, on trouve le terme *theōría*. Cf. *République* IX 579b.

89. Les jeux Isthmiques, qui se célébraient sur l'isthme de Corinthe, constituaient l'une des quatre grandes fêtes nationales de la Grèce. Plusieurs traditions, qui citent toutes le nom de Poséidon, en expliquent l'origine. Ces jeux avaient lieu la seconde et la quatrième année de chaque olympiade, selon toute vraisemblance. Ils duraient plusieurs jours. Ils consistaient comme les autres jeux en des concours gymniques et hippiques de toutes sortes. Mais il y avait aussi des concours musicaux et même des concours dramatiques.

90. Cf. *Apologie* 28e, et *Lachès* 181b.

91. *Phèdre* 230c.

92. Cf. *Criton* 50a. L'esclave, lui, n'a passé aucun accord avec qui que ce soit. Il est victime d'une violence.

93. Cf. n. 12, p. 130 de l'*Apologie*.

94. Pour ce qui est de Lacédémone, cette affirmation est confirmée par Aristophane (*Oiseaux*, v. 1281-2). On remarquera que la Crète et Lacédémone donnaient l'exemple de constitutions oligarchiques.

95. Les Lois reviennent sur ce que Criton dit au début du dialogue (44e sq.).

96. Socrate avait des fidèles originaires de Thèbes et de Mégare, cités qui n'étaient pas très éloignées d'Athènes (cf. carte I).

97. La phrase peut être comprise en deux sens différents : « tu donneras raison à ceux qui approuvent tes juges » (Croiset) ou « quant à tes juges, tu les confirmeras dans leur opinion » (Robin), entre lesquels il n'est pas possible de décider d'un point de vue grammatical. Cela dit, la seconde possibilité me paraît être la plus simple et la plus claire ; voilà pourquoi je l'ai retenue.

98. Cf. Xénophon, *Mémorables* I, 2, 24, parlant du séjour de Critias là-bas. Cf. aussi Athénée, IV, 6, p. 137d et X, 4, p. 418c-d.

99. Sur le sens de *skeuê* comme déguisement, cf. Xénophon, *Anabase* IV, 7, 27.

100. Le vêtement d'un berger entre autres, cf. par exemple, Aristophane, *Nuées*, v. 72.

101. Sur le verbe *enskeuázesthai*, cf. Aristophane, *Grenouilles*, v. 532.

102. Suivant l'exemple de Simonide flattant les princes dont il est l'hôte (*Protagoras* 339a-b, 345d, 346b).

103. Sur tout cela, cf. Aristophane, *Grenouilles*, v. 85; Euripide, *Alceste*, et Xénophon, *Helléniques* VI, 1, 3.

104. Pour un usage ironique de *apolaúo* en ce sens, cf. *Lois* X 910b, et Isocrate, VIII, 81.

105. Il y a chez Socrate une hiérarchie des biens où la justice tient la première place.

106. Cf. *Apologie* 41a.

107. Distinction importante entre les Lois et ceux qui les appliquent, cf. l'Introduction, p. 194-196.

108. Le grec où *nómoi* est masculin dit « frères », mais le traducteur doit écrire « sœurs » pour tenir compte du féminin de « loi » en français.

109. Le monde des morts n'est donc qu'une réplique du monde des vivants.

110. En grec, le terme *korúbas* désigne quelqu'un qui participe, à un titre ou à un autre, à des rites appartenant à ce genre de cérémonies appelées « initiations » (*teletaí*). Une initiation est une forme de rituel qu'on exécute non pour rendre hommage à une divinité, mais pour obtenir un bénéfice immédiat. Les rites corybantiques comprenaient trois étapes. 1. La cérémonie commençait par des sacrifices offerts pour se gagner la faveur de la divinité — on ne sait laquelle — et pour s'assurer de l'opportunité de l'entreprise. 2. Alors, pouvait avoir lieu l'intronisation (*thrónōsis*); celui en faveur de qui le rite était pratiqué montait sur un « trône », pendant que les officiants et les autres participants dansaient autour de lui dans un vacarme assourdissant. Tout cela pour l'exciter et pour l'émouvoir, au point de lui faire perdre conscience de son environnement, exception faite du rythme obsédant de la musique (flûtes et tambourins) et de la danse. 3. Venait ensuite l'initiation (*teletê*) elle-même au cours de laquelle on peut le supposer, le bénéficiaire se mettait lui aussi à danser et cédait à l'ivresse du rythme pour entrer dans un état de transe, de possession. À la fin, quand tout était terminé, ceux qui avaient participé à la cérémonie sortaient de ce tumulte pour se retrouver dans un état de calme et de tranquillité, l'esprit en paix, débarrassé de toute anxiété. Cette description se fonde sur sept textes platoniciens : *Euthydème* 277d-e; *Lois* VII 790d-791b; *Criton* 54d-e; *Phèdre* 228b-c, 234d, *Ion* 533d-536b; *Banquet* 215c-e. Cf. I.M. Linforth, « Corybantic rites in Plato », *University of California Publications in Classical Philology* 13, 1946, p. 121-162. Plus généralement, W. Burkert, *Les Cultes à mystères dans l'Antiquité* [1987], traduit de l'anglais par Bernard Deforge, et Louis Bardollet avec la collaboration de György Karsai, *Vérité des mythes*, Paris, Les Belles Lettres, 1992.

111. *Bombeîn* est-il un terme technique dans le cadre des mystères ?

112. Tout comme l'*Apologie*, le *Criton* se termine sur une allusion au dieu (*theós*).

BIBLIOGRAPHIE DU *CRITON*

La bibliographie analytique qui suit, classée par ordre chronologique, commence vers 1950 ; elle comporte cependant quelques exceptions pour des travaux importants.

Comme elle est très loin d'être exhaustive, on se reportera à titre de complément pour la seconde moitié du XXᵉ siècle à H. Cherniss (« Plato 1950-1957 », *Lustrum* 4 et 5, 1959 et 1960), à Luc Brisson (« Platon 1958-1975 », *Lustrum* 20, 1977) et à Luc Brisson en collaboration avec Hélène Ioannidi (« Platon 1975-1980 », *Lustrum* 25, 1983, p. 31-320, avec des « *Corrigenda* à Platon 1975-1980 », *Lustrum* 26, 1984, p. 205-206 ; « Platon 1980-1985 », *Lustrum* 30, 1988, p. 11-294 avec des « *Corrigenda* à Platon 1980-1985 », *Lustrum* 31, 1989, p. 270-271 ; « Platon 1985-1990 », *Lustrum* 35, 1993 [1994]).

Éditions et traductions

La plupart des titres sont mentionnés dans la rubrique correspondante de l'*Apologie de Socrate*.

Anglais

Law and Obedience. The arguments of Plato's Crito, by Anthony Douglas Woozley, Chapel Hill, University of North Carolina Press, / London, Duckworth, 1979, II + 160 p. [Traduction non annotée, précédée de cinq chapitres portant sur les thèmes développés dans le dialogue.]

Espagnol

Critón, trad., introd., notas y apéndice de L. Noussan-Lettry, col. Los fundamentales, Buenos Aires, Eudeba, 1966, V + 139 p. ; puis dans Filos. y Derecho 2, Buenos Aires, ed. Astrea, 1973, 147 p.

Études d'ensemble

Gomme, A.W., « The Structure of Plato's *Crito* », *Greece and Rome* 5, 1958, p. 45-81.

Broemser, F., « Zur Interpretation des platonischen Dialogs *Kriton* », *Der altsprachiche Unterricht* V, 4, 1962, p. 53-72.

Greenberg, N.A., « Socrates' choice in the *Crito* », *Harvard Studies in Classical Philology* 70, 1965, p. 45-82.

Milobenski, E., « Zur Interpretation des platonischen Dialogs *Kriton* », *Gymnasium* 75, 1968, p. 371-390. Cf. Broemser, 1962.

Doent, E., « Pindar und Platon. Zur Interpretation des *Kriton* », *Wiener Studien* 4, 1970, p. 52-65.

Prestipino, V., « Sul contratto nel *Critone* », *Annali della Facoltà di Magistero dell'Università di Bari* 3-4, 1970-1971, p. 11-38.

Bertman, M.A., « Socrates' defence of civil obedience », *Studium Generale* 24, 1971, p. 576-582.

Segl, R., « Der unbefriedigende *Kriton* », *Gymnasium* 78, 1971, p. 437-441.

Strycker, L.E., « Le *Criton* de Platon, structure littéraire et intention philosophique », *Les Études classiques* 39, 1971, p. 417-436.

Allen, R.E., « Law and justice in Plato's *Crito* », *Journal of Philosophy* 69, 1972, p. 557-567.

James, C.G., « Socrates on civil Desobedience and Rebellion », *The Southern Journal of Philosophy* 11, 1973, p. 119-127.

Kelly, D.A., « Conditions for legal obligation », *The Southwestern Journal of Philosophy* 4, 1973, p. 43-56.

Rose, L.E., « Obligation and friendship in Plato's *Crito* », *Political Theory* 1, 1973, p. 307-316.

Congleton, A., « Two kinds of lawlessness : Plato's *Crito* », *Political Theory* 2, 1974, p. 432-446.

Dybikowsky, J.C. « Socrates, obedience and the law. Plato's *Crito* », *Dialogue* 13, 1974, p. 519-535.

Noussan-Lettry, L., *Spekulatives Denken in Platons Frühschriften* Apologie *und* Kriton, Alber-Broschur : Philosophie, Freiburg / München, Alber, 1974.

Young, G., « Socrates and obedience », *Phronesis* 19, 1974, p. 1-29. Cf. Mc Laughlin, 1976.

McLaughlin, R. J., « Socrates on political disobedience. A reply to Gary Young », *Phronesis* 21, 1976, p. 185-197. Cf. Young, 1974.

Yaffe, M.D., « Civil disobedience and the opinion of the many. Plato's *Crito* », *Modern Schoolman* 54, 1976-1977, p. 123-136.

Dreisbach, D.F., « Agreement and obligation in the *Crito* », *The New Scholasticism* 52, 1978, p. 168-186.

Euben, J.P., « Philosophy and politics in Plato's *Crito* », *Political Theory* 6, 1978, p. 149-172.

Farrell, D.M., « Illegal actions, universal maxims and the duty to obey the law : the case for civil authority in the *Crito* », *Political Theory* 6, 1978, p. 163-189.

Fuhrmann, M., « Rechtfertigung durch Identität. Über eine Wurzel des Autobiographischen », *Identität*, hrsg. von Odo Marquard und Karlheinz Stierle, *Poetik und Hermeneutik* 8, München, Fink, 1979, p. 685-690.

Gavin, B., « A Note on Socrates and the law in the *Crito* », *Aitia* 7, 1979, p. 26-28.

Manasse, E. M., « A thematic interpretation of Plato's *Apology* and *Crito* », *Philosophy and Phenomenology* 40, 1980, p. 393-400.

Ray, A.C., « The tacit agreement in the *Crito* », *International Studies in Philosophy* 12, 1980, 47-54.

García Máynez, E., *Teórorias sobre la justicia en los diálogos de Platón* (Eutifrón, Apologia, Critón, Trasímaco, Protágoras y Gorgias), México, UNAM, 1981, 307 pp.

Payne, T.F., « The *Crito* as a mythogical mime [of *Il.* IX] », *Interpretation* 11, 1983, p. 1-23.

Kostman, J., « Socrates' self-betrayal and the contradiction between the *Apology* and the *Crito* », *New Essays on Socrates*, ed. by Eugene Kelly, Lanham [MD], University Press of America, 1984, p. 107-130.

Kraut, R., *Socrates and the State*, Princeton, Princeton University Press, 1984, XII + 338 p. Cf. Orwin, 1988.

Colson, D. DeShon, « On appealing to athenian law to justify Socrates' disobedience », *Apeiron* 19, 1985, p. 133-141.

Teloh, H., *Socratic Education in Plato's early Dialogues*, Notre Dame [Ind.], University of Notre Dame Press, 1986, VIII + 241 p.

Geels, D.E., « A Note on the *Apology* and the *Crito* », *The New Scholasticism* 61, 1987, p. 79-81. Cf. Ward, 1989.

Panagiotou, S., « Justified disobedience in the *Crito* ? », *Justice, Law and Method in Plato and Aristotle*, ed. by Spiro Panagiotou, Edmonton [Alberta, Canada], Academic Print and Pub., 1987, p. 35-50.

Caleo, M., « *Nómos* e *nómoi* », *Rendiconti dell'Accademia di Archeologia, Lettere e Belle Arti di Napoli* 61, 1987-1988, p. 191-231.

Cragg, W., « The *Crito* and the nature of legal obligation », *IVR* [Internationale Vereinigung für Rechts-und Sozialphilosophie] *World Congres* XIII, *Proceedings* by Stavros Panou, G. Bozonis, D. Georgas and P. Trappe, *Archives for Philosophy of Law and social Philosophy*, Supplementum V, Stuttgart, Steiner, 1988, p. 21-26.

Lucas, B. J., *IVR* [Internationale Vereinigung für Rechtsund Sozialphilosophie] *World Congres* XIII, *Proceedings* by Stavros Panou, G. Bozonis, D. Georgas and P. Trappe, *Archives for Philosophy of Law and social Philosophy*, Supplementum V, Stuttgart, Steiner, 1988, p. 27-31.

Orwin, C., « Liberalizing the *Crito*. Richard Kraut on the state », *Platonic Writings*, ed. by Charles L. Griswold Jr., New York and London, Routledge, Chapman and Hall, 1988, p. 171-176. Cf. Kraut, 1984 et réponse par Kraut, *ibid.*, p. 177-182.

Kahn, C.H., « Problems in the argument of Plato's *Crito* », *Apeiron* 22, 4, 1989 [Mélanges Joan Kung], p. 29-43.

Motte, A., « La catégorie platonicienne du démonique », *Anges et Démons* [Actes du Colloque de Liège et de Louvain-la-Neuve], éd. par Julien Ries, avec la collaboration de Henri Limet, *Homo religiosus* n° 14, Louvain-la-Neuve, Centre d'Histoire des religions, 1989, p. 205-221.

Ward, A., « The *Apology* and the *Crito*. A misplaced inconsistency », *The New Scholasticism* 63, 1989, p. 514-515. Cf. Geels, 1987.

West, E., « Socrates in the *Crito*. Patriot or friend ? », *Essays in ancient greek Philosophy* III, *Plato*, ed. by John Anton and Anthony Preus, Albany, SUNY, 1989, p. 71-83.

Bostock, D., « The interpretation of Plato's *Crito* », *Phronesis* 35, 1990, p. 1-20.

Gómez-Lobo, A., « Los axiomas de la ética Socrática », *Méthexis* 3, 1990, p. 1-13.

Yonezawa, S., « Socrates' two concepts of the *Polis* [*Apology*, *Crito*] », *History of Political Thought* 12, 1991, p. 565-576.

Brown, H., « The structure of Plato's *Crito* », *Apeiron* 25, 1992, p. 67-82.

MacNeal, R. A., *Law and Rhetoric in the* Crito, European Univ. Stud. Ser. 15, n° 56, Frankfurt am Main, Lang, 1992, 184 p.

Études sur des passages

44a-b

Kramer, S., « Socrates' dream. *Crito* 44a-b », *Classical Journal* 83, 1987-88, p. 193-197.

44b5-d10

Rosivach, V.J., « *Hoi polloi* in the *Crito* 44b5-d10 », *Classical Journal* 76, 1980-1981, p. 289-297.

45e-46e

Marshall, M.H.B., « The Grammar and translation of *Crito* 45e-46e », *Liverpool Classical Monthly* 17, 1992, p. 7-11.

46b-47a

Calogero, G., « La regola di Socrate », *Cultura* 14, 1976, p. 4-18.

48b

Stark, R., « Bemerkungen zum Platontext », *Philologus* 106, 1962, p. 283-290.

Young, G., « Socrates and obedience », *Phronesis* 19, 1974, p. 1-29.

49e sq.

Dyson, M., « The Structure of the Laws' speech in Plato's *Crito* », *Classical Quarterly* 28, 1978, p. 427-436.

50c9-54e4

Rohatin, D.A., « La función del discurso de Sócrates en el *Critón* de Platón », trad. por J. Igal, *Pensamiento* 31, 1975, p. 429-431.

51 a-c

Colson, D. deShon, « *Crito* 51a-c. To what does Socrates owe Obedience ? » *Phronesis* 34, 1989, p. 27-55. Cf. Kraut 1984.

51a9

Motte, A., « *Hágios* chez Platon », *Mélanges de philologie, d'histoire et d'archéologie grecques offerts à Jules Labarde*, éd. par Jean Servais, Tony Hackens et Brigitte Servais-Soyes, Supplément à *L'Antiquité classique*, Liège / Louvain-la-Neuve, 1987, p. 135-152.

51b-c

Smith, N.D., Brickhouse, T.C., « Socrates and obedience to the law », *Apeiron* 18, 1984, p. 110-118.
Stephens, J., « Socrates on the rule of law », *History of Philosophy Quarterly* 2, 1985, p. 3-10.

51c-54d

Quandt, K., « Socratic consolation. Rhetoric and philosophy in Plato's *Crito* », *Philosophy and Rhetoric* 15, 1982, p. 238-256.

SUPPLÉMENT BIBLIOGRAPHIQUE
1997-2004

Éditions et traductions

Anglais

Plato, *Complete works*, ed. by J.M. Cooper, associate ed. D. S. Hutchinson, Indianapolis [IN], Hackett Pub., 1997. *Euthyphro, Apology, Crito, Phaedo*, transl. by G.M.A. Grube.
Defence of Socrates : *Euthyphro* ; *Crito*, transl. with an introd. and notes by D. Gallop, World's classics, Oxford / New York, Oxford University Press, 1997, XL-119 p.
Plato, *Crito*, ed. with introd., comment. and vocab. by C. Emlyn-Jones, London / Bristol, Classical Press, 1999, IX-106 p., index.

Français

Le Criton de Platon, nouvelle traduction de G. Leroux, Montréal, CEC, 1996, 182 p. (Collection Philosophies vivantes).

Études d'ensemble

Yonezawa, S., « Socrates in the *Apology* and in the *Crito* », *Philosophical Inquiry* 12, 1995, p. 1-20.

Benitez, E.E., « Deliberation and moral expertise in Plato's *Crito* », *Apeiron* 29, 1996, p. 21-47.

Bentley, R., « Responding to Crito, Socrates and political obligation », *History of Political Thought* 17, 1996, p. 1-20.

Blyth, D., « What in Plato's *Crito* is benefited by justice and harmed by injustice ? », *Apeiron* 29, 1996, 1-19, Appendix : Natural law and Plato.

McPherran, M.L., *The Religion of Socrates*, University Park, Pennsylvania State University Press, 1996.

Miller, M.H., « "The arguments I seem to hear". Argument and irony in the *Crito* », *Phronesis* 41, 1996, p. 121-137.

White, J.B., « Plato's *Crito* : the authority of law and philosophy », *The Greek and us : Essays in Honor of Arthur W.H. Adkins*, ed. R.B. Louden and P. Schollmeier, Chicago [Ill.], University of Chicago Press, 1996, p. 97-133.

Flashar, H., « Überlegungen zum platonischen *Kriton* », *Beiträge zur antiken Philosophie : Festschrift für Wolfgang Kullmann*, hrsg. von H.-C. Günther und A. Rengakos, mit einer Einl. von Ernst Vogt., Stuttgart, Steiner, 1997, p. 51-58.

Irwin, T.H., « Common sense and Socratic méthode », *Method in Ancient Philosophy*, ed. by J. Gentzler, Oxford / New York, Clarendon Pr. / Oxford University Press, 1997, p. 29-66.

Penner, T., « Two notes on the *Crito*. The importance of the many and "persuade or obey" », *Classical Quarterly* 47 (1), 1997, p. 153-166.

Polansky, R., « The unity of Plato's *Crito* », *Scholia* N.S. 6, 1997, p. 49-67.

Rosano, M., « Vertu privée, moralité publique et la question de l'obligation politique dans le *Criton* de Platon », *Archives de philosophie du droit* 41, 1997, p. 13-24. [Résumé en allemand p. 571 ; résumé en anglais p. 579.]

Young, C.M., « First principles of Socratic ethics », *Apeiron* 30, 1997, p. 13-23.

Gallop, D., « Socrates, Injustice, and the Law. A response to Plato's *Crito* », *Ancient Philosophy* 18, 1998, p. 251-265.

Howland, J., *The Paradox of Political Philosophy. Socrates' Philosophical Trial*, Lanham [Ma], Rowman & Littlefield Pub., 1998, X-342 p., index.

Lane, M.S., « Argument and agreement in Plato's *Crito* », *History of Political Thought* 19, 1998, p. 313-330.

Montuori, M., *Per una nuova interpretazione del* Critone *di Platone*, pref. di Giovanni Reale. 2a ed. riv. e rinnovata, Milano, Vita e Pensiero, 1998, XVI-110 p. (Pubblicazioni del Centro di Ricerche di Metafisica. Temi metafisici e problemi del pensiero antico, 66).

Solana Dueso, J., « Trasímaco : el conflicto entre las normas y los hechos », *Convivium* 11, 1998, p. 1-12.

Solana Dueso, J., « Sócrates y la democracia ateniense : otra lectura del *Critone* », *Méthexis* 11, 1998, p. 7-18.

Weiss, R., *Socrates dissatisfied : an Analysis of Plato's* Crito, New York, Oxford University Press, 1998, XII-187 p., index.

Goggans, P., « Political organicism in the *Crito* », *Ancient Philosophy* 19, 1999, p. 217-233.

Harte, V., « Conflicting values in Plato's *Crito* », *Archiv für Geschichte der Philosophie* 81 (2), 1999, p. 117-147.

Morris, T.F., « How Crito ruins his soul », *Ancient World* 30 (1), 1999, p. 47-58.

Kato, S., « The Crito-Socrates scenes in the *Euthydemus*. A point of view for a reading of the dialogue », *Plato. Euthydemus, Lysis, Charmides. Proceedings ot the Vth Symposium Platonicum*, ed. by T.M. Robinson and L. Brisson, *International Plato Studies* 13, Sankt Augustin, Academia Verlag, 2000, p. 123-132.

Gercel, T.L., « Rhetoric and reason : structures of argument in Plato's *Crito* », *Ancient Philosophy* 20, 2000, p. 289-310.

Smith, N.D. and Woodruf, P.B. (ed.), *Reason and Religion in Socratic Philosophy*, Oxford / New York, Oxford University Press, 2000, XIV-226 p.

Unruh, P., *Sokrates und die Pflicht zum Rechtsgehorsam : eine Analyse von Platons* Kriton, Baden-Baden, Nomos, 2000, 208 p. (Studien zur Rechtsphilosophie und Rechtstheorie, 26).

Opsomer, J., « *Aporia, euporia* et les mots étymologiquement apparentés : *Hippias mineur, Alcibiade I, Apologie, Euthyphron, Criton, Hippias majeur, Lysis, Charmide, Lachès, Protagoras, Gorgias, Ménon, Ion, Ménéxène, Euthydème, Cratyle* », *Aporia dans la philosophie grecque, des origines à Aristote*, Travaux du Centre d'études aristotéliciennes de l'université de Liège, coll. Aristote. Traductions et études, éd. A. Motte et Chr. Rutten, avec la coll. de L. Bauloye et A. Lefka, Louvain-la-Neuve, Peeters, 2001, p. 37-60.

Nails, D., *The People of Plato. A Prosopography of Plato and Other Socratics*, Indianapolis / Cambridge, Hackett Publishing Company, 2002, XLVIII- 414 p.

Roskam, G., « § 1. Platon, *Hippias mineur, Alcibiade, Apologie, Euthyphron, Criton, Hippias majeur, Lysis, Charmide, Lachès* », *Philosophie de la Forme. Eidos, Idea, Morphé dans la philosophie grecque des origines à Aristote. Actes du colloque interuniversitaire de Liège*, Travaux du Centre d'études aristotéliciennes de l'université de

Liège, édités par A. Motte, Chr. Rutten et P. Somville, avec la coll.
de L. Bauloye, A. Lefka et A. Stevens, Louvain-la-Neuve / Paris,
Dudley [Ma] 2003, p. 67-76.

Études sur des passages

44d6-10

Penner, T., « Two notes on the *Crito*. The importance of the
many and "persuade or obey" », *Classical Quarterly* 47 (1), 1997,
p. 153-166.

46c-48a

Polansky, R., « The unity of Plato's *Crito* », *Scholia* N.S. 6,
1997, p. 49-67.

48c6-d5

Gerson, L.P., « Socrates' absolutist prohibition of wrongdoing »,
Apeiron 30, 1997, p. 1-11.

49e8-52a4

Penner, T., « Two notes on the *Crito*. The importance of the
many and "persuade or obey" », *Classical Quarterly* 47 (1), 1997,
p. 153-166.

54d

Miller, M.H., « "The arguments I seem to hear". Argument and
irony in the *Crito* », *Phronesis* 41, 1996, p. 121-137.

CARTES

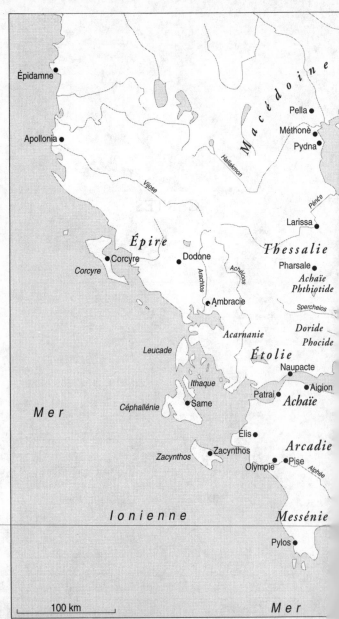

La Grèce à l'époque classique (Vᵉ siècle)

Épidamne

Apollonia

Macédoine

Pella

Méthonè

Pydna

Haliakmon

Vjose

Pénée

Larissa

Épire

Corcyre

Dodone

Thessalie

Corcyre

Pharsale

Arachtos

Achélôos

Achaïe
Phthiotide

Ambracie

Spercheios

Acarnanie

Doride
Phocide

Leucade

Étolie

Naupacte

Ithaque

Aigion

Céphallénie

Same

Patrai

Achaïe

Mer

Élis

Arcadie

Zacynthos

Zacynthos

Pise

Olympie

Alphée

Ionienne

Messénie

Pylos

100 km

Mer

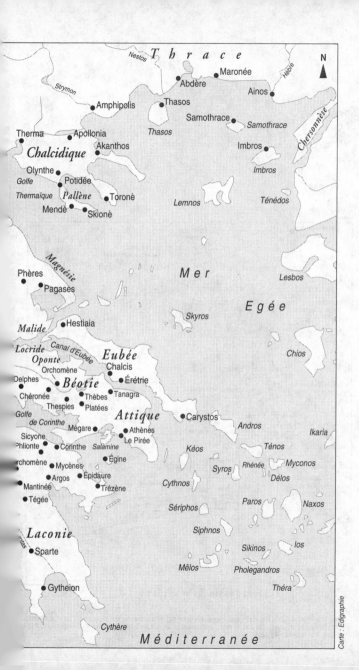

L'agora à la fin du Vᵉ siècle av. J.-C.

D'après *The Athenian Agora*. Results of excavations conducted by the American School of classical Studies at Athens, vol XIV : *The Agora of Athens. The history, shape and uses of an ancient city center*, by Homer A. Thompson and R.E. Wycherley, The American School of classical Studies at Athens, Princeton, 1972

CHRONOLOGIE

Socrate	Platon	Événements politiques et militaires
		750-580 : Colonisation grecque notamment en Sicile
		508 : Réformes démocratiques à Athènes
		499-494 : Révolte de l'Ionie contre les Perses. Athènes envoie des secours
		490-479 : Guerres médiques
		490 : Bataille de Marathon
		480 : Bataille des Thermophyles.
		480 : Victoire de Salamine
		Victoire des Grecs de Sicile sur les Carthaginois à Himère
		478-477 : Formation de la Confédération de Délos Elle durera jusqu'en 404
470 : Naissance de Socrate, dix ans après la bataille de Salamine		
		459 : Guerre de Corinthe contre Athènes
		449/448 : Paix dite « de Callias » entre Athènes et Corinthe.
		447 : Bataille de Coronée

Socrate	Platon	Événements politiques et militaires
		446 : Paix dite « de Trente Ans », qui durera quinze ans (446-431).
441-429 : Socrate semble avoir des liens avec l'entourage de Périclès (avec Aspasie, Alcibiade, Axiochos, Callias)		
		435 : Guerre de Corinthe contre Corcyre et alliance de Corcyre et d'Athènes
		432 : Révolte de Potidée (432-429)
		431-404 : Guerre du Péloponnèse
430 : Hoplite à Samos		**430-426** : Peste à Athènes
429 : Socrate sauve la vie d'Alcibiade à la bataille de Potidée		**429** : Mort de Périclès et rivalité entre Cléon (belliciste) et Nicias (pacifiste) Capitulation de Potidée
	428-427 : Naissance de Platon	**428-427** : Révolte de Mytilène
423 : Les *Nuées* d'Aristophane À un âge mûr, Socrate se marie avec Xanthippe dont il aura trois fils		**421** : Nicias négocie la paix dite « de Nicias »
		415-413 : Expédition de Sicile sous le commandement de Nicias, de Lamachos et d'Alcibiade La mutilation des Hermès
414 : Socrate sauve la vie d'Alcibiade à la bataille de Délium		**414** : Trahison d'Alcibiade, qui gagne Sparte
		412 : Révolte de l'Ionie et alliance entre Sparte et la Perse
		411 : Révolution des « Quatre Cents » puis des « Cinq Mille »
		410 : La démocratie est rétablie à Athènes
		407 : Retour d'Alcibiade à Athènes
406/405 : Socrate, président du Conseil Le procès des Arginuses		**406** : Défaite d'Alcibiade à la bataille de Colophon
		405 : Denys Iᵉʳ, tyran de Syracuse

Socrate	Platon	Événements politiques et militaires
404 : Socrate refuse d'obéir aux Trente et d'arrêter Léon de Salamine		**404 :** Lysandre impose la paix à Athènes et institue les « Trente Tyrans » **403 :** La démocratie est rétablie à Athènes
399 : Socrate est accusé d'impiété, de corruption de la jeunesse et de pratique de religions nouvelles, par Anytos, chef de la démocratie restaurée par la révolution de 403 Il est condamné à mort. Il attend le retour du bateau sacré de Délos avant de boire la ciguë	**399-390 :** Platon rédige l'*Hippias mineur*, l'*Ion*, le *Lachès*, le *Charmide*, le *Protagoras* et l'*Euthyphron*.	
		395-394 : Sparte assiège Corinthe
	394 : Peut-être Platon prit-il part à la bataille de Corinthe **390-385 :** Platon rédige le *Gorgias*, le *Ménon*, l'*Apologie de Socrate*, le *Criton*, l'*Euthydème*, le *Lysis*, le *Ménexène* et le *Cratyle* **388-387 :** Voyage de Platon en Italie du Sud où il rencontre Archytas, et à Syracuse, où règne Denys Iᵉʳ **387 :** Retour de Platon à Athènes, où il fonde l'Académie	
		386 : Paix dite « du Roi » ou « d'Antalcidas »
	385-370 : Platon rédige le *Phédon*, le *Banquet*, la *République* et le *Phèdre*	
		382 : Guerre de Sparte contre Athènes **378 :** Guerre d'Athènes-Thèbes contre Sparte **376 :** Athènes est maîtresse de la mer Égée La ligue béotienne est reconstituée **375 :** Flotte d'Athènes dans la mer Ionienne

Socrate	Platon	Événements politiques et militaires
		371 : Thèbes bat Sparte à Leuctres : fin de la suprématie militaire de Sparte
	370-347/6 : Platon rédige le *Théétète*, le *Parménide*, le *Sophiste*, le *Politique*, le *Timée*, le *Critias* et le *Philèbe*	
	367-366 : Platon vient à Syracuse pour exercer, à la demande de Dion, une influence sur Denys II qui a succédé à son père Dion est exilé	**367** : Mort de Denys Iᵉʳ Denys II, tyran de Syracuse
	361-360 : Dernier séjour à Syracuse	
	360 : Platon rencontre Dion qui assiste aux jeux Olympiques. L'exilé lui fait part de son intention d'organiser une expédition contre Denys II	
		359 : Philippe II, roi de Macédoine, père d'Alexandre le Grand (359-336)
		357 : Guerre des alliés (357-346) Départ de l'expédition de Dion contre Denys II
		354 : Assassinat de Dion
	347-6 : Platon meurt Il est en train d'écrire les *Lois*	
		344-337/6 : Timoléon en Sicile
		338 : Bataille de Chéronée
		336 : Philippe assassiné Alexandre le Grand, roi de Macédoine (336-323)

N B : En Grèce ancienne, on comptait les années comme années d'Olympiades Or les jeux Olympiques avaient lieu au mois d'août D'où le chevauchement de l'année grecque sur deux de nos années civiles, qui commencent début janvier

Par ailleurs, la périodisation des œuvres de Platon que nous proposons n'est qu'approximative : rien n'assure que l'ordre de la composition des dialogues correspond à l'ordre dans lequel nous les citons à l'intérieur d'une même période

INDEX THÉMATIQUE
Apologie de Socrate

*Les chiffres renvoient aux pages de ce livre, les chiffres précédés de
n. aux notes.*

INDEX DES NOMS PROPRES
Apologie de Socrate

Les chiffres renvoient aux pages de ce livre, les chiffres précédés de n. aux notes. Cet index, qui, pour l'Antiquité, se veut le plus complet possible, n'est cependant pas exhaustif. Par ailleurs, aucun nom d'auteur contemporain n'y figure.

INDEX THÉMATIQUE
Criton

Les chiffres renvoient aux pages de ce livre, les chiffres précédés de n. aux notes.

INDEX DES NOMS PROPRES
Criton

Les chiffres renvoient aux pages de ce livre, les chiffres précédés de n. aux notes. Cet index, qui, pour l'Antiquité, se veut le plus complet possible, n'est cependant pas exhaustif. Par ailleurs, aucun nom d'auteur contemporain n'y figure.

TABLE

LA PHILOSOPHIE DANS LA GF

G F - C O R P U S